UF1880: Gestión de redes telemáticas

Elaborado por: Silvia Clara Menéndez Arantes

Edición: 5.1

EDITORIAL ELEARNING S.L.

ISBN: 978-84-16492-08-4

Impreso en España - Printed in Spain

Presentación

Bienvenido a la Unidad Formativa **UF1880: Gestión de redes telemáticas.** Esta Unidad formativa pertenece al **Módulo Formativo MF0230_3: Administración de redes telemáticas,** que forma parte del Certificado de Profesionalidad **IFCT0410: Administración y Diseño de redes departamentales**, de la familia de **Informática y Comunicaciones**.

Presentación de los contenidos

La finalidad de esta Unidad Formativa es enseñar al alumno a definir e implantar los procedimientos de monitorización de los elementos de la infraestructura de red de datos para la fase de explotación, así como supervisar el mantenimiento de la red de datos adaptando los planes preventivos establecidos a las particularidades de la instalación.

Para ello, en primer lugar se analizará el ciclo de vida de las redes, la administración de redes y los protocolos de gestión de red. También se estudiará el análisis del protocolo simple de administración de red y el análisis de la especificación de monitorización remota de red. Por último, se profundizará en la monitorización de redes, el análisis del rendimiento de redes y el mantenimiento preventivo.

Objetivos de la Unidad Formativa

Al finalizar esta Unidad Formativa aprenderás a:

- Implantar procedimientos de monitorización y alarmas para el mantenimiento y mejora del rendimiento de la red.

- Aplicar procedimientos de mantenimiento preventivo definidos en la documentación técnica.

Índice

Área: informática y comunicaciones

UD1

Ciclo de vida de las redes

1.1. Explicación del ciclo de vida de una red usando el modelo PPDIOO como referencia

Las redes son uno de los activos más valiosos y estratégicos en el mundo de las comunicaciones por lo que se hace necesario disponer de mayor disponibilidad, seguridad y confiabilidad.

Además actualmente las redes tienden a ser convergentes y complejas por lo que se hace necesario tener un gran conocimiento y habilidades especializadas en las tecnologías de red que cada vez son más avanzadas e incluyen muchos aspectos, tales como seguridad, redes inalámbricas, voz, datos, y redes de almacenamiento.

El hecho de que una empresa sea capaz de cumplir con estas necesidades se ve comprometido cuando no se usa un método probado y consistente así como si no se dispone de personal altamente especializado.

El planteamiento o método que aquí se presenta trata de alinear los requerimientos de negocio y técnicos ajustándolos a través de las seis fases del ciclo de vida de una red PPDIOO.

Cisco define una metodología exclusiva del ciclo de vida de una red, esto es, las actividades que vamos a necesitar en cada fase del ciclo de vida de una red, con ello, nos vamos a asegurar la excelencia de los servicios.

El modelo PPDIOO consta de una serie de fases que son:

– Preparar

– Planear

– Diseñar

– Implementar

– Operar

– Optimizar

Es tan importante disponer de un método que esté probado y sea consistente como saber aplicarlo en los diferentes escenarios que se nos pueden plantear, es decir, los diferentes tipos y tamaños de empresas, localizaciones, alcances geográficos así como los diferentes requerimientos tecnológicos.

De esta idea podemos extraer que es muy importante seleccionar un proveedor de sistemas de red que sea confiable, sólido y que tenga un gran alcance, en el sentido de poder dar soporte a las diferentes necesidades empresariales y dominar la red.

El hecho de usar un método para hacer las cosas, es debido a que en general, los profesionales del Networking (redes), suelen crear redes muy complejas, caóticas y desordenadas, que cuando después surgen problemas, estos no se pueden resolver usando el mismo criterio con el que se creó la red.

Esto es fruto de un trabajo mal hecho.

Sabías que

Imagina que haces un cable de red siguiendo tu propio código de colores, y mañana se estropea y es otra persona la que lo tiene que arreglar... Si todos usamos el mismo código de colores para la creación del cable será mucho más fácil.

Convergencia de redes

Una red creada con esta complejidad y de forma caótica normalmente no ofrece los rendimientos esperados, o no es escalable cuando la empresa crece y la red también necesita hacerlo, además de que muchas veces no se tienen en cuenta cosas como la seguridad, y por tanto, esta red no va a satisfacer los requerimientos totales del cliente a medio o largo plazo.

La solución a este problema es el uso de un método sistemático y racionalizado en el que se diseña la red y su escalabilidad. Estos métodos provienen de la búsqueda de soluciones a través de la experiencia acumulada a la hora de diseñar productos.

La ventaja de usar el método PPDIOO se basa en varios beneficios:

– Se baja el coste total de propiedad por validación de requerimientos y planeamiento para cambios de infraestructura y requerimientos de recursos.

– Hay una mayor disponibilidad de la red ya que previamente se ha realizado un diseño en condiciones de la misma y se han validado las operaciones.

– Mejora la agilidad de los negocios, ya que se establecen requerimientos y estrategias tecnológicas.

– Se mejora la velocidad de acceso a los recursos, aplicaciones y servicios en red, esto se consigue mejorando la disponibilidad, seguridad, escalabilidad, fiabilidad, etc.

Vamos a recordar lo que es el modelo OSI para una mejor comprensión del texto, ya que hablaremos de él en más ocasiones.

Modelo OSI

El modelo OSI es un modelo de interconexión de sistemas abiertos compuesto de 7 capas, que permite dividir los problemas de red en partes más pequeñas y manejables. La capa de comienzo es la capa física, siendo esta la capa más baja de la jerarquía, iremos ascendiendo por las diferentes capas hasta llegar a la última que es la capa de aplicación, la más cercana al usuario.

Las capas se nombran en el siguiente orden:

7. Capa de aplicación

6. Capa de presentación

5. Capa de sesión

4. Capa de transporte

3. Capa de red

2. Capa de enlace de datos

1. Capa física

Comenzamos a explicar algunos aspectos de estas capas comenzando desde la capa física.

– Capa física

Esta capa, la de más bajo nivel permite la transmisión y recepción de los datos sin procesar a través del medio físico, esto es por ejemplo el cableado (eléctrico, óptico). Es la capa que lleva las señales eléctricas y la mecánica, la que lleva los voltios y los estados binarios de una señal.

– Capa de enlace de datos

Esta capa permite la transferencia de datos sin errores de las tramas de un nodo a otro, y permite que las capas superiores obtengan una transmisión sin errores.

Nos permite:

- Establecer y finalizar los vínculos entre dos nodos

- Controla el tráfico de tramas

- Transmite/recibe tramas secuencialmente

- Detecta errores de la capa física y confirma las tramas

  Los protocolos que operan en esta capa adjuntaran un Chequeo de Redundancia Cíclica (Cyclical Redundancy Check a CRC) al final de cada trama.

- Delimita perfectamente las tramas

- Comprueba errores de la trama

- Administra el acceso/uso al medio

La capa de enlace de datos se divide en dos subcapas, el Control Lógico del Enlace (Logical Link Control o LLC) y el Control de Acceso al Medio (Media Access Control MAC).

– **Capa de red**

Es la encargada de controlar el funcionamiento de la subred, estipula que ruta deben tomar los datos en función de cómo es la red, las prioridades de los servicios y otros aspectos. Es en esta capa donde se encuentran ubicados dispositivos como el router.

Por tanto esta capa nos permite:

- Enrutamiento de paquetes entre las diferentes redes, es decir encontrar la mejor ruta

- Controlar el tráfico de la subred

- Fragmenta las tramas

- Asigna direcciones lógicas y físicas. Aquí encontramos la dirección IP

- Contabiliza y hace un seguimiento de las tramas

- Da soporte a las capas superiores

– **Capa de transporte de red**

Esta capa ofrece la garantía de que los paquetes se entregan a su destino sin errores, pérdidas o duplicaciones. Verdaderamente esta capa y las siguientes son capas "origen a destino" a las que no les interesan los detalles de la comunicación subyacentes. Nos proporciona:

- Segmentación de los mensajes

- Confirmación del mensaje, entregas confiables extremo a extremo, ACKs

- Controla el tráfico

- Multiplexación de sesión

- Divide los mensajes en subunidades más pequeñas para su correcta transmisión, tramas, a las que pone un encabezamiento que incluye información de control y marcadores de tamaño

La Capa 3 para determinar la ruta que deben seguir los paquetes de datos.

– **Capa de sesión**

Establece sesiones entre los diferentes procesos que se están ejecutando en las diferentes estaciones de red. No permite:

· Establecer, mantener y finalizar sesiones de red

· Da soporte a la sesión permitiendo que los equipos se comuniquen en red, implementando seguridad, reconociendo nombres, etc.

Los protocolos que operan en la capa de sesión pueden proporcionar dos tipos distintos de enfoques para que los datos vayan del emisor al receptor: la comunicación orientada a la conexión (TCP) y la comunicación sin conexión (UDP).

– **Capa de presentación**

Aporta formato a los datos que se presentan en la siguiente capa, es decir a la capa de aplicación, traduce formatos y nos permite:

· Convertir códigos de caracteres

· Convertir datos

· Compresión de los datos, reduciendo el nº de bits

· Cifrar los datos

Por ejemplo, cuando ejecutamos el navegador para acceder a una página web, o el gestor de correo electrónico estamos operando en la capa de aplicación.

– **Capa de aplicación**

Es la más cercana al usuario, procesos y aplicaciones mediante las cuales se tiene acceso a la red.

Sus funciones son:

· Uso compartido de recursos y redirección de dispositivos

· Acceso a archivos remotos

· Acceso a la impresora remota

· Administración de la red

- Servicios de directorio

- Comunicación entre procesos

- Mensajería electrónica (como correo)

- Terminales virtuales de red

Equipo A		Equipo B
Aplicación	Procesos de red a aplicaciones	Aplicación
Presentación	Representación de datos	Presentación
Sesión	Comunicación entre host	Sesión
Transporte	Conexión Extremo a extremo	Transporte
Red	Direccionamiento y mejor ruta	Red
Enlace de datos	Acceso a los medios	Enlace de datos
Física	Transmisión binaria, cables, Conectores, voltaje, velocidades…	Física

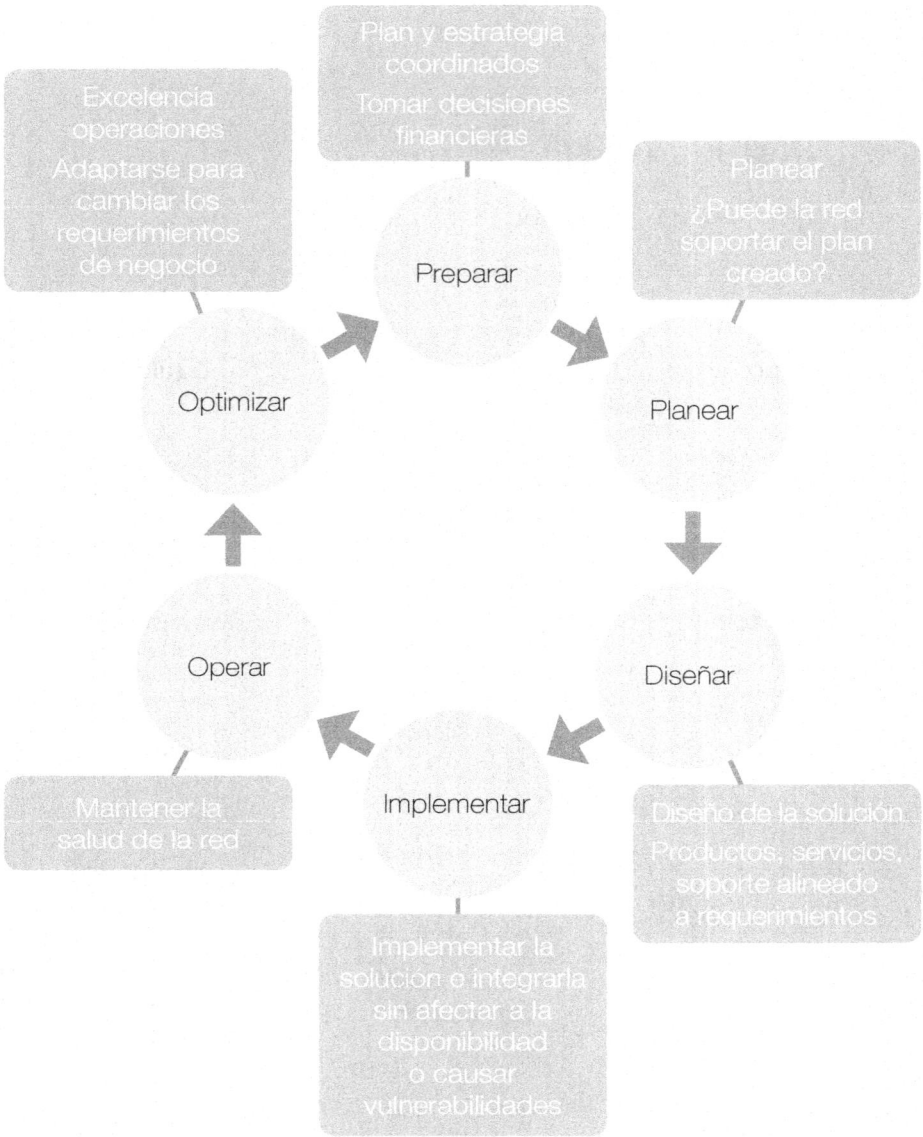

En definitiva, la metodología PPDIOO se basa en el ciclo de vida de la red.

Formando parte de esta metodología está el diseño top-down que requiere ir desde una capa inicial del modelo OSI, que es la capa de aplicación y desciende por el resto de las capas. Hay que validar las necesidades y requerimientos de la empresa y analizarlos antes de escoger el tipo de tecnología a usar.

Modelar una red de esta manera, ayuda a los diseñadores de la red, así pueden hacer un análisis de los requerimientos iniciales en su totalidad y saber con exactitud cuáles serán las metas que quieren alcanzar.

Modelar la red con PPDIOO requiere un estudio de las exigencias iniciales para poder escoger el tipo de tecnología que mejor se adapte a nuestras necesidades, y que no esté sobrevalorada en exceso ni por el contrario sea precaria, pero sí teniendo en cuenta un futuro crecimiento de la red.

Como ya hemos dicho el modelo PPDIOO usa un tipo de modelado top-down siguiendo el modelo de referencia OSI, y se enfoca principalmente en las capas 7,6 y 5, es decir, aplicación, sesión y transporte, aunque previamente debemos escoger los equipos de interconexión de red, que operan en las capas inferiores, es decir, switches, routers, equipos de comunicación, equipos multimedia.

Este modelo Top-down no es fijo, puede variar, o mejor dicho ser interactivo, en el sentido de que se pueden cambiar diferentes aspectos si advertimos que hay errores tanto en el diseño lógico como en el físico, con esta flexibilidad podemos llegar a crear un diseño del modelo de red que esté cerca del ideal.

Es de suma importancia obtener una visión global de los requerimientos, así como de los fines para los que se diseña el modelo de red, ya que así conoceremos también las limitaciones del diseño.

1.2. Descripción de las tareas y objetivos de las distintas fases

Entre los objetivos que se buscan en las distintas fases, podemos destacar que las empresas buscan el valor de los negocios y el retorno de la inversión de sus redes.

Existen cuatro áreas básicas que son:

Reducir el costo total de la propiedad mientras se añaden nuevas tecnologías a la red

El Total Cost of Ownership (TCO) o Costo Total de la Propiedad, es una medida diseñada por el Grupo Gartner a finales de los 70, es una herramienta destinada a analizar y hacer más eficiente la adquisición de tecnología y los costes que supondrá mantenerla.

Para hacernos una idea de qué es esto exactamente…:

Los responsables de redes deben de cuantificar los costes directos e indirectos que derivan de la adquisición de los equipos, su uso y despliegue, y buscar un equilibrio entre esos costes y los beneficios que la implantación de esa nueva tecnología va a reportar a la empresa.

Entre los costes directos tenemos el precio del equipo, su instalación y mantenimiento habitual.

Los costes indirectos (sin presupuestar) son más difíciles de evaluar, pero entre ellos podemos destacar:

— Mantenimiento tras la garantía del producto.

— Formación al personal técnico y usuarios.

— Consumo energético

— Costes asociados al deshecho del producto

— Administración y soporte

Mejorar la agilidad empresarial

Esto es, la rapidez y habilidad que tiene la empresa de responder a las condiciones del mercado en cada momento, y de poderse adaptar a las diferentes exigencias de los clientes y sus tipos de redes y negocios, es algo más profundo que solo ser más productivo.

Consiste en una serie de valores y principio que nos permitan interactuar de forma continua y directa con nuestros clientes, empleados, proveedores. De forma que se pueda innovar y entregar el valor que se requiere de nuestro producto o servicio, así como satisfacer las crecientes demandas de nuestro cliente en el mundo tecnológico y no desaprovechar ninguna oportunidad que le brinde el mercado.

Están basadas en pequeños ciclos iterativos, entregas continuas, colaboración cercana con el cliente, con los proveedores (partners), adaptación al cambio y mejora continua, se han convertido en la forma "estándar" de desarrollar proyectos en empresas.

La estructura empresarial tiene que migrar hacia un modelo en el que predominen la colaboración y la proactividad por parte de todos los miembros de la organización. Esto favorece la corrección de errores y la detección de nuevas oportunidades. La Agilidad es la llave de la adaptación empresarial.

Si bien es verdad, que esto no es algo fácil de conseguir, y que requiere la colaboración de todas las partes y un trabajo en grupo bien organizado.

Collaboration Word Cloud Concept

Acelerar el acceso a aplicaciones y servicios

Ayuda a obtener agilidad empresarial.

Podemos crear mejores aplicaciones, mejorar el hardware de los equipos, para que el acceso a los datos sea más rápido.

Sabías que

Un sistema de comunicación IP que incluye una aplicación para gestión de clientes en la que al recibir una llamada entrante, el programa nos detalla la información referente al cliente, nombre, información de contacto, acceso a sus facturas, pedidos, envíos, etc.

Para conseguir este objetivo, se debe estar al corriente de todos los procesos que realiza la empresa, de sus necesidades, de cada aspecto necesario, por lo que se deben mantener constantes reuniones con el cliente a fin de especificar correctamente las necesidades a la hora de crear una aplicación, para que esta no sea algo genérico, sino que esté hecha a medida.

Incrementar disponibilidad

Los tiempos de caída de la red, es decir cuando ésta no funciona y no se puede acceder a los datos pueden afectar negativamente y reducir la rentabilidad del negocio debido a los costos asociados que pueden ser bien porque el personal de la red tenga que resolver problemas y funcionar de modo reactivo, o por las molestias ocasionadas a los usuarios o clientes.

Sabías que

Una plataforma de venta de billetes de avión en internet tiene un problema, y es que cuando los clientes acceden a la plataforma de pago, no pueden realizar la compra debido a algún fallo bien en la red o en la propia plataforma, de forma que abandonan la compra y buscan otra plataforma de billetes de avión, esto generará pérdidas a la empresa económicas y de clientes, además de los gastos técnicos asociados al restablecimiento del servicio. No nos podemos permitir este tipo de errores ya que suponen costes económicos muy grandes, y obviamente son un punto negativo a favor de nuestra reputación.

La alta disponibilidad depende de una redundancia cuidadosamente planeada, seguridad y escalabilidad. Las metas de disponibilidad se ven influenciadas por los objetivos de negocio y se establecen al principio del ciclo de vida de la red

Un despliegue planeado minimiza el riesgo de caída de la red y acelera la resolución de incidencias, lo que nos permite ofrecer un mejor servicio.

Sabías que

Tener varios servidores redundantes, esto es, dos servidores iguales, con la misma configuración y datos almacenados, así en caso de que uno falle disponemos de otro para seguir dando servicio a nuestros clientes, lo que va a incrementar nuestra disponibilidad bastante. Esto nos permite seguir manteniendo el servicio, y darnos tiempo para reparar el servidor averiado. Será muy raro que ambos servidores se pusieran de acuerdo para dejar de funcionar a la vez, ¿verdad?

Servidores redundantes

Disponibilidad del servicio 24x7

Los documentos entregables de esta fase son:

– Diseño de alto novel (HLD)

– Documentos de requerimientos del cliente (CRD)

– Encuesta y resultados de estado actual (CSAS)

1.2.1. Planificar

En el modelo de CISCO hay una fase previa a la de planear, que es la fase de preparación, donde se establecen los requisitos de negocio y la visión tecnológica acorde a ellos.

En esta fase se desarrolla la estrategia tecnológica, se unifican las tecnologías que van a soportar el crecimiento de la empresa, es decir la escalabilidad de la red.

Tras objetivar el valor financiero y empresarial de migrar a una solución y tecnología en particular, la empresa establece una arquitectura conceptual y valida las características y funcionalidad documentadas en el diseño a través de pruebas de concepto.

Planificación

Fase de planificación

En esta fase se identifican los requerimientos de red realizando una caracterización y evaluación de la red, realizando un análisis y evaluando la red de la empresa para determinar si la infraestructura de sistema existente puede soportar el sistema propuesto.

Un plan de proyecto es desarrollado para administrar las tareas, parte responsables, hitos y recursos para hacer el diseño y la implementación.

Este plan de proyecto es seguido durante todas las fase del ciclo.

La empresa trata de asegurar la disponibilidad de los recursos adecuados para administrar el proyecto de despliegue de tecnología, desde la planeación hasta el diseño e implementación.

Para planear la seguridad de la red, la empresa evalúa sus sistemas, redes e información contra intrusos, así como también evalúa la red para detectar la factibilidad de que redes externas y no confiables obtengan acceso a redes y sistemas internos y confiables.

Se planean también aspectos como determinar el tráfico de red, selección de equipos, fiabilidad, arquitectura de red, respaldo, etc.

Se crea un plan de proyecto para ayudar a administrar las tareas, riesgos, problemas, responsabilidades, hitos críticos y recursos requeridos para implementar cambios en la red.

El plan de proyecto se compara con el campo de acción, el costo y los parámetros de recursos establecidos en los requerimientos de negocio originales.

Documentos que puede generar esta fase

- Especificaciones de requerimientos del sitio.

  - Describe las características que se deben cumplir, para garantizar su cumplimiento

    › Requisitos funcionales

    › Requisitos técnicos

- Plan de prueba de soluciones.

  - Objetivos del plan de pruebas

  - Alcance de las pruebas

  - Entorno y configuración de las pruebas

  - Registro de las pruebas

  - Pruebas de sistemas

  - Pruebas funcionales

  - Pruebas de aceptación

  - Análisis de los resultados

- Formulario de encuesta del sitio

- Respuesta de documento de requerimientos del cliente

Site Requirements Specifications (SRS)	Solutions test Plan (STP)	Site Survey Form (SSF)	Customer Requirements Document Response (CRDR)

1.2.2. Diseñar

En esta fase, la empresa va a desarrollar, o actualizar el diseño de red detallado.

Es importante usar la información que hemos obtenido de las dos fases anteriores (Planear y planificar), así se garantiza que el diseño que hagamos satisfaga tanto las necesidades de la empresa como las técnicas definidas previamente.

Se incorporan especificaciones para soportar la disponibilidad, confiabilidad, seguridad, escalabilidad y rendimiento.

Si es preciso, se crean aplicaciones hechas a la medida para que la tecnología pueda cumplir con los requerimientos de la organización y le permita la integración con la infraestructura de red existente, además se desarrollarán varios planes para guiar actividades tales como:

– Configuración

– Prueba de conectividad

– Despliegue

– Comisionar el sistema propuesto

– Migración de servicios de la red

– Demostración de funcionalidad de la red

– Validación de la operación de la red

– Crear planes que guíen la instalación

– Completar el diseño de red

– Generar una propuesta final

– La propuesta debe considerar:

· Disponibilidad

· Escalabilidad

· Seguridad

· Manejabilidad

Los documentos entregables son

Diseño de bajo nivel (LLD)

1.2.3. Implementar

Se pueden usar varios métodos de implementación, aunque lo normal es incorporar y configurar un banco de pruebas donde se simulan las distintas partes del diseño de la red.

Ciclo hacia implementación

En esta fase se trabaja para integrar dispositivos sin interrumpir la red existente o crear puntos de vulnerabilidad.

Se monta y prueba el sistema propuesto antes de desplegarlo.

Después de identificar y resolver cualquier problema a la hora de implementar el sistema, se instala, configura e integra los componentes del sistema y se instala, configura, prueba y comisiona el sistema de operaciones y administración de la red.

Una vez se ha implementado la red, se deben ejecutar una serie de pruebas para asegurar que su funcionamiento es el correcto y esperado, en función del diseño realizado previamente.

Una vez que se han migrado los servicios de red, se valida que la red operativa esté funcionando como se había planeado, se validan las operaciones del sistema y se forma al personal correctamente.

Los documentos generados en esta fase son

- Pruebas de disposición de red (NRFU)

- Soporte de prueba NFRU.

- Registro de eventos de implementación.

1.2.4. Operar

Esta es una de las fases más largas del método PPDIOO, debido a que la empresa opera sin grandes cambios en la red. Es la fase de convivencia con la tecnología en la empresa, es decir el día a día.

En esta fase se mantiene la red en las mejores condiciones, para ello, se monitorea y administra proactivamente para que se maximicen su rendimiento, capacidad, disponibilidad, seguridad y confiabilidad.

También éste es el momento en que se resuelven los problemas o cambios que vayan surgiendo y afecten al sistema, modificando, reemplazando o reparando el hardware si es necesario, así mismo, se mantienen actualizados las aplicaciones y el software en general.

Se controla también que los proveedores de hardware y software hagan sus entregas y mantenimientos en la forma y tiempo correctos.

Se definen políticas y procedimientos, se supervisa la red y se caracterizan las operaciones de la red en condiciones normales.

A la hora de supervisar la red bien se puede hacer monitoreándola o también muchas veces nos encontramos con que algún usuario reporta algún fallo o problema con la red, y es cuando nos damos cuenta de que algo está sucediendo.

Un sistema de monitoreo de la red comprueba continuamente la disponibilidad y el estado de los dispositivos de red, y nos permite detectar posibles problemas tan pronto como se producen, e incluso nos permitirá diagnosticar y resolverlos antes de que se pongan de manifiesto a los usuarios finales.

La mayoría del software de monitorización de red incorpora diversos protocolos como SNMP, ICMP y syslog de modo que podremos controlar los dispositivos y eventos de la red.

Concepto de seguridad

Importante

Es muy importante mantener actualizado nuestro Software y Firmware ya que la mayoría de las actualizaciones suelen ser enfocadas a solucionar problemas de seguridad que podrían comprometer la integridad de los datos que manejamos en la red.

Esta fase es la prueba final del diseño.

Los documentos que se generan en esta fase son:

— Reportes de análisis de causas principales.

— Reportes MAC

— Análisis de contrato de soporte (SMARTnet)

1.2.5. Optimizar

Es una fase donde se requiere pro-actividad, identificando y resolviendo posibles problemas que afecten a la red.

Un buen negocio busca siempre una ventaja competitiva. Es por ello que la mejora continua es uno de los pilares básicos del ciclo de vida de la red.

En la fase de optimización, se busca constantemente alcanzar la excelencia operativa a través de un mejor rendimiento, ampliación de los servicios y las evaluaciones periódicas de la red para comparar las necesidades actuales con lo que en un principio se diseñó.

Por tanto, durante esta fase pueden surgir modificaciones del diseño original si surgen problemas.

Parte de esta fase, se realiza usando el modelado Top-Down que se inicia en las capas del modelo OSI superiores bajando por todas las capas hasta las inferiores, analizando y validando los requerimientos. Está enfocado principalmente a las capas de aplicación sesión y transporte.

Se busca optimizar la red y se prepara para adaptarse a las nuevas necesidades de negocio, es aquí donde el Ciclo de Vida comienza de nuevo en busca de una mejora continua.

Recuerda

La mejora continua es clave en cualquier proceso.

UD1
Lo más importante

– Cisco define una metodología exclusiva del ciclo de vida de una red, esto es, las actividades que vamos a necesitar en cada fase del ciclo de vida de una red, con ello, nos vamos a asegurar la excelencia de los servicios. El modelo PPDIOO.

– El modelo PPDIOO consta de una serie de fases que son:

  · Preparar

  · Planear

  · Diseñar

  · Implementar

  · Operar

  · Optimizar

– En el modelo de CISCO hay una fase previa a la de planear, que es la fase de preparación, donde se establecen los requisitos de negocio y la visión tecnológica acorde a ellos. En esta fase se desarrolla la estrategia tecnológica, se unifican las tecnologías que van a soportar el crecimiento de la empresa, es decir la escalabilidad de la red.

- Un plan de proyecto es desarrollado para administrar las tareas, parte responsables, hitos y recursos para hacer el diseño y la implementación. Este plan de proyecto es seguido durante todas las fase del ciclo.

- Es importante usar la información que hemos obtenido de las dos fases anteriores (Planear y planificar), así se garantiza que el diseño que hagamos satisfaga tanto las necesidades de la empresa como las técnicas definidas previamente. Se incorporan especificaciones para soportar la disponibilidad, confiabilidad, seguridad, escalabilidad y rendimiento.

- Se pueden usar varios métodos de implementación, aunque lo normal es incorporar y configurar un banco de pruebas donde se simulan las distintas partes del diseño de la red.

- Fase Operar. En esta fase se mantiene la red en las mejores condiciones, para ello, se monitorea y administra proactivamente para que se maximicen su rendimiento, capacidad, disponibilidad, seguridad y confiabilidad.

- Fase Optimizar. Es una fase donde se requiere pro-actividad, identificando y resolviendo posibles problemas que afecten a la red.

UD1
Autoevaluación

1. **Las redes son:**

   a. Un activo valioso.

   b. Convergentes.

   c. Complejas.

   d. Todas son correctas.

2. **El modelo PPDIOO:**

   a. Es de CISCO.

   b. Sus fases corresponden a sus siglas.

   c. La última fase es optimizar.

   d. Todas son correctas.

3. **Una red compleja usa un…**

   a. Método sistemático.

   b. Método racionalizado.

   c. Ambas son correctas.

   d. Ninguna es correcta.

4. **Los objetivos del modelo son:**

    a. Reducir costos de la propiedad.

    b. Mejorar agilidad empresarial.

    c. Acelerar El acceso a aplicaciones y servicios.

    d. Todas son correctas.

5. **En el modelo de CISCO existe:**

    a. Una fase previa a la de planear.

    b. No existe fase planear.

    c. No tiene que ver con el modelo PDIOO.

    d. Ninguna es correcta.

6. **Los documentos de la fase de planificación son:**

    a. Especificaciones de requerimientos del sitio.

    b. Plan de prueba de soluciones.

    c. Formulario de encuesta del sitio y respuesta requerimientos.

    d. Todas son ciertas.

7. **En la fase de diseño:**

    a. Se planea.

    b. Se planifica.

    c. Se desarrolla o actualiza el diseño.

    d. Ninguna es cierta.

8. **En la fase de implementación:**

    a. Se usan varios métodos.

    b. Se incorpora un banco de pruebas.

    c. Ambas son correctas.

    d. Ninguna es cierta.

9. **En la fase de operar:**

    a. Es la más corta.

    b. Es la más larga.

    c. Mantiene la red en mejores condiciones.

    d. B y c son correctas.

10. **En la fase de optimizar señala la falsa:**

    a. No se requiere proactividad.

    b. Resuelve problemas.

    c. Identifica problemas de red.

    d. B y c son incorrectas.

Área: informática y comunicaciones

UD2
Administración de redes

2.1. Explicación del concepto de administración de redes como el conjunto de las fases operar y optimizar del modelo PPDIOO

El concepto de Administración de Redes se refiere a las técnicas que ayudan a mantener una red operativa, eficiente, segura, constantemente monitoreada y con una planeación adecuada y propiamente documentada.

Sus objetivos son:

- Mejorar la continuidad en la operación de la red mediante el control y monitoreo, y la resolución de problemas y de suministro de recursos.

- Hacer uso eficiente de la red y utilizar mejor los recursos.

- Reducir costos.

- Hacer la red más segura, protegiéndola contra el acceso no autorizado.

- Controlar cambios y actualizaciones en la red para que no se ocasionen interrupciones, o al menos las menos posibles, en el servicio a los usuarios.

La administración de la red es más difícil cuanto más compleja sea la misma, teniendo en cuenta que las redes comprenden muchos ámbitos como:

- Diversos tipos de señales:

  · Voz

  · Datos

  · Imagen

  · Gráficos

- Interconexión de diferentes tipos de redes:

  · WAN

  · LAN

  · MAN

- Uso de múltiples medios de comunicación:

  · Par trenzado

  · Cable coaxial

  · Fibra óptica

  · Satélite

  · Láser

  · Infrarrojo

  · Microondas

- Diversos protocolos de comunicación:

  · TCP/IP

  · SPX/IPX

  · SNA

  · OSI

  · Otros

- Diferentes sistemas operativos:

  · DOS

  · Netware

  · Windows

  · UNIX

  · OS/2

- Diversas arquitecturas de red, que incluyen Ethernet, Fast Ethernet, Token Ring, FDDI, 100vg-Any Lan y Fiberchannel.

- Varios métodos de encriptado, compresión, códigos de línea, etc…

La administración de redes se engloba dentro de las fases operar y optimizar dentro del modelo PDIOO, ya que es en estas fases donde se va a velar por el mantenimiento, buen funcionamiento y mejoras de la red.

Sí se provee de un buen marco metodológico y de las herramientas operacionales para responder a los problemas, una compañía puede evitar futuras caídas e interrupciones en el negocio muy costosas, tanto a nivel económico como en otros aspectos, como la reputación, etc.

Recordemos de nuevo el ciclo de vida PPDIOO de la red de forma esquemática:

Preparar	Planear y diseñar	Implementar	Operar	Optimizar
Desarrollo del plan de negocios	Administración para el despliegue del proyecto	Establecimiento del sistema	Soporte y resolución de problemas del sistema	Alinear la situación actuar al caso de negocio
	Evaluación de la preparación del sistema, operaciones y aplicaciones	Implementación del sistema	Realizar movimientos, adiciones y cambios en el sistema	Evaluar las tecnologías y al sistema
	Diseño del sistema	Integración de aplicaciones especializadas	**Monitorear y administrar el sistema**	Mejorar las operaciones
	Desarrollo de aplicaciones especiales	Pruebas de verificación y aceptación del sistema		

Tras las primeras fases del proyecto de red donde se planea la solución a escoger, se diseña la solución a implementar con todos sus requerimientos, se implementa y emula la red (fase de pruebas en un entorno no productivo), se realizan diversas pruebas de verificación y aceptación del sistema, etc... se implementa el sistema definitivamente y tras ello se protege la inversión a través de las operaciones cotidianas en la fase de operación.

Monitorizar

La operación de la red representa una porción significativa del presupuesto de IT de una empresa, por lo que es importante ser capaz de reducir los gastos operativos mientras se mejora el rendimiento de la red de forma continua.

Debemos de ser proactivos en el monitoreo de la salud y signos vitales de la red para mejorar la calidad del servicio, reducir interrupciones, mitigar las caídas, y mantener la alta disponibilidad, fiabilidad y seguridad.

En esta fase de operación, se van resolviendo los problemas generales que van surgiendo, así como los específicos, se diagnostican problemas con el hardware y el software y se van solucionando mediante reparación o reemplazo de los mismos, se realizan actualizaciones, y mejoras del software en función de las necesidades y se realizan también cambios que vaya solicitando el cliente, es decir, movimientos, adiciones y mejoras.

Durante esta fase se administra la red y su seguridad, para mantenerla en buen estado de salud.

Durante la fase de optimización, una vez que la red ya está funcionando se revisa y compara siempre con el plan inicial de negocio, y con los datos proporcionados en el acto de administrar la red, se evalúan y validan las configuraciones de los dispositivos, se identifican áreas de congestión de red.

Se estudian los problemas que han ido surgiendo para poder recomendar cambios y ayudar a prevenir problemas de la red logrando así incrementar la disponibilidad y mejorar la funcionalidad de la misma.

Así mismo se evalúa la seguridad de la red y se realizan cambios si es preciso tanto en la seguridad de los sistemas como en las políticas de seguridad.

Optimizar, consiste en como una organización maneja y mejora de forma continua su red, sin interrumpir la operación y adaptándose a sus necesidades día a día y de forma dinámica para prestar una mejor calidad de servicio a sus clientes internos y externos.

Esto depende directamente de una buena supervisión y monitoreo en la fase de operación, pero también depende de la escalabilidad propuesta en la fase de diseño, de como de bien se implementó este diseño al final y del presupuesto que se otorgó para las futuras fases de ampliación o mejora de la red.

Por tanto, la administración del sistema nos hace estar constantemente a alerta de las necesidades crecientes de la red, y nos permite mejorarlas en las fases de operación y optimización de la red.

Optimizar

Mejora continua

Un administrador de redes en general, se encarga de asegurar la correcta operación de la red, para ello tomará acciones bien en modo remoto o local. Administra cualquier equipo de telecomunicaciones de voz, datos y video, así como de administración remota de fallos, configuración rendimiento, seguridad e inventarios.

Recuerda

Un administrador de redes es una persona con una formación técnica muy variada, no sólo debe tener conocimientos de redes, sino también abarca otros conocimientos como seguridad, comunicaciones, sistemas operativos, así como diversos lenguajes de programación generales y específicos.

2.2. Recomendaciones básicas de buenas prácticas

Las buenas prácticas son directrices que permiten adaptar los procesos para que se ajusten a los requerimientos empresariales.

Entre estas directrices podemos destacar:

– Mantener a la organización (NOC) responsabilizada con la administración de la red.

– Monitorizar la red para garantizar niveles de servicio en el presente y futuro.

– Controlar, analizar, probar y registrar cambios en la red.

– Mantener y velar por la seguridad de la red.

– Mantener un registro de incidentes y solicitudes.

La tecnología avanza, a pasos agigantados, aparecen nuevos dispositivos, soluciones de convergencia, conceptos como la banda ancha, y montones de aplicaciones nuevas. Las redes son cada vez más complejas y especializadas.

Como profesionales de redes debemos prepararnos para estos cambios, conocer todos sus aspectos y las formas más adecuadas para administrarlas, buscando cerrar brechas y evitar vulnerabilidades mediante la adopción de buenas prácticas para la gestión de servicios de TI (tecnologías de la información) en todos los niveles.

Recuerda

En el mundo de la tecnología la formación continua es clave para ser un buen profesional.

Por ello, debemos de contar con herramientas y procesos de gestión de redes para controlar posibles fallas o degradaciones en los servicios de red que soportan los servicios de TI.

Para esto, es importante nuestra formación continua para poder contar con bases generales sobre la gestión de redes y conocer su importancia en la actualidad. Debemos tener una visión global de todos los distintos elementos involucrados en la red, la prestación del servicio y el alcance que se tiene con su gestión.

Es por ello que la adopción de buenas prácticas puede ayudarnos a desarrollar o mejorar las capacidades necesarias en la entrega de servicios.

Una "buena práctica" es la integración y aplicación de marcos de referencia, métodos y estándares.

En definitiva es una manera de hacer las cosas, que ha sido aceptada en la industria y que funciona bien, es el aprendizaje a través de otros o de la experiencia pasada.

Podemos encontrar estándares como ITIL que se refieren a las buenas prácticas.

Estándar internacional ISO

Sistema de gestión de redes y servicios de telecomunicaciones

Las recomendaciones de la OSI, recogidas también por la ITU posteriormente, definen las siguientes áreas funcionales para la gestión de red:

Gestión de configuración	Proceso para obtener datos de la red y usarlos. Implica beneficios como: – Genera documentación, con las descripciones del producto final, identificación de los componentes, incluyendo sus atributos y prestaciones – La documentación generada aquí es la base de la Gestión de Cambios.
Gestión de rendimiento	Facilidades dedicadas a evaluar el comportamiento de objetos gestionados y la efectividad de determinadas actividades. Incluye herramientas informáticas que gestionan la red, basadas en métodos, métricas, procesos, etc., que nos permiten monitorizar la red.
Gestión de contabilidad	Recolectar estadísticas que permitan generar informes de tarificación que reflejen la utilización de los recursos por parte de los usuarios.
Gestión de fallos	Facilidades que permiten la detección, aislamiento y corrección de una operación anormal. Los fallos se notifican al administrador de red. Se usa el modelo FCAPS de OSI, el significado de estas siglas es: Fault, Configuration, Accounting, Performance, Sacurity.
Gestión de seguridad	Aspectos importantes en la gestión de red y que permiten proteger los objetos gestionados. La ISO usa el método PDCA, Plan, Do, Check, Act, o lo que es lo mismo pero en castellano, para entendernos mejor: – Planificar – Hacer – Controlar – Actuar

2.2.1. Mantener una organización (NOC) responsabilizada con la administración de red

El NOC es el centro de operaciones de red (Network Operations Center), también llamado CCR o centro de control de red, donde los administradores, ingenieros y técnicos supervisan, monitorean y mantienen la red de telecomunicaciones y datos en óptimas condiciones.

Los NOC son responsables de vigilar la red de telecomunicaciones para las alarmas o ciertas condiciones que pueden requerir atención especial para evitar el impacto en el rendimiento de la red a fin de garantizar la calidad de los servicios de TI, monitoreando todo el ambiente de la red, la funcionalidad y su desempeño.

La continuidad y disponibilidad en la operación de las redes de comunicación de datos es muy importante para las empresas.

Un fallo en la continuidad de operación de la red tendrá un impacto directo en el desempeño de la compañía y por tanto también en sus finanzas.

Para satisfacer las necesidades de negocio de una empresa y que no ocurran desastres en nuestra red, se requieren constante administración y control de las redes de comunicación.

El personal técnico de un NOC, debe estar concienciado de la responsabilidad que tiene, y así mismo debe estar formado y certificado en el uso de herramientas, procesos y procedimientos.

Se debe brindar soporte de monitoreo, gestión, evaluación de disponibilidad, y en general de toda la infraestructura de red, es decir, servidores, routers, switches, SAI's, etc. No se deja nada al azar.

Normalmente los NOC funcionan a 7x24x365, es decir los siete días de la semana, las 24 horas los 365 días del año, generando alarmas de distintos niveles, (bajo, medio y alto), de las diferentes partes que engloban la red, lo que nos permite un control continuo y exhausto de la red.

Las alarmas generadas pueden ser visuales o auditivas y según su alcance o nivel se enviarán bien por email o por SMS a ciertos grupos de administradores de la red, para que estén al corriente y las solucionen lo antes posible.

Se opera bajo procesos y procedimientos basados en las mejores prácticas de la industria (ITIL, COBIT, BS-27001), que se apoyan por personal cualificado y certificado en tecnologías de seguridad y en esquemas N+1 para evitar fallas de continuidad, cumpliendo con los acuerdos establecidos de nivel de servicio.

A medida que la empresa crece, se puede disponer de más de un NOC, por ejemplo para segmentar el control y monitorización de las redes cuando coexisten diferentes tecnologías. Esto permite un mejor control de la red.

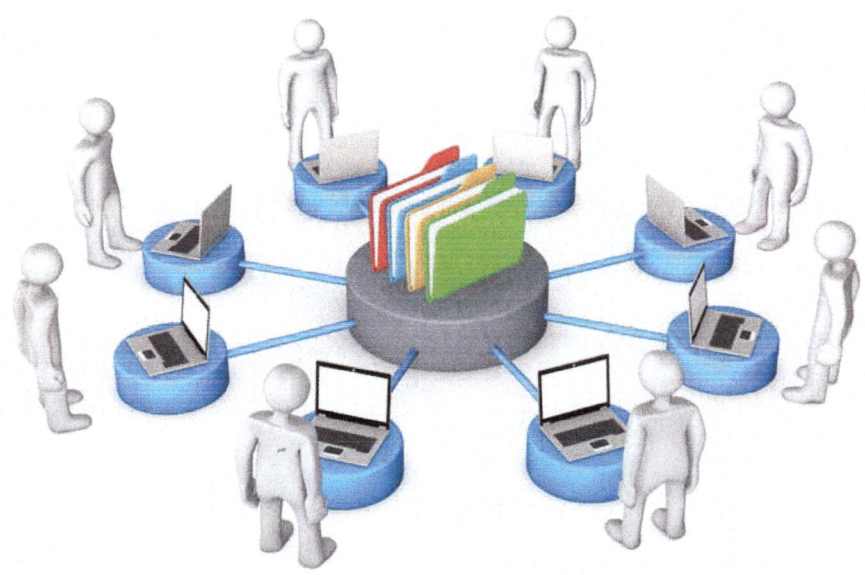

Monitorización

Las Redes e Infraestructura de TI en la actualidad están sometidas a un volumen creciente de datos de complejas aplicaciones de negocios y contenido de datos, audio y video.

Las expectativas de los usuarios (empresas) son muy altas, piden conectividad continua e inmediata, a través de redes alámbricas e inalámbricas, y no pueden permitirse fallos en la disponibilidad de los servicios.

Conectividad

Se requiere el acceso instantáneo a aplicaciones de negocio a través de sus estaciones de trabajo y terminales fijos y móviles.

Así los servicios NOC tratan de mantener estos requerimientos a este ritmo de crecimiento vertiginoso de hoy día. Esto requiere de un gran compromiso para las Gerencias de TI, lo que hace que tengamos que tener muchos aspectos muy controlados, y correctamente monitorizada la red, para poder reaccionar al mínimo problema.

Se trata de resolver estos problemas entregando facilidades de gestión, supervisión, monitoreo, información sobre las Redes e Infraestructura de TI ayudando a las empresas a romper el círculo vicioso de fallas logrando:

–   Disponibilidad: Reducciones significativas de tiempo fuera de servicio.

–   Resolución de incidentes muy rápida.

–   Mayor satisfacción del usuario final y cliente.

–   Mayor satisfacción de trabajo del equipo humano que trabaja en la Gerencia de TI del cliente.

Los Servicios NOC iniciales pueden incorporar las siguientes funciones:

–   Atención de Servicio NOC 24×7

–   Supervisión y Monitoreo 24×7x365

–   Gestión de Incidentes

–   Gestión de Problemas

–   Gestión de Configuración

–   Gestión de Capacidad

–   Gestión de Nivel de Servicio (SLA)

–   Gestión de Cambios

–   Gestión de la seguridad

–   Informes NOC

Recuerda

Todos los procesos son importantes, pero la seguridad es vital.

Si contamos con un NOC eficiente y efectivo reduce el tiempo de indisponibilidad de los servicios. Permite actuar de forma proactiva ante un posible fallo.

Para dar estos servicios el cliente debe dar las facilidades de acceso remoto a la infraestructura que se desea administrar.

Servicios y responsabilidades

Determinar la disponibilidad y el desempeño de la Red de Datos, mediante la administración de la red.

Monitorear dispositivos críticos de la Red (en general el hardware, switch, router, LAN/WAN)

Documentar Niveles de Servicio de los dispositivos monitoreados. Se deben documentar todos los procesos e incidencias de la red, entre otras cosas para poder disponer de una base de conocimiento para cuando surjan incidencias parecidas poder encontrar más rápidamente la solución.

Servicio de HelpDesk para resolución de incidencias.

Escalado de administración de incidencias. En los NOC existen diferentes niveles de personal técnico capacitado para resolver las incidencias, así entonces tendremos técnicos de nivel 1, de nivel 2, de nivel 3 que irán resolviendo las incidencias en función de su complejidad. Si un técnico de primer nivel no es capaz de resolver la incidencia la pasará a un escalafón superior, y así sucesivamente.

Identificación de posibles fallas y degradaciones del desempeño de la Red.

Documentar el uso del ancho de banda, tendencias y resumen de utilización.

Presentar escenario de planeación de capacidades en virtud de un incremento porcentual en el volumen de tráfico de la Red.

Documentar excepciones o situaciones a considerar para el mejoramiento del desempeño de la Red.

Aumentar la calidad de los servicios de TI que se entregan a los usuarios finales.

Contar con información sobre las fallas y desempeño de la infraestructura tanto en tiempo real como histórica, además de poder determinar un plan de capacidades futuras en función de las tendencias de uso de la infraestructura de TI.

Para todo esto nuestro personal técnico debe estar altamente cualificado y concienciado de lo importante que es su tarea en el desempeño de la empresa.

En lo que se refiere a las competencias o cualificación es muy diversa, dada la gran cantidad de tecnologías y sistemas implicados en las redes hoy día, redes LAN, redes WAN, Firewalls, Routers Cisco, bases de datos, conocimientos de programación en diversos lenguajes, etc.

Recuerda

Un NOC da soporte y opera a todos los niveles de servicio.

Permite la reducción de costes operativos, usa las mejores prácticas, y ofrece una garantía de disponibilidad, además de aumentar la competitividad.

2.2.2. Monitorizar la red para garantizar niveles de servicio en el presente y el futuro

La monitorización de redes es el uso de un sistema que constantemente monitoriza una red de ordenadores para poder localizar componentes lentos o que son causa de fallos en la red para luego notificar al administrador (vía email o SMS) en caso de cortes, es decir de fallos que afectan a la disponibilidad de la red. Busca problemas causados por servidores sobrecargados y/o caídos, conexiones de red, u otros dispositivos.

El servicio de monitorización de la red puede monitorizar diversos protocolos HTTP, HTTPS, SNMP, FTP, SMTP, POP3, IMAP, DNS, SSH, TELNET, SSL, TCP, IC, MS, SIP, UDP, Media Streaming, así como todo el rango puertos, esto lo hace a intervalos variables de tiempo, en función de cómo lo configuremos realizando chequeos que van desde cada X horas a cada 1 minuto.

Lógicamente si monitoreamos la red cada hora en lugar de cada 4 horas estaremos mejor informados de lo que ocurra en nuestra red, y podremos tomar medidas lo antes posible para solucionar los posibles problemas que surjan, garantizando así los niveles de servicio y la disponibilidad

Existe mucho Software de monitorización de redes, entre ellos:

— Pandora FMS 5.0

— Accelops

— Aggregate Network Manager

— Barcelona/04 Computing Group

— Capsa

— CimTrak Integrity & Compliance Suite

— InterMapper

— System Center Operations Manager

— Nagios

— OpenNMS

— PRTG Network Monitor

— Shinken

— Spiceworks

— Tango

— Würth-Phoenix

Recuerda

Monitorizar la red, es una garantía de calidad y servicio, de cara al momento presente como al futuro, ya que además nos permite prever posibles fallos, o incluso el crecimiento de la red, para así poder tomar medidas a tiempo que permitan mejorar, los servicios, ampliar la red, o solucionar posibles daños en el futuro, por ejemplo actualizando los sistemas correctamente.

Software

Por poner un ejemplo de las funcionalidades que ofrece este Software de monitorización, vamos a ver algunas de las características de uno de los más utilizados como es Nagios.

Nagios es un Sistema de monitorización de redes de código abierto que vigila los equipos (hardware) y servicios (software) que nosotros configuremos, alertándonos cuando estos dispositivos no se comportan de una forma normal.

Entre sus características principales figuran:

- Monitorización de servicios de red (SMTP, POP3, HTTP, SNMP...)

- Monitorización de los recursos de sistemas hardware

    · Carga del procesador

    · Uso de los discos

    · Memoria, estado de los puertos...

–   Independencia de sistemas operativos,

–   Posibilidad de monitorización remota mediante túneles SSL cifrados o SSH.

–   Posibilidad de programar plugins específicos para nuevos sistemas.

Puedes acudir a la página oficial de Nagios para descargar una versión de prueba y encontrar más información al respecto en:

http://www.nagios.org/

En este otro enlace encontrarás diversos pantallazos de las diferentes cosas que puede monitorizar Nagios:

http://www.nagios.com/products/nagiosxi/screenshots#prettyPhoto[pp_gal]/0/

Software

Para poder usar estos programas correctamente, el técnico debe estar familiarizado con aspectos como sistemas operativos, aplicaciones, y en especial tener conocimientos acerca de redes y protocolos, así como saber cuáles son los parámetros normales o umbrales permitidos, para saber cuándo debemos preocuparnos por la salud de nuestra red, es decir, tenemos que saber interpretar los datos obtenidos de los diferentes programas de monitorización.

La Gestión de Niveles de Servicio (SLM) es el proceso por el cual se definen, negocian y supervisan la calidad de los servicios TI ofrecidos.

La Gestión de los Niveles de Servicio debe:

- Documentar todos los servicios que se ofrecen

- Presentar los servicios de manera que el cliente los entienda.

- Centrarse en el cliente y su negocio y no sólo en la tecnología.

- Colaborar estrechamente con el cliente para proponer servicios TI ajustados a sus necesidades.

- Establecer los acuerdos necesarios con clientes y proveedores para ofrecer los servicios requeridos.

- Establecer los indicadores claves de rendimiento del servicio TI.

- **Monitorizar la calidad de los servicios acordados** con el objetivo último de mejorarlos. Sólo así podremos localizar fallos a tiempo y resolverlos antes de que se conviertan en problemas mayores. La constante monitorización del servicio permite detectar los eslabones y vulnerabilidades más débiles de la cadena para su mejora.

- Elaborar los informes sobre la calidad del servicio y los Planes de Mejora del Servicio.

El Plan de mejora del servicio (SIP) debe recoger tanto medidas correctivas a fallos detectados en los niveles de servicio como propuestas de mejora bien basadas en esos fallos detectados o bien en función del desarrollo de nuevas tecnologías que se puedan ir incorporando a la red.

El SIP formará parte de la documentación de base para la renovación de los "Acuerdos de Nivel de Servicio"(SLA) y debe estar internamente a disposición de los gestores de los otros procesos TI.

Con los planes de mejora y los nuevos acuerdos de nivel de servicio se garantiza que la red esté en óptimas condiciones de funcionamiento.

Podemos distinguir tres tipos de sistemas a la hora de monitorear un sistema:

− **Diagnóstico**

Pruebas de conectividad y acceso a los dispositivos.

· **Herramientas Activas:**

Ping: prueba conectividad a un dispositivo. Nos permite saber por ejemplo, si mi ordenador tiene conectividad con otro ordenador de la red, o con el router, o incluso con una red externa, de modo que me permite determinar posibles fallos, y establecer dónde se producen si dentro de mi red, en un dispositivo concreto o fuera de mi red.

Ejemplo:

> **C:/ ping 192.168.10.16**

› **Traceroute:** muestra el camino a un dispositivo. Nos permite solucionar problemas en el protocolo TCP/IP, determinando la ruta que siguen los paquetes hasta que llegan a su destino. Esta utilidad pertenece al protocolo ICMP, por lo que nos enviará mensajes ICMP, como por ejemplo: si se sobrepasa el tiempo de vida de un paquete (TTL), nos dará una respuesta del tipo "Tiempo agotado". Este comando incorpora una serie de modificadores que me permiten obtener más información, como IP del host de destino, nº de saltos máximos hasta el destino, etc.

Ejemplo:

> **C:/tracert 80.50.45.50**

> › **MTR:** combina ping + traceroute, y es una herramienta que se puede usar tanto en Windows (Win MTR) como en Linux. Además se puede ejecutar bien a través de consola de comandos o usando una interfaz gráfica.

> › **Collectores de SNMP** (modo encuesta)

- **Herramientas Pasivas:**

> › **Monitoreo de logs.** Todos los datos de funcionamiento por ejemplo de nuestro sistema operativo se almacenan en unas bitácoras, mejor conocidas como "Logs", que comprenden datos como hora de inicio de sesión, usuario que inicia una sesión, tiempo que está conectado, reinicios del equipo, fallos provocados por aplicaciones, etc. Estos datos se pueden recuperar y analizar posteriormente para saber lo que está ocurriendo en nuestros equipos.

> › **Colectores de "trampas" SNMP**

> › **NetFlow**

- **Herramientas iterativas:**

> › **SmokePing:** muestrea, registra y grafica usando ICMP (Ping) u otros protocolos

> › **MRTG/RRD:** registra y grafica ancho de banda a intervalos regulares.

– **Rendimiento**

Permiten saber cómo funciona la red, el flujo de datos, el ancho de banda disponible, si existen cuellos de botella, rendimiento del hardware, como por ejemplo, CPU y memoria, tanto usada como disponible.

Herramientas:

- **Cricket:**

Es una herramienta que permite a los administradores ver el tráfico de red y comprenderlo, aunque también tiene otras funciones. Contiene un colector de datos que son almacenados en una base de datos (RD Tool), que posteriormente podemos comprobar y analizar a través de su interfaz web gráfica.

http://cricket.sourceforge.net/

· **MRTG:**

Es una herramienta que permite monitorear dispositivos de red usando el protocolo SNMP y nos muestra gráficos indicando el tráfico que pasa por cada una de las interfaces de red. Así mismo nos muestra información sobre CPU, memoria RAM, y discos duros.

http://www.mrtg.com/

· **Cacti:**

Igualmente Cacti, nos permite monitorear y visualizar diferentes dispositivos (Switch, router, servidores, etc.) de la red, siempre y cuando tengan habilitado el protocolo SNMP.

http://www.cacti.net/

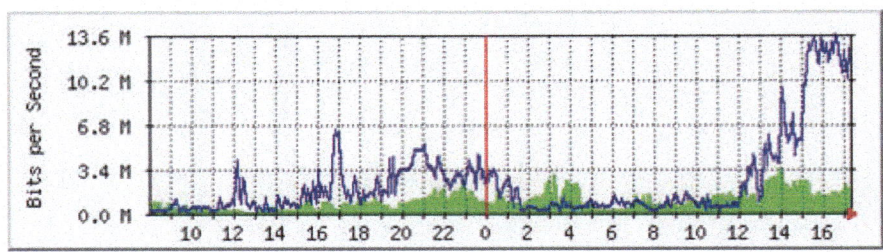

Prueba de rendimiento

- **Monitoreo**

  Funcionan en modo "Background" como servicios (daemon), es decir, en segundo plano.

  Recopilan incidencias.

  Permiten realizar pruebas cada equis tiempo.

  Algunos programas como Nessus, son capaces de realizar "ataques" (controlados) sobre el propio sistema o sobre otros, para poder evaluar las vulnerabilidades del sistema.

  Registran los datos en logs.

  Herramientas:

  - Nagios

  - Otras Herramientas de código abierto (Zabbix, ZenOSS, Hyperic, Cacti…)

  - Recolección de trazas (syslog en cada dispositivo)

  - SNMP:

  http://net-snmp.sourceforge.net/

  - SSH y Telnet

2.2.3. Controlar, analizar, probar y registrar cambios en la red

Para asegurarnos que la red funciona necesitamos monitorearla en primera instancia.

Nuestro objetivo principal es saber si la red tiene problemas antes de que los usuarios empiecen a llamarnos con las incidencias.

Para ello usamos diferentes herramientas:

— SNMP, protocolo simple de administración de red, pertenece al conjunto de protocolos TCP/IP, que es soportado por routers y conmutadores de red.

— Herramientas para monitorear equipos:

- Nagios

http://nagios.org

- Sysmon

http://www.sysmon.org

- Open NMS

http://www.opennms.org

- Cacti

http://www.cacti.net

Controlando y analizando los logs y alarmas generadas por los programas de monitoreo podemos conocer lo que ocurre en nuestra red, además por una parte esos datos de los programas quedan registrados en logs que podemos analizar y comparar, por lo que podemos registrar cambios en nuestra red y probar nuevas medidas.

Un sistema de gestión de redes integrado con herramientas ayuda a optimizar el funcionamiento en las redes de transmisión de datos.

Control de cambios en la configuración

Es una actividad de Gestión de Configuración cuyo objetivo es proporcionar un mecanismo que controle los cambios, sabiendo que los cambios se van a ocurrir. Combina procedimientos humanos y el uso de herramientas automáticas y permite la continuidad del negocio y la recuperación ante un desastre, mejorando los planes de recuperación ante un desastre y actualizando la información crítica.

Por otra parte, ayuda a evitar problemas potenciales como fallos a la hora de responder adecuadamente a un incidente.

Actividades de la gestión de cambios

El proceso de gestión de cambios está formado por seis tareas:

- Identificar los cambios potenciales

  - Problema o fallo que experimenta el cliente, lo que genera un informe del problema.

  - El cliente realiza una solicitud de cambio.

- Analizar la solicitud de cambios

  - Gestor del proyecto revisa la solicitud.

  - Se determina la viabilidad técnica.

  - Se determinan costos y beneficios.

- Evaluar cambios

  Se toma una decisión dependiendo de la solicitud, beneficios y costes

- Planificar cambios

  - Desarrollo del plan de cambios.

  - Buscar las aprobaciones necesarias.

– Implementar cambios

  · Programar el cambio.

  · Despliegue del cambio.

  · Validar los cambios.

  · Realizar auditorías para comprobar que los cambios funcionan bien.

– Revisar y finalizar el proceso de cambios

  · Verificar los cambios.

  · Determinar si son necesarias más acciones.

  · Cerrar la solicitud.

  · Programar revisiones de seguimiento.

Los responsables de llevar a cabo estas actividades son cuatro:

– Cliente

– Gestor del proyecto

– Comité de cambios

– Diseñador de los cambios

Control de calidad

Los tres principios básicos del control de cambios son:

– Mantener registros e historiales de cambios

– Hacer pública y accesible la información

– Mantener diferentes versiones de un conjunto de datos

– Documentación

  · Ficheros de configuración

  · Logs

  · Cualquier dato en general

Registros

En la gestión de cambios es imprescindible registrar todos los cambios efectuados, consultarlos y analizar los cambios antes de su implementación.

Al realizar las pruebas se debe tener un acceso a un banco de pruebas para verificar los cambios, y realizar controles de calidad.

Algunos de los programas de código abierto para el manejo de cambios:

–   Mercurial

    Es un sistema de control de versiones, creado inicialmente para Linux, pero que ya cuenta con versiones para Windows. Se usa mediante línea de comandos, por lo que es un poco más complicado.

–   Subversión

    ·   SVN (abreviatura de subversión), también es una herramienta de control de versiones. Contiene un repositorio o base de datos donde se almacenan las versiones e los archivos que se controlan.

    ·   Permite trabajar en local y en remoto

    ·   Funciona en muchos sistemas operativos: Windows, Mac OS, Linux, etc.

–   RCS

    Revision Control System.

–   Rancid

    ·   Really Awesome New Cisco config Differ.

    ·   Se puede ejecutar de forma automática o manual.

    ·   Permite encontrar cambios en la configuración de los dispositivos, en el hardware, en los sistemas operativos, restaurar archivos tras un fallo, ejecutar comandos para encontrar cierta información, paralelizar operaciones, hacer chequeos automatizados, etc.

2.2.4. Mantener y velar por la seguridad en la red

Los recursos de la red son muy importantes, el activo más importante de la empresa, por lo que debemos protegerlos, ya que están expuestos a amenazas o incluso al uso no adecuado de los mismos.

Por ello, debemos establecer medidas de seguridad para prevenir daños y pérdidas, eliminando amenazas y riesgos, esto se consigue analizando la seguridad del sistema en red.

Se deben establecer políticas de seguridad orientadas a la protección contra ataques de intrusos.

La seguridad se enfoca en la infraestructura de red (equipos y cableado) así como en la información contenida en la red, que es lo más vulnerable. Existen diversos protocolos, estándares, métodos, reglas y herramientas para este fin.

La seguridad comprende tanto el Software como el Hardware, en especial toda información confidencial que signifique un riesgo y pueda tener gran impacto en el negocio.

Por tanto se deben establecer normas que reduzcan los riesgos, como por ejemplo:

— Restricción acceso a determinados usuarios

— Formación a usuarios en materia de seguridad

— Denegación de permisos

— Perfiles de usuario

— Planes de emergencia

— Uso de protocolos seguros

— Instalación de actualizaciones y parches de seguridad

— Planes de emergencia

— Contraseñas seguras

— Encriptado de datos

— Instalación de Software de seguridad (antivirus, etc.)

— Monitorización

— Uso de cortafuegos

— Otros…

La seguridad en las redes trata de proteger los activos de la empresa:

— Infraestructura

  · Hacer que los equipos funcionen correctamente

  · Actualización de equipos

  · Anticiparse a fallos

  · Evitar faltas de suministro eléctrico…

– Usuarios

- Formar al usuario en materia de seguridad

- Establecer políticas de seguridad para los usuarios

- Evitar que usuarios pongan en entredicho la seguridad del sistema

Usuario

– Información

- Principal activo de la empresa a proteger

- Evitar accesos no autorizados y robo de la información

- Evitar la degradación de los datos…

Importante

No sólo debemos preocuparnos por la seguridad física de los equipos, o de asegurar la disponibilidad de los servicios, sino que es muy importante la protección de los datos, ya que es uno de los activos más importantes de la empresa.

Principales amenazas de seguridad:

– Mala programación del Software que deje bugs, brechas de seguridad

– Funcionamiento erróneo de equipos

- Fallos intermitentes

- Equipos lentos, etc.

- Malas configuraciones en servidores y equipos de red

  - Desconocimiento de cómo se configuran

  - Despreocupación

- Usuarios, en muchos casos las acciones de estos provocan fallos de seguridad

  - Permisos sobredimensionados

  - Usuarios cabreados que buscan perjudicar a la empresa y por ejemplo roban información...

  - Falta de formación del usuario

- Programas maliciosos

  - Descargas de internet con Troyanos

  - Falsos antivirus, etc.

- Intrusos que logran acceder al sistema y acceder a datos y programas

  - Hackers

  - Crackers

  - Man in the middle

- Siniestros que derivan en la pérdida de datos

  - Robo

  - Incendio

  - Inundación

- Personal técnico

  - Mala formación técnica

  - Despreocupación

  - Estrés, exceso de trabajo y trabajo mal hecho

- Fallos
  - Eléctricos
  - Electrónicos
  - Lógicos
- Catástrofes naturales
  - Terremotos
  - Inundaciones
  - Incendios
  - Relámpagos
- Ingeniería social para obtener datos no autorizados.
- Puerto abiertos innecesariamente que dejan nuestro sistema al descubierto

Amenaza hacker

Sabías que

La ingeniería social, es un arte, una picaresca, que se usa para obtener información a la que no se tiene acceso. Por ejemplo, un usuario recibe una llamada de alguien que dice ser el administrador de la red, que le pide su contraseña de acceso al servidor, engañándole con alguna historia para que éste se lo crea y se confíe.

En el incendio del edificio Windsor, y en los atentados de las torres Gemelas, muchas empresas fueron a la quiebra por perder la información de sus equipos y no tener copias de seguridad externas.

El análisis de riesgos informáticos es un proceso que identifica los activos de la empresa, sus vulnerabilidades y amenazas, así como su probabilidad de que ocurran y el impacto que ello tendía en la empresa con el fin de determinar los controles adecuados disminuir o evitar la amenaza.

Se debe poder estimar la magnitud del impacto del riesgo a que se encuentra expuesta mediante la aplicación de controles.

Para que estos controles sean efectivos, deben ser implementados en conjunto formando una arquitectura de seguridad con la finalidad de preservar las propiedades de confidencialidad, integridad y disponibilidad de los recursos objetos de riesgo. La seguridad de nuestra red garantiza su funcionamiento y disponibilidad.

Los objetivos de los atacantes son muy diversos pero principalmente se dirigen al robo de información o a inhabilitar los servicios de red o explotar vulnerabilidades del sistema.

Como ya hemos mencionado, no sólo debemos protegernos de lo externo, sino también de lo interno, es decir, de los empleados o usuarios de red y de nuestras propias malas prácticas.

La seguridad se basa fundamentalmente en implementar políticas de seguridad y hacer que estas se cumplan, así mismo se debe de asegurar la privacidad de la información y proteger la red tanto de ataques deliberados como de los no intencionados, por ello la planificación en materia de seguridad es muy importante.

La seguridad basada en la autentificación de usuarios es lo más común, ya que nos permite administrar de forma centralizada a los usuarios de la red y asignarles permisos permitiendo o denegando el acceso a los recursos de la red. Para administrar la red, tenemos la figura del administrador de red.

Se deben monitorear las actividades de los usuarios en la red, permitiendo obtener unos logs (registros) que podemos usar después para hacer auditorías de red. Estos logs permiten al administrador evidenciar riesgos potenciales o fallos en la red y así poder tomar medidas para incrementar la seguridad en los puntos débiles del sistema de red.

Estas medidas se pueden implementar con sistema operativo en red, como por ejemplo Windows Server.

Importante

La seguridad de nuestra red garantiza su funcionamiento y disponibilidad.

Estas auditorías de red nos permiten registrar:

– Intentos de acceso.

- Autorizados

- No autorizados

- Fallidos

- Correctos

– Conexiones y desconexiones de los recursos.

- Servidor

- Carpetas compartidas

- Unidades de almacenamiento, etc.

– Terminación y tiempo de la conexión.

- Eventos y modificaciones del servidor.

- Modificaciones de las contraseñas.

- Modificaciones de los parámetros de entrada.

- Desactivación y activación de cuentas.

- Apertura y cierre de archivos y carpetas

- Modificaciones realizadas en los archivos. (hora, usuario que lo hizo, etc.)

- Creación o borrado de directorios.

- Modificación de directorios.

Por otra parte se pueden implementar algoritmos de encriptación de los datos para asegurar la confidencialidad y seguridad de los datos, implementar seguridad en redes inalámbricas y un largo etc...

El mundo de la seguridad es muy extenso e implica el conocimiento técnico de muchas tecnologías.

Ni que decir tiene la importancia de implementar redes perimetrales de seguridad, uso de antivirus y cortafuegos entre otras medidas.

Es importante considerar que la Seguridad en redes también puede ser vulnerable desde el interior.

Existen dos tipos de amenazas: internas y externas.

- **Las amenazas internas** pueden ser más serias que las externas porque los IPS y Firewalls no pueden combatirlas, los usuarios conocen la red, saben cómo es su funcionamiento y tienen algún nivel de acceso a ella, además pueden estar cabreados, o despechados porque les acaban de despedir e intentar hacer daño a la empresa.

- **Las amenazas externas**, se originan fuera de la red, un atacante a priori no conoce nuestra red y tendrá que realizar ciertos pasos para poder conocer qué es lo que hay en ella y buscar la manera de atacarla, si nuestro sistema de seguridad es el correcto y funciona bien podrá detectar algunas de sus acciones.

En este caso el administrador de la red puede prevenir una buena parte de los ataques externos. Existen para ello muchas soluciones como los cortafuegos, sistemas IDS, sistemas de redes de seguridad perimetrales, uso de protocolos seguros SSL (Secure Sockets Layer), etc.

SSL

Existen además, nuevos conceptos de red que van surgiendo como por ejemplo "La nube", son presentes situaciones que tendremos que valorar a nivel de seguridad, ya que cada vez existen más servicios en la nube para administrar los datos de nuestros clientes, con lo que será cada vez más normal ver dirigidos los ataques a este tipo de servicios, para poder obtener las credenciales que permitan tener acceso a la nube, tanto corporativa como personal. El resultado es la violación de los sistemas, provocando la pérdida o modificación de los datos sensibles de la organización, lo que puede representar un daño económico considerable.

También tenemos que tener en cuenta las redes móviles, los nuevos sistemas operativos Android, etc. Desde el año 2013 se viene observando un aumento de los programas maliciosos dirigidos a estos dispositivos.

Por otra parte, están las redes sociales y las aplicaciones móviles, que tanto se usan a día de hoy en las empresas, las agendas de direcciones y los contactos sociales son una mina de oro para cualquier ciberdelincuente, por lo que debemos mantener seguras este tipo de aplicaciones para mitigar los riesgos.

Más peligros… por si estos fueran pocos, aparecen programas maliciosos para sistemas de 64 bits que ya empiezan a ser más usados por las empresas, además no debemos olvidar los peligros que forman las vulnerabilidades de los sistemas operativos y la existencia de kits de explotación de vulnerabilidades, una de las principales amenazas para Windows, por eso es muy importante realizar las actualizaciones de seguridad que nos proporciona Microsoft que subsanan estos defectos de seguridad, y también sería importante usar la tecnología de sistemas operativos adecuados, como por ejemplo dejar de usar Windows XP, algunos se resisten aún.

Sabías que

Deberíamos consultar de vez en cuando las páginas web existentes que hablan de virus, para conocer las novedades, las herramientas de desinfección, etc. Incluso algunas de ellas nos ofrecen kits para explotar las vulnerabilidades, obviamente esto se puede usar con muchos fines, entre ellos para poner a prueba nuestros sistemas. Esto es lo que hacen algunos programas como Nessus.

Respecto a este tema de Windows XP, tras 12 años de vida de este sistema operativo, se retiró definitivamente del mercado, por lo que ya no hay soporte para XP, lo que quiere decir que ya no hay actualizaciones de seguridad, y esto se traduce en que es un sistema operativo altamente vulnerable, a pesar de esto hay muchas empresas que aún lo usan y se resisten a cambiar, bien por desconocimiento, bien por tema económico u otras razones, pero bien vale la pena gastarse el dinero en actualizar nuestros sistemas para evitar así males mayores… Así mismo en Mayo de 2015 acaba también el soporte para el sistema operativo de servidor Windows 2003 Server, por lo que muchas empresas deberán migrar sus servidores a sistemas operativos como Windows 2008 o 2012 server, si no lo hacen, sus sistemas estarán en peligro, ya que no podrán recibir soporte técnico ni actualizaciones. A veces las empresas se resisten a este tipo de cambios, porque suponen un gran coste económico, pero peores pueden ser las consecuencias de no migrar a otro sistema operativo.

Por todo esto, debemos proteger nuestra red.

Amenazas, virus

2.2.5. Mantener un registro de incidentes y solicitudes

La gestión de incidencias y peticiones de servicios se realiza mediante el "ticketing" o sistema de tickets en los departamentos de IT, Data centers o Helpdesk.

Este sistema de seguimiento de incidentes también se conoce en inglés como "issue tracking system" o "trouble ticket system", y no es más que un Software que nos permite registrar las incidencias de los diferentes departamentos, llevarlas al departamento técnico correspondiente para su resolución, especificar si es una incidencia con una prioridad baja, media o alta, y realizar un seguimiento del curso de la incidencia desde su inicio hasta su resolución.

Estas incidencias son reportadas por los usuarios de la red.

Un buen sistema de incidencias tendrá también una base de conocimiento "Knowledge" que contiene la información a modo de manuales, de ciertas incidencias y los pasos a seguir para su reparación, así si surge un problema igual en otra ocasión adelantamos tiempo.

El sistema de tickets nos permite atender a las peticiones de los usuarios y resolver las incidencias.

Un ticket es un archivo que contiene información acerca de intervenciones de software o hardware que recibe el departamento de soporte técnico de un usuario de la red que ha reportado un incidente.

Este ticket tendrá un n° de incidencia que nos permite localizarlo en todo momento en la base de datos donde está almacenado. Este ticket puede ser modificado, ampliado añadiendo detalles, reasignado a los diferentes departamentos o niveles técnicos que lo resolverán, etc.

Los hechos pueden ser:

– Descripción detallada del fallo.

    · Cuándo se produjo.

    · En qué circunstancia

    · Que se observó

    · Qué ocurrió después, etc.

- Severidad del evento

  · Bajo

  · Medio

  · Alto

- Forma de reproducir el fallo.

  · Por ejemplo, el fallo se produce cada vez que abrimos un programa determinado o hacemos una acción concreta.

- Situación en que se produjo el fallo.

  · Por ejemplo, al conectarse a internet, tras instalar un programa, tras realizar una descarga de internet, al hacer una actualización del sistema operativo o de una aplicación, etc.

- Técnicos que intervienen en su solución.

  · Primer nivel, o niveles superiores

  · Nombres de los técnicos

- Información relacionada al proceso de corrección del fallo.

  · Qué se observó

  · Qué se comprobó

  · Cómo se solucionó, etc.

- Personal y departamento asignado para la corrección.

- Fecha probable de solución

- Código de incidencia…

Para que nos hagamos una idea de cómo funciona este sistema de tickets, veamos un ejemplo de cómo funciona el seguimiento de incidencias:

- El usuario puede abrir la incidencia directamente a través de la web donde rellena un formulario con los datos de la incidencia, o un técnico puede abrirla en su nombre como resultado de una llamada telefónica.

- Un técnico del servicio de Helpdesk recibe una llamada de un usuario o cualquier otro tipo de comunicación (carta, e-mail…) informando de una incidencia, y verifica hablando con el usuario, y preguntando a cerca del problema que este es real y no algo que el usuario piensa que es un problema o algo que simplemente no ha hecho o ha hecho mal.

–   Se crea el ticket con la incidencia, recogiendo toda la información que nos proporcionó el usuario.

–   Si el técnico de Helpdesk es capaz de resolverla, se resuelve, sino se escala al departamento técnico correspondiente.

–   Conforme se va trabajando en torno a esa incidencia, los técnicos que lo hacen van actualizando con nuevos datos sus intentos de reparación.

–   Una vez resuelto el problema, se marca como solucionado en el software de seguimiento de incidentes.

Helpdesk

Las incidencias quedan almacenadas en una base de datos.

Con cada cambio de estado, el sistema registra quién y en qué momento se produce para que con posterioridad puede analizarse el tiempo empleado en responderá cada petición. Esta es una información básica para el control del SLA.

Sabías que

SLA es el Acuerdo de nivel de servicio.

Es el contrato donde se fijan los niveles de calidad del servicio prestado por el proveedor del sevicio a su cliente, y que siempre se debe cumplir. Establece la relación entre ambas partes y contiene información acerca de las necesidades del cliente.

El seguimiento de errores cumple con un ciclo de vida, que es tiempo que dura el seguimiento del problema desde su descubrimiento y reporte hasta su solución final.

Así mismo los administradores o técnicos clasifican los diferentes estados del problema, incidencia en curso, sustitución, reparando, solucionado...

Pueden programarse avisos automáticos por correo electrónico a los usuarios o a los técnicos a medida que la petición avanza en su solución o es resuelta.

Por otra parte la incidencia también se gradúa en función de la severidad del problema y lo rápido que se debe de solucionar:

— Crítico

— Alto

— Normal

— Bajo

— Mejora

— Sustitución

Alertas y notificaciones. Algunos programas envían recordatorios si es que el usuario / cliente establece una fecha límite para la resolución de su incidencia.

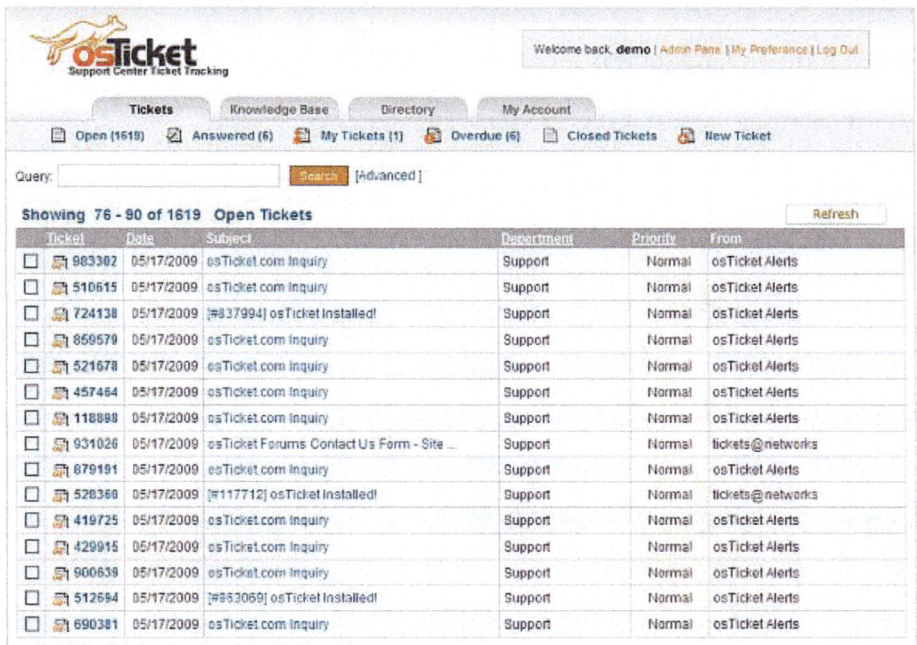

Interfaz programa osTicket

Importante

El helpdesk es un conjunto integrado de servicios, por uno o varios medios (teléfono, website o e-mail), que permite la gestión y solución de posibles incidencias. Ofrece servicios de soporte técnico (consultas, requerimientos, fallas, incidencias Software, hardware, etc.), incrementando la productividad y la satisfacción de los usuarios internos y externos de la empresa

La gestión de las reclamaciones, incidencias, averías, etc., detectadas, tanto al usuario como en los procesos de supervisión y mantenimiento proactivo, son objeto de los sistemas de tickets.

En resumen:

Sistema de Tickets (componentes)

—   Registro incidencia (ticket). Establecer prioridad

—   Asignación del ticket (técnico)

—   Historial de cambios

—   Información de los cambios a usuarios

—   Resolución (cierre ticket)

Existen muchas herramientas Open Source que nos permiten gestionar las incidencias:

—   OTRS: Open Ticket RequestSystem

https://www.otrs.com/?lang=es

—   RT (RequestTracker)

https://www.bestpractical.com/rt/

—   Osticket

http://osticket.com/

- GLPI (Gestionnaire Libre de Parc Informático)

http://www.glpi-project.org/spip.php?rubrique18

- Redmine

http://www.redmine.org/

2.3. Visión general y procesos comprendidos

En el mundo de las tecnologías informáticas (IT) se habla mucho de normas, protocolos, procesos…

Uno de los procesos a la hora de implantar proyectos tecnológicos es ITIL (IT Infrastructure Library, biblioteca de infraestructura de IT).

ITIL describe un conjunto de buenas prácticas y recomendaciones para la administración de servicios de TI, con una orientación por procesos.

Esta orientación por proceso percibe la organización como un conjunto de procesos interrelacionados que persiguen satisfacer las necesidades del cliente y la calidad del servicio., permitiendo además determinar planes de mejora que permitan alcanzar los objetivos propuestos.

Este sistema surge de la iniciativa de varias firmas de investigar y documentar las mejores prácticas a la hora de planear y operar en una infraestructura IT, estableciendo un sistema por procesos que incluye toda la información relacionada con las metas, actividades, entradas y salidas de los procesos que se engloban en las áreas de IT.

En su versión 3, ya que hay otras anteriores (ITIL V3) se define el modelo de procesos basado en la administración de servicios, supeditados al ciclo de vida de las aplicaciones y los servicios IT. Todos estos procesos son un ciclo de mejora continua.

Estos procesos involucran muchas cosas, no sólo la tecnología sino también técnica, procesos, y gente implicada. Entre la gente que está implicada incluye la gerencia, dado que debe existir un alto compromiso de la misma para cualquier proyecto, se requiere además que éste sea un proyecto formal, por lo que es necesario asignar los recursos económicos, humanos y materiales necesarios.

Por otra parte, se requiere para poder implantar ITIL un esfuerzo importante de capacitación a todos los niveles, tratando de que todas las personas implicadas entiendan a la perfección lo que significa ITIL, ya que la participación en este tipo de sistema de mejores prácticas se da a todos los niveles

Cada vez son más las empresas IT, que siguen estas directrices además de otras regulaciones, estándares y mejores prácticas como son:

– ISO 20000

– CoBit

– SOX

– ISO 27001

Sabías que

Hay exámenes de certificación de ITIL, Cobit, ISO 27001.

Para realizar un buen trabajo la formación es esencial, además las empresas certifican a sus empleados, ya que esto es una garantía de calidad.

Las recomendaciones ITIL incluyen aspectos como:

—   Planeación del proyecto.

  ·   Establecimiento de la declaración de aplicabilidad (SOA), que implica definir que estándares, metodologías y mejores prácticas se van a seguir en la organización, ya que no se recomienda ceñirnos a una sola cosa.

  ·   Definición de alcances, responsabilidades y niveles de autoridad, es decir el rol que va a tener cada persona dentro de cada proceso (process managers) y sus responsabilidades y funciones.

  ·   Definición del plan de comunicación: que viene a ser comunicar a todos como deben funcionar las cosas.

  ·   Establecer los lineamientos del plan de mejora continua: se debe establecer una hoja de ruta (roadmap) que considere ciclos de mejora continua para todos los procesos y para el proyecto en general de forma global. Por lo que estos procesos están en constante evaluación de forma cíclica y en constante mejora.

—   Definición del catálogo de servicios.

  ·   Definir los servicios que se ofrecen en el área de IT.

  ·   Definir una guía para poder priorizar y desplegar esos servicios y que estén alineados con los objetivos de negocio.

—   Implantación de procesos para estabilizar servicios.

  Interacción inmediata con los usuarios.

—   Implantación de procesos para mejorar servicios.

  ·   Administración de configuraciones.

  ·   Administración de niveles de servicio.

  ·   Administración de la continuidad.

  ·   Administración financiera IT

  ·   Administración de la demanda

- Implantación de procesos para mejora continua.

  · Administración de la disponibilidad.

  · Administración de la capacidad.

  · Administración del conocimiento.

  · Generación de estrategia.

Sabías que

Un roadmap es un gráfico donde podemos ver una estrategia completa en el tiempo a cerca de los cambios, desarrollos, y demandas del mercado en un futuro, para poder tomar las decisiones que nos permitan obtener nuestro objetivo tecnológico.

La gestión de los servicios ofrecidos implica cosas como:

- Conocer las necesidades del cliente.

  · Qué quiere.

  · Qué aplicaciones necesita.

  · Cómo y qué hace la empresa

- Estimar la capacidad y recursos necesarios para la prestación del servicio.

  · Routers y demás equipos

  · Conexiones

  · Previsión futura

  · Líneas de comunicación

- Establecer los niveles de calidad del servicio

  SLA

- Supervisar la prestación del servicio

  - Monitorización

  - Auditorías

- Establecer mecanismos de mejora y evolución del servicio.

  Con los datos obtenidos.

- Etcétera.

Los aspectos clave para el correcto rendimiento de un sistema son:

- Procesos de control

- Feedback

- Aprendizaje

El ciclo de vida ITIL se compone de 5 fases que se corresponden con unas guías ITIL y son:

- **Estrategia del Servicio:**

  La gestión de servicios es una capacidad y un activo estratégico.

- **Diseño del Servicio:**

  Desarrollo o modificación de los servicios cumpliendo con los requisitos de negocio del cliente.

- **Transición del Servicio:**

  - Todo el proceso de transición para la implementación de nuevos servicios o su mejora.

  - Puesta en marcha de los servicios que se hayan diseñado.

- **Operación del Servicio:**

  - Son las mejores prácticas para la gestión en la operación del servicio día tras día.

  - Incluye a todas las tareas operativas y de mantenimiento del servicio, incluida la atención al cliente.

- **Mejora Continua del Servicio**

Garantía, calidad y servicio

Existen en esta metodología 4 roles básicos en la gestión de servicios IT.

– **Gestor del Servicio**

  Gestiona el servicio en todo su ciclo de vida: desarrollo, implementación, mantenimiento, monitorización y evaluación.

– **Propietario del Servicio**

  Responsable de la prestación de un servicio específico.

- **Gestor del Proceso**

  Responsable de gestionar la operativa asociada a un proceso en particular

  · Planificación

  · Organización

  · Monitorización

  · Generación de informes.

- **Propietario del Proceso**

  Es el último responsable frente a la organización TI que garantiza que el proceso cumple sus objetivos.

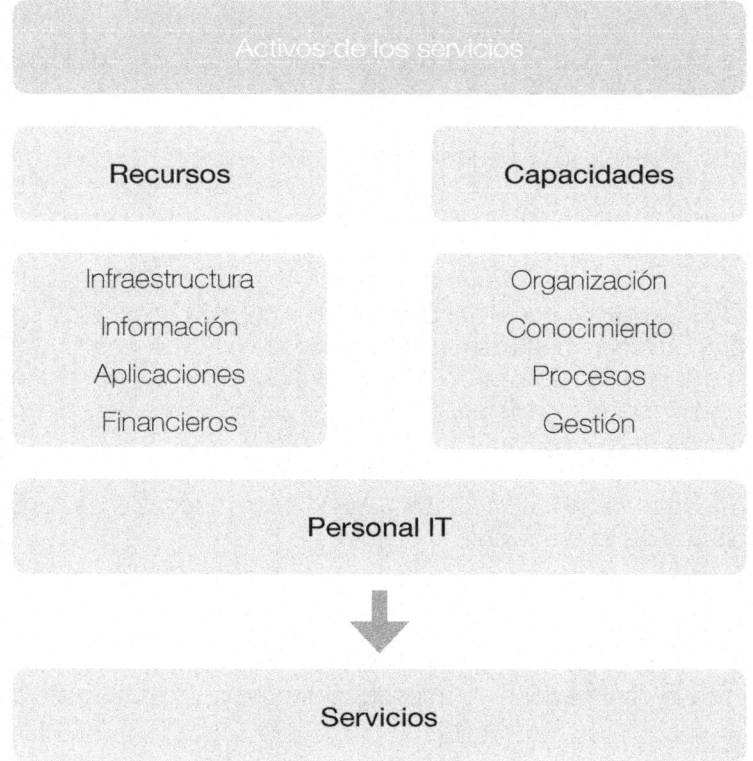

Como puedes ir deduciendo la implantación de ITIL no es nada sencilla, porque implica a muchas partes de un todo, requiere un enfoque y tampoco resulta barata ni rápida, al menos costará un par de años el poder implantarlo.

Es difícil que todas las partes se integren y colaboren entre sí.

Para una buena implementación debe responder a preguntas como:

– ¿Qué servicios debemos ofrecer?

– ¿Cuál es su valor?

– ¿Quiénes son los clientes potenciales?

– ¿Qué resultados se esperan?

– ¿Cuáles son los servicios prioritarios?

– ¿Qué inversiones se necesitan realizar?

– ¿Cuál es el retorno a la inversión o ROI?

– ¿Qué servicios existen ya en el mercado que puedan representar una competencia directa?

– ¿Cómo diferenciarnos de la competencia?

Por otra parte está la ISO/IEC 27002. Formada por 14 dominios, 35 objetivos de control y 114 controles.

Actualmente se cuenta con Estándares Internacionales aceptados por el sector, que proporcionan mecanismos de seguridad que previamente han sido se han puesto a prueba y evaluado su buen funcionamiento, concluyendo que deberían ser implementados por todas las organizaciones relacionadas a las tecnologías de la información.

El Estándar Internacional ISO/IEC 27002 trata sobre aspectos de seguridad en las tecnologías de información.

Es de suma importancia para las empresas realizar una evaluación de riesgos para identificar amenazas para los activos, también es necesario conocer y analizar la vulnerabilidad y la probabilidad de ocurrencia de accesos, robo o alteración de la información, y el impacto potencial que esto llegaría a tener.

Una vez identificados los riesgos, se seleccionan controles que se implementan para asegurar que los riesgos sean los mínimos asumibles.

El documento de la ISO/IEC 27002 contiene unas categorías de seguridad principales:

a.   Política de seguridad.

b.   Aspectos organizativos de la seguridad de la información.

c.   Gestión de activos.

d.   Seguridad ligada a los recursos humanos.

e.   Seguridad física y ambiental.

f.   Gestión de comunicaciones y operaciones.

g.   Control de acceso.

h.   Adquisición, desarrollo y mantenimiento de los sistemas de información.

i.   Gestión de incidentes en la seguridad de la información.

j.   Gestión de la continuidad del negocio.

k.   Cumplimiento.

Te recomiendo que investigues a cerca de estas normativas y manuales de buenas prácticas para que veas cuáles son los procesos que siguen las impresas a la hora de implantar sistemas de IT. Siempre es bueno consultar toda la documentación posible para seguir aprendiendo.

Si quieres informarte más sobre estos aspectos te recomiendo que visites la página web de la ISO 27002:

http://www.iso27002.es/

2.3.1. Gestión de la configuración

La gestión de la configuración es el registro y actualización detallados de la información que describe el hardware y software de una empresa.

La gestión de la configuración se trata de un proceso completo que incluye múltiples actividades, partiendo del inventario, auditoría, la planificación y generación de políticas hasta llegar al propio despliegue y la monitorización e informes, para finalizar con una etapa de evaluación general del sistema.

Dicha información incluye: versiones y actualizaciones que se han aplicado a los paquetes de software instalados, ubicación y direcciones de red de los dispositivos de hardware.

Inventario y auditoría de red

Inicialmente se realiza un inventario de los dispositivos que tenemos en la infraestructura TI, que nos debe ofrecer datos detallados tanto como sea posible

Los datos referentes a la topología de red física y lógica deberían ser definidos y almacenados en un repositorio (base de datos) fácilmente modificable, igualmente ocurre con los relativos a planificación de la capacidad y de la recuperación de desastres.

Planificación

Realizado el inventario y recogidos los datos de configuración se han de definir las políticas de gestión de la configuración, cada una dentro de su entorno específico, por ejemplo:

–   **Políticas de cambios de configuración.**

    Los cambios en la infraestructura TI son inevitables, por lo que debemos definir cosas como:

    ·   Crear políticas que delimiten el proceso de aprobación de los cambios

    ·   Identificar al personal autorizado para realizarlos

    ·   Establecer las condiciones de su registro

    ·   Evaluar los cambios de configuración antes de su implementación en el entorno de producción. Esto es muy importante, para no cometer errores, por eso tenemos que disponer de entornos de pruebas, e ir implementando los cambios poco a poco para poder ver sus efectos

- **Backup de configuración de dispositivos y política de recuperación de fallos**.

  · Establecer los procedimientos de realización de copias de seguridad

  · Establecer los procedimientos de recuperación de fallos

- **Política de verificación de la configuración de dispositivos.**

  · Verificación de los datos de configuración actuales. La detección a tiempo de dispositivos erróneamente configurados

  · Verificación de la configuración

Backup

Despliegue

Se dispone de software de gestión de la configuración para documentar cómo se ha configurado el hardware y el software, rastrear los cambios y enviar alertas al administrador si se realizan cambios en contra de las políticas corporativas o normas de cumplimiento.

Existen en el mercado herramientas de integración bajo cuatro categorías:

– **Herramientas de gestión de elementos de red.**

Ayudan a configurar y controlar la configuración de equipamiento específico de un fabricante en concreto.

- · CiscoWorks2000

- · Optivity de Novell

- · …, etc.

– **Herramientas de diseño y simulación de red.**

Sirven para planificar la topología y capacidad de la red, y predicen su comportamiento.

- · OpNetModeler

  Es un simulador de redes, que permite ejecutar pruebas, hacer estudios de impacto, y modelar la topología, los elementos de red, y los servicios.

- · CompuwareVantage Predictor

  Nos proporciona entre otras cosas, una visión del tráfico de red.

– **Herramientas de gestión de direcciones IP.**

Simplifican la gestión de direcciones y evitan, entre otras funciones, las duplicaciones.

- · LucentVitalQIP

  Esta herramienta de Lucent permite gestionar direcciones IP en redes IPv4 e IPv6, que permite la automatización.

- · Cisco Network and Service Register

– **Herramientas de configuración multimarca.**

Solucionan aspectos muy específico de la gestión de la configuración y de otras áreas, como la seguridad

- · AlertPoint

- · Gold Wire

La integración de estas herramientas que gestionan de forma proactiva la configuración se debe llevar a cabo en fases sucesivas, para reducir el impacto en el rendimiento de la organización y poder conseguir una aceptación mayor y más rápida por parte de los usuarios finales.

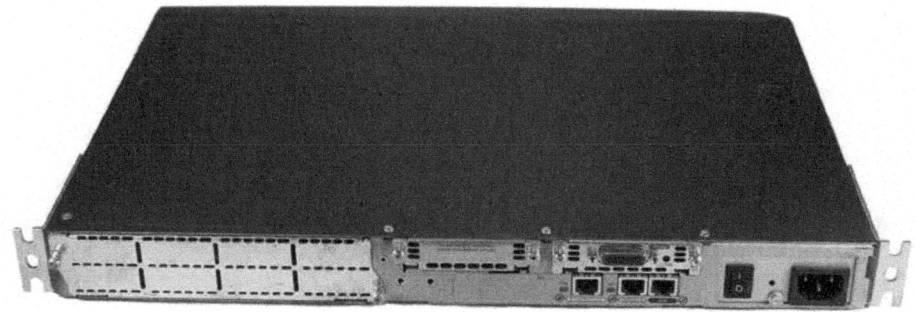

Dispositivo Cisco

Formación del personal IT

– La integración de las herramientas de gestión de la configuración implica un gran esfuerzo de formación por parte del personal técnico, que tiene que aprender y comprender las funcionalidades de todas las herramientas.

– Además existen otras implicaciones tecnológicas que también se deben tener en cuenta a la hora de formarnos, como la gestión de fallos o de la seguridad.

– Una buena formación es esencial.

Monitorización, informes y recuperación de desastres

– **Inventario de dispositivos/configuración.**

– **Auditorías de cambios/configuración.**

   · Antes, durante y después de la implementación de una CMDB.

   · Evalúan el uso correcto de las nomenclaturas, la comunicación correcta con otros procesos (Gestión de cambios), cumplimiento de la planificación realizada, etc.

Estos informes nos deben ofrecer una visión rápida de los cambios e incluso, alertar de las desviaciones que los cambios experimenten respecto de las políticas esperadas.

El objetivo es asegurar que los cambios realizados en un sistema no afectarán negativamente a los sistemas de la organización.

Según ITIL V3 hay cuatro funciones primordiales en la Gestión de Configuraciones:

- Controlar todos los elementos de configuración de la infraestructura TI con detalle y gestionar la información mediante una Base de Datos de Configuración (CMDB).

- Proporcionar información precisa sobre la configuración TI a todos los diferentes procesos de gestión.

- Interactuar con las Gestiones de Incidentes, Problemas, Cambios y Versiones con el fin de resolver mejor las incidencias, encontrar rápidamente la causa de los problemas, realizar los cambios necesarios para su resolución y mantener actualizada en todo momento la CMDB.

- Monitorizar periódicamente la configuración de los sistemas en el entorno de producción y realizar comparaciones con la almacenada en la CMDB para evaluar si hay cambios o discrepancias.

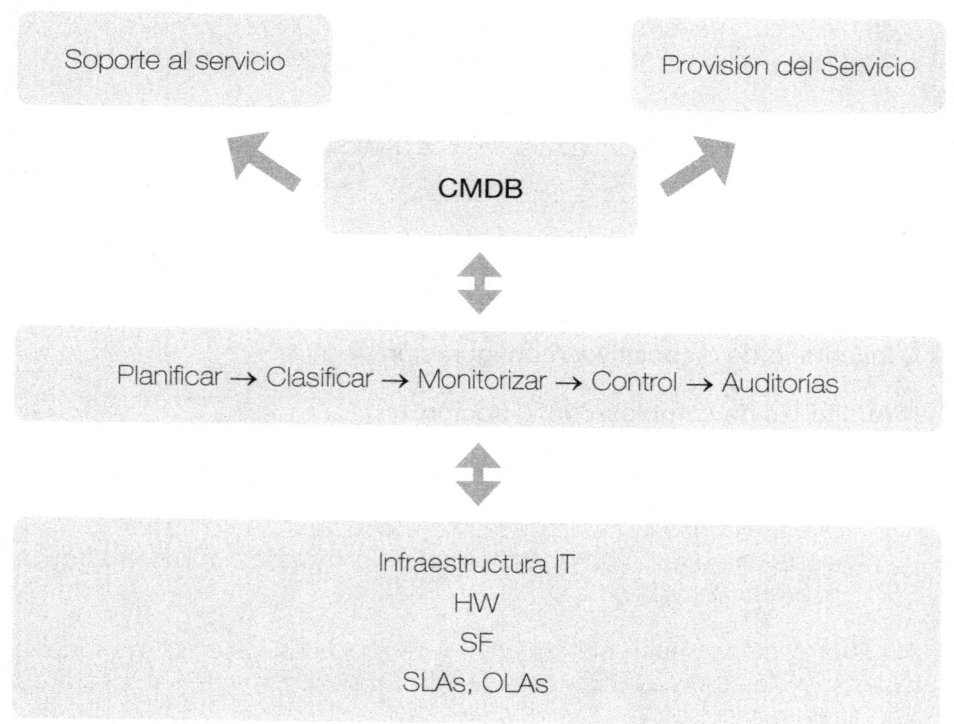

En el gráfico anterior, podemos observar cómo funciona la Gestión de configuraciones y sus funcionalidades.

Para entenderlo mejor…

Soporte al servicio

Los procesos dependen básicamente de la base de datos (CMDB), porque necesitamos de su información para poder analizar los diversos incidentes y problemas que ocurren en nuestra red. Los procesos de Gestión de cambios y versiones y el de configuraciones han de trabajar conjuntamente para poder tener actualizada la base de datos.

CMDB (Configuration Management Database)

Contiene datos detallados de todos los elementos de configuración tanto físicos como lógicos.

Se interrelaciona con el resto de procesos.

Provisión del servicio

Optimiza costes IT, planifica y asegura la continuidad y disponibilidad de los servicios.

Planificación

Requiere asignar adecuadamente los recursos, definir el alcance y profundidad de la CMDB y coordinarse con los procesos de Gestión de Cambios y Versiones.

Es importante designar un responsable en este proceso e invertir en herramientas software, así como analizar los recursos ya existentes en la organización.

Se deben definir el alcance y los objetivos, el nivel de detalle y el proceso de implementación, en función de la importancia creando cronogramas con los plazos.

Este proceso se coordinará con el de gestión de cambios, versiones y los departamentos de compras y suministros.

Clasificación y registro

Determina los sistemas de Hardware (HW) y software (SF), servicios críticos, documentación asociada a los proyectos, SLAs ,licencias, códigos, nomenclaturas que se van a usar, así como las relaciones entre todos los componentes. Todo ello formará parte de la CMDB.

Monitorización

Nos permite conocer el estado de los componentes durante su ciclo de vida y velar por la seguridad y disponibilidad de nuestra red, así como conocer quienes han sido los responsables de un incidente en particular. Se emplea software adecuado capaz de representar el ciclo de vida de los componentes.

Control

Sus tareas se centran en monitorizar, actualizar e informar del estado de las licencias.

Infraestructura

HW, SF, SOA, OLA.

Los beneficios de una correcta Gestión de Configuraciones:

– **Resolución más rápida de los problemas**, la detección de estos errores sin usar una base de datos actualizada hace que el ciclo de vida de un problema sea infinitamente más largo y tedioso.

– **Una Gestión de Cambios más eficiente.** Que evita incompatibilidades y problemas.

– **Reducción de costes.**

– **Control de licencias,** de software (Software ilegal, desactualizado, descatalogado...)

– **Mayores niveles de seguridad,** ya que permite entre otras cosas detectar vulnerabilidades en la infraestructura.

– **Mayor rapidez en la restauración del servicio**, y por tanto nuestra tan amada disponibilidad.

Dificultades que podemos encontrar a la hora de implementar la Gestión de Configuraciones:

– Incorrecta planificación.

– Estructura inadecuada de la CMDB y desactualización con el mínimo consumo de recursos.

– Software de gestión inadecuado.

– Falta de Coordinación con la Gestión de Cambios y Versiones, que imposibilita el correcto mantenimiento de la CMDB.

– Falta de organización

– Falta de comunicación

– Trabajo en grupo mal realizado

– Poca concienciación de los integrantes

– Falta de compromiso y desinterés por las partes implicadas.

Como puedes venir observando, es un proceso que integra a muchas partes y complejo, y que requiere colaboración del personal, formación técnica muy cualificada, así como un minucioso estudio, planificación y dedicación.

Esta no es una tarea nada fácil, ya que a veces el trabajo en grupo de forma coordinada se hace complicado y relentiza el trabajo, además de que en nuestra cultura no tenemos costumbre a trabajar de esta manera, por lo que el personal debe estar muy concienciado.

Planificar

Recuerda

La gestión de la configuración tiene como tarea principal obtener un registro actualizado de todos los elementos que conforman la configuración de la infraestructura IT, y de sus interrelaciones, colaborando con procesos como la gestión de cambios y de versiones.

La gestión de la configuración ayuda a poder resolver los problemas mucho más rápido, permite una gestión de cambios más eficiente y ayuda a reducir los costes, controlar las licencias, ofrecer mayor seguridad y rapidez a la hora de restaurar el servicio.

2.3.2. Gestión de la disponibilidad

Las estrategias y planes de continuidad de negocio, son muy importantes y están íntimamente ligados y dependientes de la continuidad de los servicios que las áreas TIC le entregan al negocio, para que éstas puedan entregar servicios confiables y eficientes se deben gestionar adecuadamente variables la Disponibilidad y la Capacidad.

La Gestión de la disponibilidad es la que permite que nuestro sistema funcione de forma ininterrumpida, que es lo que básicamente exige el cliente, y si esta falla no se cumplirán los acuerdos de los servicios firmados, generando un perjuicio al cliente que por supuesto también nos repercute, ya que implica gastos adicionales, aparte de quebraderos de cabeza, lo que afecta a la calidad del servicio que prestamos, la disponibilidad, continuidad y a nuestra imagen.

Como proveedores nos enfrentamos a esta lucha diaria que apenas permite margen de error,ya que debemos estar a disposición del cliente 24/7, es decir los 365 días del año con al menos un 95-98% de disponibilidad.

Responsabilidades de la Gestión de la disponibilidad:

–   Definir los requisitos de disponibilidad interactuando con los clientes.

–   Garantizar el nivel de disponibilidad acordado.

–   Monitorizar la disponibilidad de los sistemas IT.

–   Proponer mejoras en la infraestructura y servicios IT que mejoren los niveles de disponibilidad.

–   Supervisar el cumplimiento de los OLAs (Acuerdo de nivel de operación) y UCs (contratos de soporte) acordados con proveedores.

Indicadores en los que se basa la gestión de disponibilidad:

- Disponibilidad

- Fiabilidad

- Mantenibilidad

- Capacidad del servicio

Beneficios de la Gestión de la Disponibilidad:

- Cumplir con niveles de disponibilidad que se pactaron con el cliente.

- Reducción costes

- Mayor calidad del servicio ofrecida y que percibe el usuario.

- Los niveles de disponibilidad se incrementan.

- Menos riesgo de incidentes.

Es necesario que la Gestión de la Disponibilidad:

- Identifique las actividades clave del negocio.

- Cuantifique los intervalos razonables de interrupción de los diferentes servicios dependiendo de sus respectivos impactos.

- Establezca los protocolos de mantenimiento y revisión de los servicios TI.

- Determine las franjas horaria de disponibilidad de los servicios TI (24/7, 12/5…).

Requiere:

- Planificación

- Diseño de la disponibilidad (plan de disponibilidad)

- Mantenimiento y seguridad

  Gestión de las interrupciones de mantenimiento: Se trata de buscar una franja horaria en la que realizar este tipo de tareas que no perjudique las operaciones de la empresa.

– Monitorización

- Fases cuando se interrumpe el servicio:

  › Tiempo de detección

  › Tiempo de respuesta (hasta que se realiza un registro y diagnóstico del incidente).

  › Tiempo de reparación/recuperación.

- Términos y parámetros

  › Downtime (tiempo de parada)

  › Uptime (Tiempo medio entre fallos)

  › Tiempo medio entre incidentes (medida de fiabilidad del sistema)

– Métodos y técnicas

- Método de cuantificación: % Disponibilidad =((AST- DT)/AST) +100

  › AST: tiempo de servicio acordado.

  › DT: Tiempo de interrupción del servicio acordado

- Técnicas

  › CFIA

  Análisis de impacto de fallo de componentes.

  › FTA

  Análisis del árbol de fallos

  › CRAMM

  Método de gestión de análisis de riesgos

  › SOA

  Análisis de interrupción de servicios

Uptime

2.3.3. Gestión de la capacidad

Se encargada de que todos los servicios TI se vean respaldados por una capacidad de proceso y almacenamiento suficiente y correctamente dimensionada. Es necesario aprovechar bien los recursos para no tener que realizar inversiones innecesarias y que la calidad del servicio no se vea afectada.

Responsabilidades:

–   Asegurar las necesidades de capacidad IT.

–   Controlar el rendimiento de la infraestructura IT

–   Desarrollo de planes de capacidad.

–   Gestión de la demanda de los servicio IT.

Objetivo:

–   Ofrecer a los clientes, usuarios y departamento TI los recursos necesarios, teniendo en cuenta los costes.

Beneficios:

–   Optimiza el rendimiento de los recursos informáticos.

–   Dispone de la capacidad necesaria.

–   Evita costes innecesarios

–   Planifica el crecimiento de la infraestructura.

    Preparado para el futuro y la evolución de la red.

–   Reduce gastos de mantenimiento y administración de equipos y aplicaciones obsoletas o innecesarias.

–   Evita o reduce incompatibilidades y fallos en la infraestructura.

La Gestión de la Capacidad es un proceso continuo e iterativo que monitoriza, analiza y evalúa el rendimiento y capacidad de la infraestructura TI y con los datos obtenidos optimiza los servicios o eleva una RFC a la Gestión de Cambios.

Toda la información recogida en este proceso se registra en la CMDB.

Se debe de elaborar informes para poder evaluar el rendimiento de la Gestión de la Capacidad, estos deben incluir al menos información sobre:

– El uso de recursos.

– Desviaciones de la capacidad real sobre la planificada.

– Análisis de tendencias.

– Métricas usadas

– Impacto en la calidad del servicio, disponibilidad y otros procesos TI.

Base de datos

2.3.4. Gestión de la seguridad

La gestión de la seguridad es muy compleja, tanto del lado técnico como desde un punto de vista organizativo.

Pensemos en la gran cantidad de departamentos que puede haber en una empresa, y el nº de usuarios que acceden a la red, para todos los casos surgen multitud de preguntas y personas implicadas, por ejemplo cuando se despide a un trabajador habrá que eliminar su acceso al sistema, esto no es nada del otro mundo si lo miramos desde el punto de vista de que lo borramos y punto pero... surgen muchos problemas organizativos de este hecho como:

– ¿Cómo sabe el administrador de sistemas que ese usuario ya no trabaja en la empresa?

– ¿Quién es el responsable de decidir si al usuario se le elimina directamente o se le permite el acceso a su correo durante un tiempo?

– ¿Qué se hace después con ese correo?

– ¿Qué se hace con la información del usuario?

– ¿Puede el personal del departamento de seguridad decidir lo que se hace?

– ¿Se pueden delegar permisos para eliminar al usuario a otras personas que no sean del departamento de sistemas? Por ejemplo a un jefe de equipo.

– Y muchas más cuestiones...

La seguridad de nuestros sistemas es algo que nos debe preocupar mucha, debido al gran número de amenazas que existen tanto internas como externas, además estas amenazas crecen de forma exponencial.

La seguridad va más allá del mero hecho de tener un cortafuegos, y se contemplan muchos aspectos, como crear políticas de seguridad, seguir directrices que nos proporcionan normativas y estándares de seguridad, cumplir la LOPD, etc.

Vamos a conocer un poco algunos conceptos de seguridad antes de entrar en lo que es el proceso de Gestión de la seguridad.

Políticas de seguridad

Políticas de seguridad, son los requisitos e indicaciones definidas por los responsables de seguridad, lo que se permite o deniega hacer a un usuario como parte de sus operaciones en el sistema, esto es una política de aplicación específica.

Estas políticas pueden ser prohibitivas o permisivas. La primera que obviamente es la más restrictiva es la más segura, y normalmente si tengo dos políticas aplicadas a un mismo objeto, permanece la más restrictiva en caso de que una anule a la otra.

Seguridad

Las políticas deben cumplir al menos ciertos aspectos clave de seguridad.

– Disponibilidad de los recursos y servicios del sistema.

– Utilidad.

– Integridad, es decir que la información esté disponible tal cual como fue creada.

– Autenticidad, es la capacidad de poder verificar la identidad de un usuario que accede al sistema.

– Confidencialidad de los datos.

– Posesión de los usuarios de sus datos.

Se definen varias líneas de actuación:

– Seguridad organizacional.

– Clasificación y control de activos.

· Inventario de activos

· Mecanismos de control definidos.

– Seguridad del personal.

· Formación.

· Cláusulas de confidencialidad.

· Monitorizar las actividades del personal…

– Control de acceso.

· Contraseñas.

· Seguridad perimetral.

· Monitorizar accesos…

– Desarrollo y mantenimiento de sistemas.

· Seguridad programación.

· Seguridad en las aplicaciones.

· Cifrado de datos.

· Control de Software.

Control de acceso

–   Gestión de la continuidad, análisis de impacto.

–   Seguridad física y del entorno.

    ·   Seguridad de recintos.

    ·   Definir los controles de seguridad.

–   Gestión de comunicaciones y operaciones.

    ·   Controles de red.

    ·   Protección Malware.

    ·   Gestión de copias de seguridad.

–   Requisitos legales.

    ·   LOPD.

    ·   Otros…

Análisis de riesgos

Para minimizar el impacto de un problema de seguridad se realiza el análisis de riesgos que responde a unas cuestiones básicas: ¿qué quiero proteger?, ¿contra quién?, ¿Cómo? Cuestiones a las que debemos responder.

Para responder a estas preguntas tenemos dos aproximaciones cualitativa y cuantitativa.

- **Cuantitativa:** se estiman los costes y pérdidas en caso de que ocurra un suceso.

- **Cualitativa:** Aquí se estiman las pérdidas potenciales teniendo en cuenta cuatro elementos interrelacionados entre sí, las amenazas, las vulnerabilidades, el impacto que genera una amenaza y los controles y backups para minimizar las anteriores Controles preventivos).

Tras obtener los indicadores de riesgo, se toman decisiones sobre la seguridad y se establecen prioridades, teniendo ya una parte del riesgo calculado.

Este riesgo obtenido se compara con un umbral de riesgo por ejemplo "Nivel de la amenaza: alta, medio o bajo", si el nivel de riesgo es superior al umbral establecido habrá que tomar medidas, si el riesgo es bajo, o sea, asumible hablamos de riesgo residual.

Identificación de los recursos

Se identifican los recursos que son vulnerables de amenaza:

- Hardware

- Información

- Software

- Usuarios, técnicos, operadores…

- Accesorios (tintas, tóners, etc)

Finalmente se genera una lista con los recursos identificados, que incluye todo lo que vamos a proteger.

Identificación de amenazas

Se identifican vulnerabilidades y amenazas.

Las amenazas las podemos clasificar en:

- Desastres que ocurren en el entorno

  - Naturales

    › Terremotos

    › Incendios

    › Inundaciones

    › Tormentas eléctricas

  - Cortes eléctricos

    › Intermitentes

    › Inesperados

    › No comunicados a las partes implicadas

  - Incendios

  - Usuarios, operadores, programadores

    › Usuarios cabreados que provocan daños a propósito

    › Operadores sin conocimientos

    › Programas mal hechos con vulnerabilidades

- Amenazas del sistema

  - Vulnerabilidades

  - Copias de seguridad

  - Fallos sistemas.

- Amenazas en la red.

  · Amenazas seguridad equipos

  · Cifrado datos

  · Sistemas de autenticación remotos mal configurados

  · Ataques

- Otras

  · Tropezar con cables

  · Derramar fluidos sobre equipos

  · Desconexión del servidor

  · Errores de programación...

Medidas de protección

Una vez identificados los recursos y las vulnerabilidades se establecen medidas de protección y se implementan.

Los recursos que tenían un riesgo elevado son los que deben tener más medidas de protección, por ejemplo:

- Servidores

- Routers

Se evalúa el coste económico de las medidas de protección y prevención, que se deriva a los responsables de la organización, que los adecuará al presupuesto teniendo muy presente que en ciertos casos será más barato invertir en una determinada solución que esperar a que se produzca y que el desastre provoque mayores costes.

Generalmente los riesgos seguirán existiendo siempre, lo que si podemos hacer es minimizar su riesgo de ocurrencia y su impacto con las medidas proactivas que se toman para prevenir y con las medidas reactivas que se toman una vez ya está producido el daño.

La seguridad 100% NO EXISTE, pero nos tenemos que acercar lo más posible, es lógico que no exista si tenemos en cuenta que a diario surgen nuevas amenazas en la red, según datos de Kapersky, (Fabricante de antivirus de la misma marca) al día surgen 30000 nuevos virus, por lo que es muy difícil de tener al día nuestra seguridad.

Según ITIL

La gestión de la seguridad se basa en que la información sea correcta e integra, así como que esté siempre disponible y que sólo sea usada por quien tiene autorización.. Por tanto se basa en tres aspectos fundamentales:

– Confidencialidad

– Integridad

– Disponibilidad

Los principales objetivos son:

– Minimizar el riesgo.

– Cumplimiento de los estándares de seguridad.

– Diseño de una política de seguridad.

Esta responsabilidad de Gestión de seguridad corresponde a todos no solamente a los responsables de seguridad, así por ejemplo, un usuario es responsable de mantener su clave de acceso en secreto, etc.

Beneficios de la gestión de seguridad

– Evitar interrupciones

   Mantiene la disponibilidad

– Minimizar el nº de incidentes

   Reduce fallos y costes por los mismos

– Confidencialidad

– Integridad de los datos

– Privacidad

   · Datos

   · Usuarios

– Cumplimiento LOPD

– Calidad del servicio

– Mejor percepción por parte del cliente

Para realizar una buena Gestión de la seguridad debemos conocer la organización a fondo, así como los servicios que presta y hacer que la gestión de seguridad esté interrelacionada con todos los procesos IT, además de necesitar la colaboración por parte de todos.

Una vez que se establecen y comprenden los requisitos de seguridad hay que velar por ellos y hacer que se transcriban a los SLAs correspondientes.

Procesos de la Gestión de la seguridad

- Definir políticas de seguridad

- Elaborar el plan de seguridad.

- Implementarlo

- Monitorizar y evaluar que se cumple con el plan.

- Supervisar todos los niveles de seguridad

- Análisis de tendencias, nuevas vulnerabilidades y riesgos.

- Auditorías de seguridad.

Son responsabilidades de la Gestión de la Seguridad:

- Asignar recursos solo a quien los necesita.

  Si un usuario sólo necesita acceder a una carpeta para guardar sus datos, a una aplicación concreta con la que trabaja en su día a día, y acceso a una base de datos, sólo le permitiré estas acciones, y bloquearé su acceso a otros recursos de la red que no necesita para su trabajo diario.

- Documentación

  Es necesario documentar todas las acciones y procesos realizados

- Colaboración con el ServiceDesk y la Gestión de incidentes

  Comunicación entre los procesos implicados.

– Instalar todo lo necesario para velar por la seguridad.

No escatimar en recursos cuando a seguridad nos referimos, si tenemos la máxima protección nos aseguramos males mayores.

– Proposición de cambios (RFCs) a la Gestión de cambios.

Si se detectan nuevas necesidades se proponen.

– Políticas y protocolos de acceso

  · Quién accede a la red

  · Usuarios remotos

  · Políticas de contraseñas

  · Tiempo de conexión (horarios en los que un usuario puede acceder a la red)

– Monitorizar redes y servicios de red.

  · Monitorizar aplicaciones

  · Monitorizar servicios

  · Monitorizar tráfico de red

  · Monitorizar recursos

  · Monitorizar dispositivos, etc.

– Establecer medidas disciplinarias.

  · En caso de no cumplir los acuerdos

  · En caso de no seguir las políticas de seguridad

  · Etc…

RFC

2.3.5. Gestión de incidencias

La gestión de incidencias trata de resolver rápidamente las incidencias que se producen y que puedan causar una interrupción del servicio. Su principal objetivo es recuperar el funcionamiento del servicio y minimizar el impacto al sistema y al usuario, permitiendo la disponibilidad del servicio.

Los incidentes que no puedan ser resueltos por el HelpDesk, serán derivados a un experto.

Incidente, según ITIL es cualquier cosa que no forma parte de lo habitual en el servicio y que puede llegar a causar una interrupción del mismo.

Los incidentes pueden surgir por fallos o errores conocidos y otras veces son incidentes puntuales.

El proceso de la gestión de incidentes consta de una serie de pasos:

– Se detecta el incidente y se hace un registro inicial

- La admisión a trámite del incidente

- Comprobación de que ese incidente aún no ha sido registrado

- Asignación de referencia: al incidente se le asignará una referencia que le identificará de forma única

- Registro inicial: se ha de introducir la información aportada en la base de datos (hora, descripción del incidente, sistemas afectados…)

- Información de apoyo

- Notificación del incidente

– Se clasifica o prioriza y se realiza un soporte técnico inicial

- Impacto

- Urgencia

- La prioridad del incidente puede cambiar durante su ciclo de vida

- Es conveniente establecer un protocolo para determinar, en primera instancia, la prioridad del incidente

–   Escalado y soporte

  ·   **Escalado funcional**

      Se requiere el apoyo de un especialista de más alto nivel para resolver la incidencia.

  ·   **Escalado jerárquico**

      Debemos acudir a un responsable de mayor autoridad para tomar decisiones que se escapan de las atribuciones asignadas a ese nivel, como, por ejemplo, asignar más recursos para la resolución de un incidente específico.

–   Investigamos y diagnosticamos

–   Resolución y recuperación

–   Cierre del incidente

–   Se monitoriza y se realiza un seguimiento del incidente

Factores Críticos de Éxito (CSF):

–   Un buen Centro de Servicio al Usuario

–   Objetivos claramente definidos en el SLA

–   Personal de soporte orientado hacia el usuario, con buena formación técnica u con las competencias adecuadas a todos los niveles del proceso

–   Herramientas de soporte integradas para controlar y gestionar el proceso (herramientas HelpDesk, herramientas ServiceDesk…)

–   SLAs y UCs para definir la manera en que se debe comportar todo el personal de soporte

WorkFlow de la gestión de incidencias y peticiones

Para el correcto seguimiento de todo el proceso, es indispensable la utilización de métricas que permitan evaluar de la forma más objetiva posible el funcionamiento del servicio.

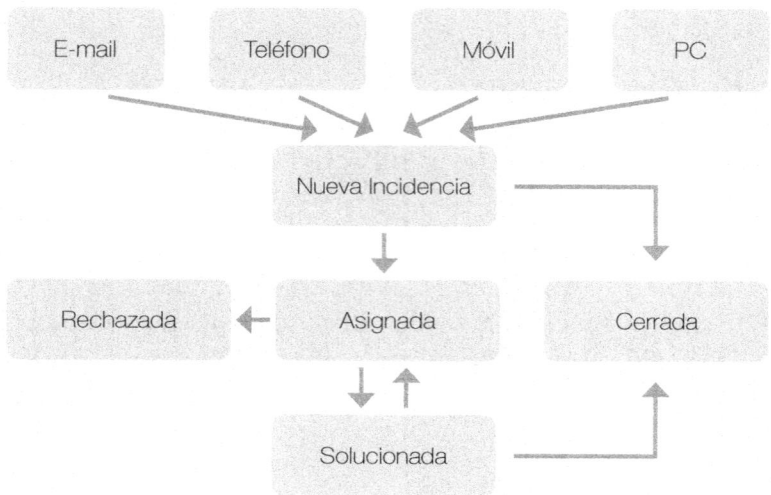

Métricas usadas:

- N° total de incidentes

- Desglose de incidentes por fase

- N° incidentes acumulados

- N° y % incidentes graves

- Tiempo medio de resolución de incidentes

- % incidentes en pro del tiempo de respuesta del SLA

- Coste medio por incidente

- N° incidentes reabiertos y su relación con el total

- N° y % incidentes asignados incorrectamente

- N° y % incidentes categorizados incorrectamente

- % incidentes gestionados en el plazo acordado

- N° y % incidentes procesados por agentes del ServiceDesk

- N° y % incidentes resueltos de forma remota

- N° de incidentes clasificados por modelos

- Desglose de incidentes por hora del día

Proceso de escalado de la gestión de incidencias

Los beneficios de una correcta Gestión de Incidencias:

–   Mejorar la productividad de los usuarios

–   Cumplir con los niveles de servicio acordados en el SLA

–   Controlar mejor los procesos y monitorización del servicio

–   Optimización de los recursos disponibles

–   Una CMDB más precisa

–   Soluciones adaptadas

–   Gestión rápida

–   Información continua

–   Y principalmente: mejora la satisfacción general de clientes y usuarios

La ausencia de incidencias es una incidencia, ya que es imposible satisfacer el 100% de las necesidades del cliente o que no existan aspectos mejorables. Si no detectamos esas incidencias será por algo....a veces se ocultan o se niegan, o simplemente los usuarios no se quejan y conviven con el problema, lo que a la larga puede ir generando un problema mayor.

Impacto incidencia

No debemos pensar en las incidencias como algo malo, una queja es un tesoro, nos dará la oportunidad de analizar una oportunidad de mejora y comprender en qué estamos fallando.

2.4. El centro de operaciones de red

A groso modo un NOC o Network Operations Center es un área en donde se monitorean las actividades en redes de telecomunicaciones, sistemas de services, transmisiones de TV, etc.

En un NOC ha y muchas pantallas ya que al estar monitoreando redes de telecomunicaciones se requiere tener abiertas muchas ventanas con herramientas para ver las alarmas, confirmar los problemas, intentar resolverlos y estar en contacto con los técnicos de campo, o con otros NOCs.

Existe mucha tecnología implicada que monitoriza y gestiona la red y nos ofrece información sobre la misma y su disponibilidad. Se encarga también de comprobar el estado de la red, estadística de operación, monitorización y gestión de fallas.

Desde este centro, los especialistas en solucionar problemas de redes, distribuyen nuevos programas y actualizan datos, controlan el rendimiento global de la red de la empresa y las redes son coordinadas.

Los trabajadores de NOC frecuentemente son ingenieros en NOC.

Un mismo operador de red puede tener un monitor para el correo y los chats grupales, otro para abrir el programa donde se ven las alarmas que se generan en la red, otro para la interfaz web donde se abren los reportes de incidentes y ordenes de trabajo y otros para las herramientas con las que checkear, los switches, la topografía de red, etc.

En los NOC se suele trabajar 24/7 a turnos, ya que un incidente puede surgir en cualquier momento, y las redes tienen accesos permanentes.

El centro de operaciones de red es un punto clave donde se solucionan los problemas de red.

Los NOC son responsables de:

— Vigilar la red

— Vigilar y comprobar alarmas

— Vigilar apagones

— Vigilar errores de bit, codificación de la línea, errores de la trama, y otros circuitos de rendimiento de la red

El término NOC se utiliza habitualmente para referirse a los proveedores de telecomunicaciones, a pesar de un creciente número de otras organizaciones que usan este mismo término.

Estos centros de operaciones de redes a menudo se encuentran en las grandes empresas, donde las actividades de la redes son difíciles de observar de forma individual.

Centro operaciones red

Los NOCs pueden ser:

- Virtuales

- Ubicado en el centro de su Red

- Parte de su Centro de Ayuda (HelpDesk)

- Construido en diferentes sitios

- Etc.

Algunos de los programas que se usan en un NOC tienen una serie de módulos con distintas funcionalidades:

- **Módulo Tiempo Real:**

  · Recoger filtrar y acumular entradas de log's para producir eventos normalizados de seguridad.

  · Monitorización y seguimiento de incidentes.

  · Almacenamiento de los eventos en base de datos y su explotación mediante consultas e informes.

- **Módulo Forense:**

  · Centralización y recolección de log's.

  · Análisis Logs.

  · Compilar indicadores técnicos que permitirán la definición de bandas de normalidad y la detección de anomalías.

- **Modulo Alerta Temprana:**

  · Recoge, analiza y procesa información de diversos repositorios de seguridad.

  · Consulta patrones de incidentes y bases de datos de vulnerabilidades.

  · Consulta patrones de incidentes de proveedores o desarrolladores.

  · Analiza comportamientos anómalos en sistemas y en base a la información obtenida generará un sistema propio de alerta temprana de eventos de seguridad.

- **Módulo Preventivo:**

  Genera información estadística para tener unas bandas de normalidad que permitirán conocer el estado de la seguridad y los puntos débiles de la misma.

- **Agentes de monitorización.**

2.4.1. Explicación de sus funciones

El ingeniero NOC realiza una serie de tareas:

- Configuración y administración de enrutadores Cisco

- Cambiar el firmware

- Resuelven problemas con las redes de computadoras cada vez que son reportados garantizando la disponibilidad.

- Supervisa las condiciones del sistema

- Documenta cualquier cambio hecho a las redes

- Construye un manual de procedimientos para el manejo de problemas de red

- Responsable de mantener la seguridad de la red.

Actividades que pueden formar parte del alcance del servicio de Monitoreo:

- Análisis inicial

- Monitoreo del estado de la red

- Monitoreo del desempeño de dispositivos para maximizar el tiempo de actividad

- Gestión Remota (Gestión de cambios, Control de Actualizaciones)

- Administración de la configuración y copia de seguridad

  Según las políticas de copia de seguridad

- Monitoreo incidentes y amenazas

- Análisis de amenazas

  - Personal humano

  - Virus

  - Ataques

  - Vulnerabilidades

- Análisis de falsos positivos

- Análisis falsos negativos

- Ajuste de filtros / firmas

  Establecer umbrales

- Diagnósticos proactivos

- Análisis de Tendencias

- Actualizaciones de Sistema Operativo

  · De seguridad

  · De funcionalidad

- Notificación e informes de amenazas críticas

  Documentación

- Informe de operaciones estándar semanal

- Análisis de ancho de banda

- Monitoreo del desempeño de los niveles de contratos de servicio (SLA)

- Administración de casos de incidentes

- Etcétera…

SLA

2.5. Gestión de la configuración

La gestión de la configuración engloba los procesos que aseguran la calidad del servicio, mediante el control de cambios. No es posible gestionar correctamente lo que se desconoce, por lo que debemos conocer nuestra infraestructura perfectamente.

Es una labor complicada que requiere la interrelación y colaboración por parte de otros procesos como son la Gestión de cambios y los de entregables y despliegues.

Objetivos de la Gestión de la Configuración:

— Contabilizar todos los activos y configuraciones de los servicios IT

— Asegurar que sólo son registrados los CI que están autorizados y que sean identificables desde que se crean hasta que se retiran.

— Asegurar que todos los CI se añaden, modifican y eliminan con la documentación de control necesaria.

— Ofrecer información fiable de las configuraciones y su documentación ya que esto sirve para dar soporte a los otros procesos de gestión de servicios IT.

— Proporcionar una base sólida para la Gestión de Incidencias, Gestión de Problemas, Gestión de Cambios y Entregas.

— Verificar los registros de configuración con la infraestructura y corregir cualquier excepción.

Funciones del Gestor de Configuración:

— Evaluar los sistemas de gestión de configuración existentes.

— Proponer y acordar el ámbito del proceso.

— Crear campañas de concienciación.

— Formar al personal.

— Evaluar las herramientas del proceso.

- Realizar el plan de implementación.

- Crear la política de convenciones para la nomenclatura de los CI.

- Proponer las interfaces con otros procesos.

- Planificar la CMDB.

- Proporcionar documentación e informes.

- Proporcionar datos de la CMDB para facilitar las evaluaciones de impacto.

- Crear registros de cambios.

- Crear líneas base de configuración y versiones.

- Asegurar que la CMDB se actualiza después de un cambio.

ITIL

2.5.1. Explicación de los objetivos

Los objetivos son los siguientes:

– Proporcionar información precisa y fiable al resto de la organización de todos los elementos que configuran la infraestructura TI.

La comunicación entre los procesos es imprescindible.

– Controlar y registrar los cambios para así poder reducir errores.

· Documentarlos siempre

· Monitorizarlos

– Aumentar la calidad y la productividad.

– Evitar los problemas que surjan de la incorrecta sincronización en los cambios.

Planear bien la implantación de los cambios.

– Mantener la integridad de los sistemas de información.

– Mantener actualizada la **Base de Datos de Gestión de Configuración y Activos TI**:

· Registro actualizado de todos los CIs: identificación, tipo, ubicación, estado…

· Interrelación entre los CIs.

· Servicios que ofrecen los diferentes CIs.

– Servir de apoyo a los otros procesos, en particular, a la Gestión de Incidencias, Problemas y Cambios.

– Realizar el seguimiento y control de las actividades.

– Control y seguimiento de los recursos humanos y materiales.

Inventarios.

– Proporcionar un marco común de actuación de referencia.

Norma o protocolo de actuación.

- Contabilizar todos los activos y configuraciones de los servicios IT.

- Asegurar que sólo son registrados los CI que están autorizados y que sean identificables desde que se crean hasta que se retiran.

- Asegurar que todos los CI se añaden, modifican y eliminan con la documentación de control necesaria.

- Ofrecer información fiable de las configuraciones y su documentación ya que esto sirve para dar soporte a los otros procesos de gestión de servicios IT.

- Proporcionar una base sólida para la Gestión de Incidencias, Gestión de Problemas, Gestión de Cambios y Entregas.

- Verificar los registros de configuración con la infraestructura y corregir cualquier excepción.

2.5.2. Enumeración de las actividades

Entre las actividades de la Gestión de la Configuración:

- Planificación:

  · Determinar objetivos

  · Determinar estrategias

  · Designar responsables

    › Quien realiza la planificación

    › Quién la ejecuta

    › De qué partes se encarga cada uno.

  · Invertir en herramientas de software adecuadas.

    › Herramientas de monitorización

    › Herramientas de inventariado

    › Herramientas de gestión

    › Etcétera.

- Realizar análisis de los recursos existentes

  Para objetivar los que sirven y los que no.

  Una falta de planificación tendrá graves consecuencias para el resto de los procesos.

– Clasificación y registro:

  - Predeterminar la estructura de la CMDB

  - Registrar los cambios según:

    › Alcance

      Sistemas y componentes incluidos en la CMDB.

    › Profundidad

      Establecer el nivel de detalle de la CMDB:

      - Atributos

      - Relaciones lógicas

      - Subcomponentes registrados independientemente.

    › Nomenclatura predefinida (códigos de identificación)

Sabías que

Para los equipos de sobremesa incluidos en la CMDB:

Atributos: fecha de compra, fabricante, procesador, sistema operativo, propietario, estado, coste, etc.

Relaciones: conexión en red, impresoras conectadas, etc.

Profundidad: tarjetas de red, discos duros, tarjetas gráficas, etc

- Monitorización y control:

  - Monitorizar CMDB.

  - Asegurar que todos los componentes estén en la CMDB.

  - Conocer el estado presente de todos los componentes de la red.

  - Uso de herramientas software.

  - Actualizar las interrelaciones entre los elementos de configuración.

  - Informar sobre el estado de las licencias.

- Realización de auditorías:

  - Asegura que la información que se registró en la CMDB coincide con la actual de la red.

  - Uso de herramientas de auditoría.

- Elaboración de informes:

  - Para evaluar rendimiento de la gestión de la configuración.

  - Para aportar información vital a otras áreas.

  - Elaborar informes que permitan conocer la estructura de red.

  - Sistemas de clasificación y nomenclaturas usadas.

  - Información estadística.

  - Alcance y nivel de detalle CMDB.

  - Costes asociados al proceso.

Estadística

2.5.3. Identificación y comparación de herramientas comerciales y de código abierto

Existen en el mercado herramientas de integración bajo cuatro categorías:

– **Herramientas de gestión de elementos de red.**

Ayudan a configurar y controlar la configuración de equipamiento específico de un fabricante en concreto.

- · CiscoWorks2000

- · Optivity de Novell

- · …, etc.

– **Herramientas de diseño y simulación de red.**

Sirven para planificar la topología y capacidad de la red, y predicen su comportamiento.

- · OpNetModeler

- · CompuwareVantage Predictor

– **Herramientas de gestión de direcciones IP.**

Simplifican la gestión de direcciones y evitan, entre otras funciones, las duplicaciones

- · LucentVitalQIP

- · Cisco Network and Service Register

– **Herramientas de configuración multimarca.**

Solucionan aspectos muy específicos de la gestión de la configuración y de otras áreas, como la seguridad.

- · AlertPoint

- · Gold Wire

Otras herramientas comerciales basadas en las recomendaciones ITIL.

- **BMC Remedy**

  - Gestión de activos

  - Gestión del cambio

  - Gestión de la cadena de suministros

  - Gestión de servicios

  - CMDB

  - Cuadros de mando…

  http://www.bmc.com/it-solutions/remedy-itsm.html

- **EasyVista 2012**

  - Gestión de activos

  - Creación automática del inventario.

  - Gestión del servicio

  - Gestión del cambio

  - Gestión financiera

  - Cuadros de mando

  - Gestión de proyectos…

  http://www.easyvista.com/es/

Como puedes observar la mayoría de las herramientas son un compendio de todos los procesos, ya que todos ellos están interrelacionados entre sí, y son igual de importantes.

Importante

Intenta descargar e instalar las versiones de prueba que nos proporcionan algunos fabricantes, para que te hagas una idea de su funcionamiento, documéntate y busca ejemplos de su funcionamiento tratando de ponerlos en marcha. No hay nada como probar las cosas y tener sed de aprendizaje así como curiosidad.

– **ServiceDesk Plus**

  · Gestión de activos

  · Gestión de incidencias

  · Gestión de problemas

  · CMDB

  · Portal del usuario

  · Gestión de contratos

  · Catálogo de servicios

  · Gestión de cambios

  · Creación automática de inventario

  · Gestión de activos de software…

Software

https://www.manageengine.com/products/service-desk/

- **SysAid**

  - Portal de usuario

  - Gestión de activos

  - Cuadros de mando

  - Gestión de SLAs

  - CMDB

  - Gestión de cambios

  - Gestión de problemas

  - Integración mediante API...

Importante

Intenta descargar e instalar las versiones de prueba que nos proporcionan algunos fabricantes, para que te hagas una idea de su funcionamiento, documéntate y busca ejemplos de su funcionamiento tratando de ponerlos en marcha. No hay nada como probar las cosas y tener sed de aprendizaje así como curiosidad.

Herramientas Open Source:

- **CMDBuild**

  - Se distribuye bajo licencia GPL (GPU PublicLicense)

  - Permite gestionar el inventario, relacionar elementos del mismo, almacenar documentos (contratos, notas, manuales,...), programar tareas de mantenimiento

  - Multiidioma

http://www.cmdbuild.org/it

- **GLPI**

  - Open Source

  - Inventario de activos IT (como son servidores, PCs, impresoras, software…)

  - Gestión de los inventarios (problemas, incidencias, proveedores, presupuestos contratos…)

  - Multi-idioma

  - Se integra con OCS Inventory, permitiendo la creación automática de inventarios de hardware, escaneo de red y distribución de paquetes de software

  http://www.glpi-project.org/spip.php?lang=en

  http://www.ocsinventory-ng.org/en/

- **GMF**

  - Open Source

  - Licencia GPL (GPU PublicLicense)

  - Gestión de incidencia

  - Gestión de inventario

  - Gestión del cambio…

  http://www.genos.org/index.php/GMF

  Demo: http://www.genos.org/gmfdemo/login.jsp

Sabías que

Open Source significa código abierto, esto es que su código es de dominio público, por lo que otros usuarios pueden usarlo, así como modificarlo y realizar mejoras sobre el mismo. Es una forma de hacer programas de modo colaborativo.

No debemos confundirlo con otro concepto que es el de Software libre, que es el Software que una vez adquirido puede ser copiado, usado, modificado, etc. En ocasiones puede ser gratuito o a un coste muy bajo.

– **Spiceworks**

· Herramienta open source de gestión, monitorización y resolución de problemas

· Creación automática de mapas de red

· Helpdesk (gestión de incidencias)

· Inventario automático de hardware y software (gestión de licencias…)

· Gestión de compras TI…

http://www.spiceworks.com/

– **The Dude**

· Software gratuito

· Permite realizar mapas de red

- Muestra información sobre los componentes

- Permite el uso de varios protocolos

- Comprueba puertos

- Función ping

- Función tracert

– **LAN Surveyor**

- Desarrollado por SolarWinds

- Explora la red y crea mapas de red

- Crea informes de la red y su estado

- Crea informes del estado de dispositivos de red

- Se ofrece una versión de prueba, porque la completa es de pago

Helpdesk

Importante

Intenta descargar e instalar las versiones de prueba que nos proporcionan algunos fabricantes, para que te hagas una idea de su funcionamiento, documéntate y busca ejemplos de su funcionamiento tratando de ponerlos en marcha. No hay nada como probar las cosas y tener sed de aprendizaje así como curiosidad.

2.6. Gestión de la disponibilidad

La Gestión de la disponibilidad se engloba dentro de los procesos de Diseño de los Servicios IT.

Cada vez demandamos más servicios y durante más tiempo, de ahí que se exija la disponibilidad a nuestros partners tecnológicos, y no sólo eso, sino que además la tecnología avanza de forma rápida y es necesario adecuarnos en tiempo real a ella sin tiempo y sin perjudicar los servicios que ofrecemos, nuestros sistemas tienen que continuar funcionando 24/7 a pesar de que hagamos modificaciones en nuestra red o renovemos los equipos.

Sin duda, es una carrera vertiginosa contra reloj...

La gestión de la disponibilidad tendrá que optimizar y monitorizar todos estos aspectos para garantizar la disponibilidad de los servicios, y que se cumplan los acuerdos previstos (SLAs)

Además, existen una serie de interacciones con otros procesos:

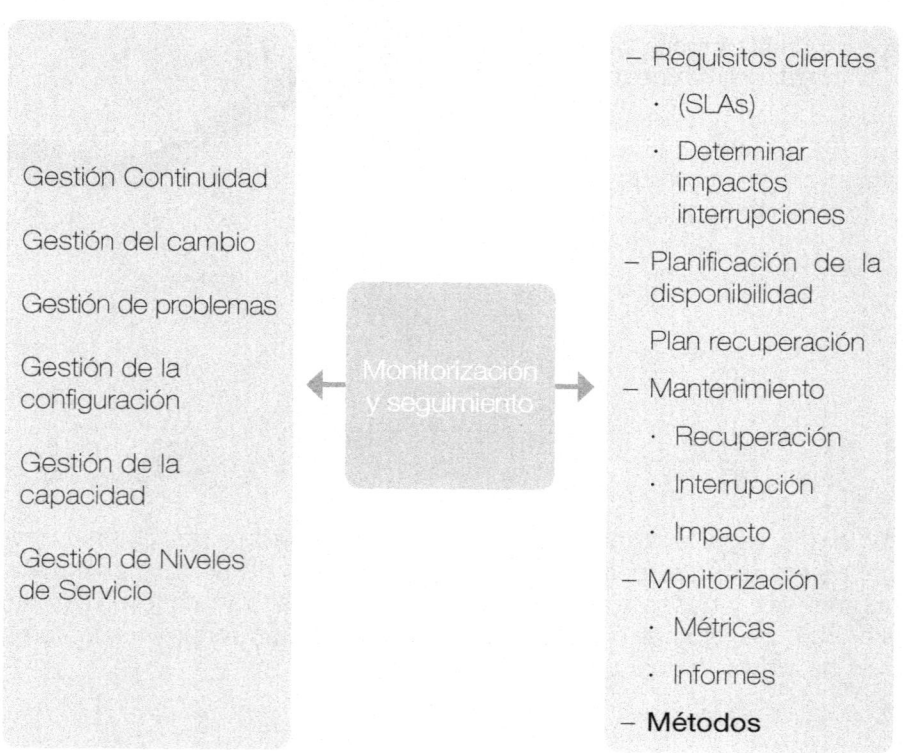

2.6.1. Explicación de los objetivos

El principal objetivo de la Gestión de la disponibilidad es que los servicios funcionen y estén disponibles de acuerdo a los SLAs.

Se deben determinar loa requisitos de disponibilidad, para ello se requiere también la intervención del cliente.

Debemos garantizar que se cumplan los niveles de disponibilidad establecidos en los acuerdos.

Para poder asegurar la disponibilidad es necesario monitorizar los sistemas y colaborar con otros procesos, intercambiando información entre ellos.

Todos son procesos de mejora continua para que los servicios prestados se den correctamente con lo que se deben proponer mejoras en la infraestructura de red y en los servicios prestados.

Habrá que supervisar que se cumplan por una parte los OLAs (Acuerdos de nivel de operación) y por otra los UCs (Contratos de soporte).

Los principales beneficios de una correcta Gestión de la Disponibilidad son:

– Cumplimiento de los niveles de disponibilidad acordados.

– Reducción de costes.

– Mayor calidad del servicio.

– Aumento progresivo de los niveles de disponibilidad.

– Reducción de incidentes.

Calidad

2.6.2. Enumeración de las actividades

Entre las actividades que la Gestión de la Disponibilidad se encuentran:

- Determinar cuáles son los **requisitos de disponibilidad** reales del negocio.

  · Permite la correcta elaboración de SLAs

  · Debe estar en línea con las necesidades del negocio y las posibilidades de la organización IT.

- Desarrollar un **plan de disponibilidad** donde se estimen las futuras a corto y medio plazo.

  · La situación actual de disponibilidad de los servicios TI.

  · Herramientas para la monitorización de la disponibilidad.

  · Métodos y técnicas de análisis a utilizar.

  · Definiciones relevantes y precisas de las métricas a utilizar.

  · Planes de mejora.

  · Expectativas futuras.

    › Saber o prever cuáles serán las necesidades de disponibilidad, acordes con el crecimiento o nuevos mercados de la empresa

- Mantenimiento del servicio en operación y recuperación del mismo en caso de fallo.

  El servicio en operación significa mientras funciona.

- Realizar diagnósticos periódicos sobre la disponibilidad de los sistemas y servicios.

  Evaluar, monitorizar.

- Evaluar la capacidad de servicio de los proveedores internos y externos.

- Monitorizar la disponibilidad de los servicios TI.

- Elaborar informes de seguimiento con la información recopilada sobre disponibilidad, fiabilidad, capacidad de mantenimiento y cumplimiento de OLAs y UCs.

- Evaluar el impacto de las políticas de seguridad en la disponibilidad.

  Algunas políticas si sin muy restrictivas pueden afectar a la disponibilidad de los servicios de red.

- Asesorar a la Gestión de Cambios sobre el posible impacto de un cambio en la disponibilidad.

Ejercicio

Intenta enumerar y explicar los indicadores de calidad que conozcas

Determina cuáles son los más importante, y cuáles menos.

Intenta determinar qué indicadores usarías para cumplir con los objetivos mínimos del servicio.

Documéntate, instala alguno de los programas mencionados y mira cómo harías un análisis de datos del funcionamiento de la red, piensa cuáles sería los datos de mayor importancia.

2.7. Gestión de la capacidad

La Gestión de la Capacidad hace que todos los servicios TI se vean respaldados por una capacidad de proceso y almacenamiento suficiente y correctamente dimensionada.

Si esto no fuera así, los recursos no se aprovecharían de forma correcta, realizando además inversiones innecesarias que lo único que nos aportarán serán gastos adicionales de mantenimiento y administración.

En el peor de los casos, nos podríamos encontrar con que los recursos son insuficientes y eso generará aún más gastos además de la degradación de la calidad del servicio.

Entre las responsabilidades de la Gestión de la Capacidad se encuentran:

- Asegurar que se cubren las necesidades de capacidad

    · Presentes

    · Futuras

- Controlar el rendimiento de la infraestructura IT

    Monitorización, entre otras cosas

- Desarrollar planes de capacidad asociados a los niveles de servicio acordados

- Gestionar y racionalizar la demanda de servicios TI

Se trata de gestionar:

- Almacenamiento necesario

- Recursos necesarios

- Tráfico de red

- Velocidad del tráfico de red

- Otros

2.7.1. Explicación de los objetivos

El principal objetivo de la Gestión de la Capacidad es dotar de los recursos informáticos necesarios para desempeñar de una manera eficiente las tareas sin incurrir en costes sobredimensionados.

Para ello, la Gestión de la Capacidad debe:

- Tener un conocimiento del estado actual de la tecnología.

- Prever futuros desarrollos.

    Nos permite hacer las cosas bien desde el principio.

- Conocer los planes de negocio y acuerdos de nivel de servicio, con ello podrá establecer qué es lo que se necesita con exactitud.

- Analizar el rendimiento de la infraestructura.

- Monitorizar el uso de la capacidad existente.

- Realizar modelos y simulaciones de capacidad para diferentes escenarios que puedan surgir en un futuro..

- Dimensionar adecuadamente los servicios.

- Dimensionar las aplicaciones

- Alinear servicios y aplicaciones a los procesos de negocio y necesidades reales del cliente.

- Gestionar la demanda de servicios informáticos.

- Racionalizar el uso de los servicios informáticos

La Gestión de la Capacidad intenta evitar que se hagan inversiones innecesarias en tecnologías que no tienen que ver con las necesidades del cliente o que son exageradas e innecesarias, también trata de evitar situaciones contrarias en las que la calidad y productividad del servicio se ve afectada por un insuficiente o deficiente uso de las tecnologías existentes.

Información

2.7.2. Enumeración de las actividades

La gestión de la capacidad requiere conocer lo que necesitan los clientes, perspectivas de negocio, noveles de servicio, etc.

El proceso de Gestión de la capacidad a su vez se divide en tres subprocesos:

– Gestión de la capacidad del negocio (BCM)

   Necesidades futuras de usuarios y clientes.

– Gestión de la capacidad del servicio (SCM)

   · Análisis del rendimiento de los servicios IT

   · Garantiza los niveles de servicio acordados

– Gestión de la capacidad de recursos (CCM)

   · Estudia uso de la infraestructura y tendencias

   · Asegura que se dispone de los recursos necesarios.

Estos subprocesos generan:

– Planes de capacidad

– Informes de rendimiento

– Recomendaciones Financieras

Las principales actividades de la Gestión de la Capacidad se resumen en:

– Desarrollo del Plan de Capacidad

– Modelado de diferentes escenarios de capacidad.

– Monitorización de los recursos.

– Supervisión de la capacidad

– Administración de la Base de Datos de la Capacidad (CDB) contenida en el Sistema de Información de Gestión de la Capacidad (CMIS).

– Medir el rendimiento de los distintos componentes.

– Gestionar la demanda.

– Analizar los umbrales de carga de los componentes.

– Trabajar en las tareas de optimización del uso de los recursos disponibles.

– Implementar los cambios relacionados con la Capacidad.

Como puedes observar la monitorización de la red y de sus recursos está presente en la mayoría de los procesos.

2.8. Gestión de la seguridad

LA seguridad afecta a todos los sistemas de información, y más hoy día con el uso de las ubicuas redes de comunicación, especialmente internet, fuente de muchas cosas buenas y malas, virus, spam, hackers...

Pero la falta seguridad no es sólo culpa de factores externos, sino también viene dada por factores internos como el uso que se hace de los equipos, la falta de formación en materia de seguridad , etc.

Cuantas veces no hemos visto un post-it pegado en una pantalla con los datos del usuario y sus contraseñas de acceso, por poner un ejemplo.

La información es el activo más importante de la empresa, por lo que se debe sustentar en tres pilares básicos:

– Confidencialidad

  Limitación de acceso a la información y divulgación a los usuarios autorizados

– Integridad

  Fiabilidad de los recursos de información

– Disponibilidad

  Datos disponibles cuando son necesarios

2.8.1. Caracterización de la seguridad de la información como garantía de su disponibilidad, integridad y confidencialidad

La seguridad de la información trata de garantizar los tres pilares básicos: Disponibilidad, Integridad y Confidencialidad,

Pero... ¿qué es todo esto?

Confidencialidad

La confidencialidad se refiere que se limite el acceso de los datos sólo a quien los necesita y evitar el acceso o la divulgación a los no autorizados. Está muy relacionada con privacidad de los datos, y con aspectos legales como la LOPD (Ley de protección de datos)

Para ello se dispone de muchos métodos, entre ellos, los métodos de autenticación como usuario y contraseñas

Integridad

La integridad se refiere a la fiabilidad de los recursos de información.

Saber que los datos no han sido modificados inapropiadamente.

Conocer el "origen" o "fuente de integridad" , lo que es lo mismo que saber si los datos proceden de quien dice ser o de un impostor.

Disponibilidad

La disponibilidad se refiere a la disponibilidad de recursos de información. Una falta de disponibilidad de los recursos tendrá un gran impacto en la organización.

Como ejemplo, imagina cuando llamas a una compañía telefónica para pedir información sobre una de tus líneas y la red va lenta o simplemente el operador no tiene acceso en ese momento a la información que deseas, esto provoca largas esperas, cabreos del usuario, mala reputación a la compañía, y un largo etc.

La Disponibilidad, puede verse afectada por aspectos técnicos (por ejemplo, mal funcionamiento de un ordenador o dispositivo de comunicaciones, saturación de la red, etc.), los fenómenos naturales (por ejemplo, el viento, tormenta, etc.), o causas humanas (accidental o deliberada).

Una regla general que se cumple, sea cual sea la causa que produjo una falta de disponibilidad de la información, que los seres humanos son el eslabón más débil.

2.8.2. Explicación de los objetivos de la gestión de la seguridad

Los principales objetivos que trata la Gestión de la Seguridad son:

- Diseñar una política de seguridad.

  - Colabora con clientes y proveedores

    Comunicación

  - Alineada con las necesidades del negocio.

  - Implementación

    Se trata de poner en marcha las políticas de seguridad diseñadas.

  - Monitorización

    › Equipos

    › Software

    › Sistemas operativos

    › Tráfico de red

    › Etcétera

  - Supervisión

- Asegurar el cumplimiento de los estándares de seguridad acordados.

  Cumplimiento de los SLAs

- Minimizar los riesgos de seguridad que amenacen la continuidad del servicio.

  - Evitar interrupción del servicio.

    Esto es un punto crítico.

  - Preservar integridad de los datos.

    Importante preservar los datos tal cual son.

  - Preservar confidencialidad de los datos.

    La privacidad y confidencialidad de los datos atienden entre otros a leyes como la LOPD.

– Tener en cuenta los riesgos generales a los que está expuesta la infraestructura

  · Riesgos internos

  · Riesgos externos

Importante

Los datos, la privacidad de los mismos y su integridad son lo principal. Los datos son el principal activo de las empresas.

Importante también el cumplimiento de la LOPD, ley oficial de protección de datos.

2.8.3. Referencia y explicación de los objetivos de control incluidos en el control 10.6 de la norma ISO 27002

En la Gestión de seguridad en redes el objetivo es proteger la información y la infraestructura, la gestión, los controles y medidas así como los datos sensibles en circulación a través de las redes públicas.

En el control 10.6 de la norma ISO 270002, Gestión de seguridad de las redes, figuran:

10.6.1 Controles de red:

– Manejo y control sobre amenazas en tránsito

– Responsabilidad operativa

– Responsabilidades y procedimientos para gestión de equipos remotos

– Confidencialidad e integridad de los datos en redes públicas así como su disponibilidad de servicios de red

– Registro y monitoreo

– Gestión para optimizar el servicio

10.6.2 Seguridad de los servicios de red:

– Monitoreo regular

– Derecho a auditar

– Asegurar que proveedores de servicios de red implementen las medidas de seguridad

– Firewall

– NIDS (sistemas de detección de intrusos)

– Encriptado y controles de conexión de red

– Reglas de seguridad y conexión de redes

– Restricción de acceso a servicios y aplicaciones. Permitir sólo lo necesario a quien lo necesite.

10.6.1 Controles de red

Se deben administrar, controlar y monitorizar adecuadamente la operación de las redes de información, para así, ofrecer protección a la infraestructura de soporte, servicios conectados e información que esté en tránsito en las mismas.

Para ello se tendrán en cuenta las siguientes consideraciones:

– La responsabilidad operativa de las redes debe estar separada de las operaciones de sistemas.

– Se deben establecer responsabilidades y procedimientos para la gestión de equipamiento remoto.

– Definir controles especiales para la salvaguarda de la confidencialidad e integridad de los datos (backups, encriptado de los datos, etc.) en tránsito sobre redes públicas y redes inalámbricas, y proteger los sistemas y aplicaciones conectadas a estas redes.

– Definir y aplicar actividades de registro y monitoreo.

– Coordinar las actividades de gestión para optimizar el servicio.

– Asegurar que los controles se apliquen en toda la infraestructura.

– Definir y documentar los procedimientos de seguridad.

– Aplicar los controles indicados en dichos procedimientos.

Herramientas que podemos usar con este control:

– **Nmap**

Exploración de redes y auditoría de seguridad.

Inventario de redes.

Monitorización de disponibilidad.

En la página web podemos descargar gratis la aplicación además de encontrar otras utilidades en la pestaña de Security Tools.

http://nmap.org/

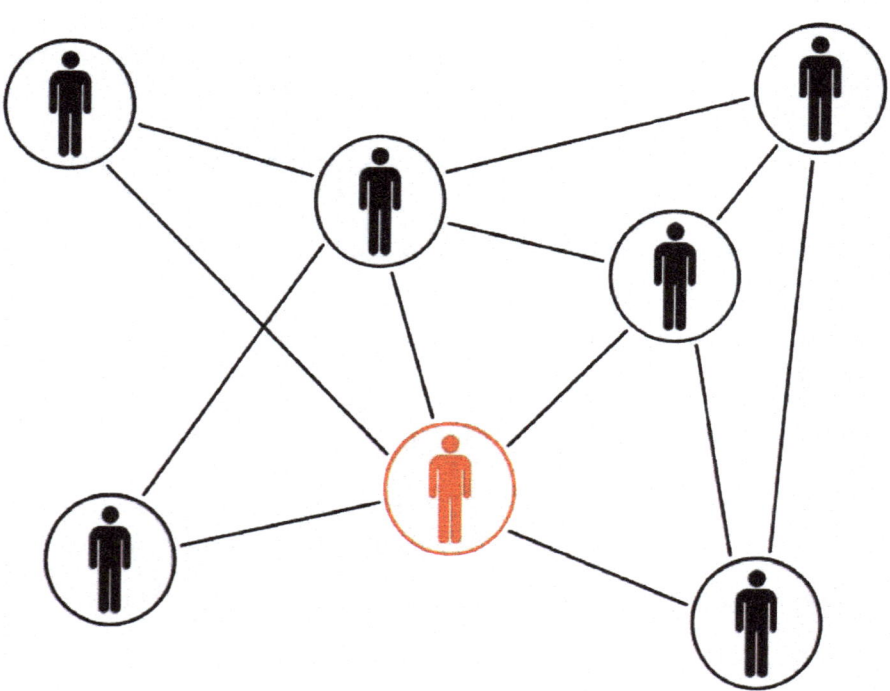

Redes

– **Oswa–Assistant**

Gratuita.

Auditoría WIFI.

Igualmente podemos encontrar en su web otras herramientas interesantes.

http://securitystartshere.org/page-training-oswa-assistant.htm

– **Kismet**

Identifica redes WIFI.

Recolecta paquetes y detecta nombre de redes.

Snnifer.

Sistema de detección de intrusos.

http://www.kismetwireless.net/

– **Network–Tools**

Monitorea a los empleados.

Obtiene listas negras de direcciones IP.

http://network-tools.com/

– **Nipper**

Configuración, auditoría.

Gestión de redes.

Gestión de dispositivos de red.

Open Source.

http://sourceforge.net/projects/nipper/

– **Spiceworks**

Herramienta gratuita.

Gestión y monitorización.

Resolución problemas de red.

Creación automática de mapas de red.

Helpdesk (gestión de tickets).

Inventario HW y SW.

Otras funcionalidades.

http://sourceforge.net/projects/nipper/

– **Wireshark**

Analizador de redes

https://www.wireshark.org/

Se deben incluir en los acuerdos de servicios de red, las características del servicio y sus requisitos de gestión.

Herramientas para este control:

— **Safe Cisco**

   Guías de discusión de buenas prácticas Cisco.

> **http://www.cisco.com/c/en/us/td/docs/solutions/**
> **Enterprise/Security/SAFE_RG/SAFE_rg.pdf**

— **Samhaim**

   Open Source.

   HIDS.

   Comprueba logs.

   Monitoriza y analiza redes.

   Detecta Rootkits.

   Monitoreo de puertos.

   Detección de Software Rogue..

   Sirve para diferentes sistemas operativos.

> **http://la-samhna.de/samhain/**

- **Sourceforge**

  Herramienta de seguridad e integridad de datos.

  Monitorea y alerta de los cambios en archivos.

  http://sourceforge.net/projects/tripwire/

- **Aide Sourceforge**

  Sistema de detección de intrusos.

  http://sourceforge.net/projects/aide/

Importante

Trata de descargar estos programas e instalarlos en el ordenador para así comprobar su funcionamiento, te recomiendo que examines menú por menú y que recurras en todo momento a la documentación de ayuda del programa.

2.8.4. Enumeración de las actividades

En la gestión de la seguridad se realizan las siguientes actividades:

- Diseño de la política de seguridad que sirva de guía para todos los procesos.

  Se deben determinar los siguientes aspectos:

  - La relación con la política general del negocio.

  - La coordinación con los otros procesos TI.

  - Los protocolos de acceso a la información.

  - Los procedimientos de análisis de riesgos.

  - Los programas de formación a usuarios y personal técnico.

  - El nivel de monitorización de la seguridad.

  - Informes que serán emitidos de forma periódica.

  - El alcance del Plan.

  - La estructura y responsables.

  - Los procesos y procedimientos empleados.

  - Los responsables de cada subproceso.

  - Los auditores externos e internos de seguridad.

  - Los recursos necesarios: software, hardware y personal.

- Fijar los niveles de seguridad que han de ser incluidos como parte de los SLAs, OLAs y UCs.

- Implementar las políticas de seguridad.

- Supervisar que se cumplan las políticas de seguridad.

- Monitorizar.

- Supervisar de forma proactiva los niveles de seguridad

- Análisis de tendencias, nuevos riesgos y vulnerabilidades.

- Auditorías de seguridad periódicas.

- Evitar interrupciones de servicio causadas por virus, ataques, etc.

- Preservar la confidencialidad de los datos.

Confidencialidad

– Preservar la privacidad de los clientes.

– Cumplir con las leyes de protección de datos LOPD.

– Colaborar con otros procesos (Gestión de Cambios y Entregas y despliegues) para asegurar que no se introducen nuevas vulnerabilidades en los sistemas en producción o entornos de pruebas.

– Proponer RFCs (proposiciones de cambios) a la Gestión de Cambios para aumentar los niveles de seguridad.

– Generar la documentación necesaria.

Entre la documentación generada cabría destacar:

· Informes sobre el cumplimiento, de los SLAs, OLAs y UCs en vigor.

· Relación de incidentes de seguridad.

· Calificados por su impacto sobre la calidad del servicio.

· Evaluación de los programas de formación impartidos y sus resultados.

· Identificación de nuevos peligros y vulnerabilidades.

· Auditorías de seguridad.

· Amenazas y elementos de Seguridad de entrada y salida de datos.

- Aspectos Gerenciales

- Análisis de Riesgos

- Identificación de amenazas.

- Seguridad en Internet

- Control de Sistemas y Programas instalados

- Protocolo de Riesgos, Seguridad, Seguros, Programas instalados…

- Protocolo ante perdidas, fraude y ciberataques

- Planes de Contingencia y Recuperación de Desastres

- Seguridad Física

- Seguridad de Datos y Programas

- Plan de Seguridad

- Políticas de Seguridad

- Medidas de Seguridad (Directivas, Preventivas y Correctivas)

- Cadena de Custodia

- Equipos instalados, servidores, programas, sistemas operativos…

- Procedimientos instalados

- Análisis de Seguridad en los equipos y en la red

- Análisis de la eficiencia de los Sistemas y Programas informáticos

- Gestión de los sistemas instalados

- Verificación del cumplimiento de la Normativa vigente LOPD

- Vulnerabilidades que pudieran presentarse en una revisión de las estaciones de trabajo, redes de comunicaciones, servidores.

- Etcétera…

- Informes sobre el grado de implementación

- Informes de cumplimiento de los planes de seguridad establecidos.

– Conocer perfectamente la red y la organización de la empresa.

2.8.5. Recomendaciones básicas de buenas prácticas

Entre las recomendaciones básicas de buenas prácticas destacamos:

–   Contar con las herramientas adecuadas en seguridad informática.

    ·   Antivirus.

    ·   Cortafuegos.

    ·   NIDS.

    ·   HIDS.

–   Adoptar una actitud proactiva.

–   Actualizar el software y Firmware con sus correspondientes parches de seguridad.

–   Usar software legal.

–   Tener precaución con el correo electrónico.

    ·   Analizar los archivos adjuntos.

    ·   No abrir correos de dudosa procedencia.

    ·   Especial atención a las descargas de archivos ejecutables (.exe u otros).

–   Realizar copias de seguridad de archivos, sistema y configuraciones.

–   Mantenerse informado de los nuevos virus, vulnerabilidades y cualquier aspecto relacionado con la seguridad informática.

–   Dar acceso sólo a los recursos necesarios, cuando sea necesario y a quien sea necesario.

–   Especial cuidado con los trabajadores curiosos que tengan accesos sobredimensionados a los recursos.

–   Uso de sistemas de alimentación ininterrumpida (SAI-UPS).

–   Asignar nombres de usuario y contraseñas que cambien cada x tiempo.

- No guardar claves en el ordenador ni apuntados en papeles visibles a otras personas.

- No conectarse a redes no seguras.

- Control de accesos para aplicaciones que sean críticas

- Control de accesos a zonas restringidas.

- Establecer criterios de acceso.

- Inventariar y catalogar las aplicaciones y el hardware.

- Almacenar y revisar los registros (logs) de los accesos realizados en el sistema.

- Gestionar los usuarios de forma correcta y la segregación de sus funciones.

- Gestionar claves correctamente y de forma segura.

  · Claves robustas con más de 8 caracteres, con letras, números y símbolos.

  · Evitar contraseñas fáciles de adivinar, por ejemplo nombres, fechas, etc.

  · Establecer caducidad de las contraseñas por ejemplo cada 15 o 30 días (el usuario tendrá que modificar su contraseña por una nueva).

- Analizar los recursos de los servidores anualmente.

- Monitorización de todos los servicios de la red.

- Establecer planes de formación en materia de seguridad.

- Documentar todos los procedimientos realizados.

- Crear una base de conocimiento con la resolución a los problemas a los que nos hemos enfrentado previamente.

- Establecer procedimientos controlados para las tareas técnicas.

- Disponer de sistemas de detección de incendios.

- Disponer de instalaciones alternativas de soporte para poder levantar los servicios en caso de caída del sistema.

- Disponer de copias de seguridad internas y externas replicadas.

- Tener un plan de recuperación ante un desastre del tipo que sea (lógico, físico…) relacionados con la seguridad.

- Gestionar las incidencias en materia de seguridad.

- Recolectar eventos y alertas de seguridad.

- Analizar los incidentes de seguridad que hayan surgido.

- Establecer un procedimiento de respuesta.

- Realización de copias de seguridad.

  · Importante para salvaguardar los datos.

  · Usar aplicaciones de copia de seguridad completas.

  · Realizar imágenes del disco.

  · Automatizar los procesos de copia de seguridad.

  · Comprobar la realización de copias de seguridad.

  · Establecer un plan de copias de seguridad para establecer cómo, cuándo y con qué frecuencia se realizan.

- Tomar precauciones a la hora de navegar por internet.

- Seguir las normas ISO 27000 que proporcionan un marco para la gestión de la seguridad.

  · 20001, 20002.

  · Otras complementarias: 20003, 20004…

Importante

Conviene que eches un vistazo a las normas 27000 en general, ya que muchas están relacionadas con otros aspectos de la seguridad.

– Además puedes consultar también las buenas prácticas de Cisco (Safe Cisco).

– Consulta también las buenas prácticas COBIT.

– Consulta la LOPD.

Importante

Es conveniente que consultes diferentes manuales de buenas prácticas para sacar lo mejor de cada uno.

Protección de datos

2.8.6. Sistemas de detección de intrusiones NIDS (Nessus, Snort)

Antes de entrar en materia vamos a explicar primero lo que es un IDS y sus tipos.

IDS (Intrusion Detection System) es un sistema de detección de intrusiones, que detecta los accesos no autorizados a una red o a un ordenador, dispone de herramientas como Sniffers para poder obtener los datos del tráfico de red, analizador que compara los datos con firmas de ataques conocidos o comportamientos considerados sospechosos, también escanea puertos.

Las firmas que hemos mencionado antes son como una base de datos con los ataques conocidos, su código y comportamiento, de forma que al compararlas con el tráfico de nuestra red, podemos detectar si existe algún movimiento sospechoso, que puede ser provocado bien por un ataque directamente, o por un intento.

Un IDS no sólo analiza el tipo de tráfico de red, sino que además revisa su contenido y su forma de comportarse. En ocasiones se integra con un Firewall, ya que un IDS por sí sólo no es capaz de detener el ataque.

Encontramos dos tipos de IDS

–   HIDS

    Host IDS, que detecta modificaciones en los equipos, rastros de actividades sospechosas o fraudulentas, y hace un reporte de los hallazgos.

–   NIDS

    ·   Network IDS o IDS basado en la red.

    ·   Detecta ataques en todos los segmentos de red.

    ·   Debe funcionar en modo promiscuo, como los sniffers, para poder capturar todo el tráfico de red.

Por otra parte estos sistemas pueden ser pasivos o reactivos, en el caso de los pasivos, el iDS sólo alacena e informa mediante una alerta del posible ataque, en cambio los reactivos trabajan en conjunto con el cortafuegos de forma que son capaces de reprogramarlo y hacer que este bloquee el tráfico entrante, a este tipo de sistemas también se les llama IPS (IntrusionPrevention-System), sistemas de prevención de intrusiones.

Estos sistemas IDS pueden ser implementados bien mediante Hardware o bien por Software.

Es importante la forma en que los instalemos en la red, si la red estuviera segmentada mediante un Hub no habría problema, pero esto no es lo habitual, sino que más bien nuestra red estará segmentada con un Switch, por lo que el IDS se debe conectar al puerto SPAN, puerto que permite analizar el tráfico de red.

Es importante usar este tipo de sistemas porque cada vez existen más cantidad de accesos no autorizados a la información que existe en Internet, y las técnicas de ataque evolucionan permitiendo el acceso a nuestros sistemas de Gusanos, troyanos, y otro tipo de Malware, así como el escaneo de puertos que son capaces de pasar desapercibidos a los cortafuegos usando protocolos permitidos como DNS, HTTP, ICMP, etc.

Seguridad

Además estos ataques buscan encontrar vulnerabilidades en los servicios permitidos por el cortafuegos, usando sus protocolos permitidos. Por si esto fuera poco los nuevos ataques incorporan técnicas anti-IDS.

En fin…. No estamos libres del todo del mal, pero obviamente cuantos más medios dispongamos menos vulnerables seremos ante la cantidad creciente de ataques e intentos de intrusión en los sistemas.

Para entender bien todo esto, decir que una intrusión es un intento de comprometer la integridad, confidencialidad y disponibilidad así como el poder evitar los mecanismos de seguridad de nuestras redes como por ejemplo el Firewall, o el IDS.

Estas intrusiones tienen unos objetivos para el atacante, como por ejemplo robo de información, elevación de privilegios en el sistema, etc.

Los métodos que usa un NIDS para alertar y bloquear las intrusiones son:

– Reconfigurar los Firewalls y las ACLs en routers

– Envío de trampas SNMP a un hipervisor externo

– Envío de correos a usuarios o administradores acerca de las intrusiones.

– Registro de los ataques incluyendo fechas, IP origen y destino, protocolos, carga…

- Almacenamiento de paquetes sospechosos que dispararon la alerta para su posterior análisis.

- Apertura de aplicaciones externas como son las de envío de correo o SMS.

- Envío de Resetkill, que permite forzar finalización de conexiones usando TCP.

- Notificaciones visuales de alertas

Arquitectura IDS

Un IDS está formado por:

- Fuente de obtención de datos, como por ejemplo los logs, dispositivos de red, etc.

- Reglas (rules) que contienen patrones y datos de ataques conocidos para poder detectar anomalías en el sistema.

- Filtros que comparan los datos proporcionados por el Sniffer y por los logs con los patrones que están almacenados en las reglas.

- Detector de eventos sospechosos en el tráfico de red

- Generador de informes y alarmas (alerts), bien vía pantalla, mail o SMS.

Herramientas NIDS

- **Snort**

  Snort es un sistema de detección de intrusos de código abierto que analiza y registra paquetes en tiempo real. Incorpora un motor de detección de ataques y barrido de puertos que nos van a permitir registrar, alertar y responder ante un ataque que previamente está definido en un patrón de ataques.

  En su página web puedes encontrar el programa para descargar en distintas plataformas, Windows,

  Linux, etc., además de montones de documentos acerca de su instalación, funcionamiento, scripts de inicio, etc.

  Snort está disponible bajo licencia GPL y es gratuito.

Incorpora una gran cantidad de filtros predefinidos, y se actualiza constantemente, detecta barridos de puertos, vulnerabilidades nuevas, etc. Nos provee de reglas predefinidas para Backdoor, DDos, FTP, ataques web, Nmap, CGI, Finger, etc.

Web de Snort:

https://www.snort.org/

La versión disponible en el momento de escribir este libro (Marzo de 2015) es la 2.9.7.0.

En sí no es un programa difícil de usar, pero existen una serie de opciones de línea de comandos.

Antes de proceder a la instalación, hay una serie de conceptos que debemos comprender, Snort se puede configurar de tres formas:

· SnifferMode, funciona como un sniffer, esnifando el tráfico de red, que podemos ver en tiempo real.

· Packetloggermode, nos permite almacenar logs en un archivo para su posterior análisis offline.

· NIDS, este es el modo que permite detectar y analizar el tráfico de red y el más complejo de configurar.

Para habilitar el modo NIDS tendremos que escribir:

```
./ -dev -1./log –h 192.168.1.0/24 –c snort.conf
```

Donde snort.conf es el nombre del archivo de configuración de Snort, que aplicará las reglas configuradas a cada archivo para cada paquete de datos y decidirá qué medida se tomará.

Dependiendo del tráfico de red que queramos examinar así colocaremos Snort en nuestra red, así podemos querer vigilar los paquetes salientes, entrantes, dentro del cortafuegos, fuera del cortafuegos, etc.

Antes de instalarlo, para poder usar el modo promiscuo y capturar los paquetes debemos instalar WinPcap.

Puedes descargarlo en el siguiente enlace:

http://www.winpcap.org/

Existen además otras herramientas involucradas con Snort que se usan conjuntamente como son:

› WinPcap

› MySQL

› BASE

› PHP

› My SQL Conector ODBC

› PHPLOT

› JpGraph

› ISS

Instalación de Snort en Windows:

Ejecutamos el Installer y aparece el asistente, simplemente seguimos los pasos indicados.

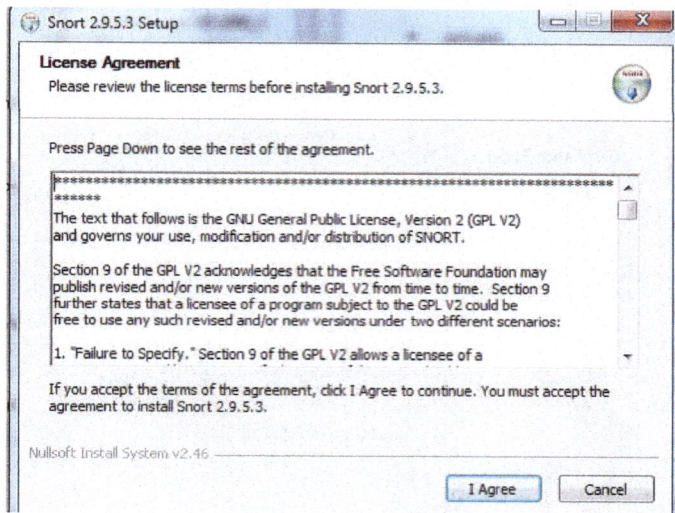

Instalación Snort, pantalla 1

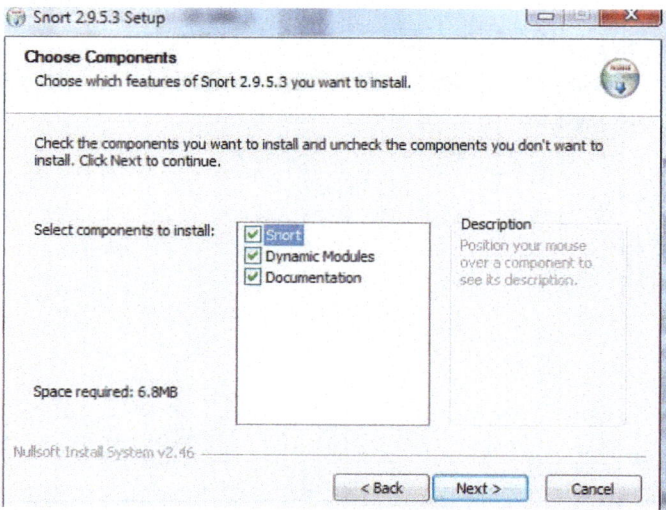

Instalación Snort, pantalla 2

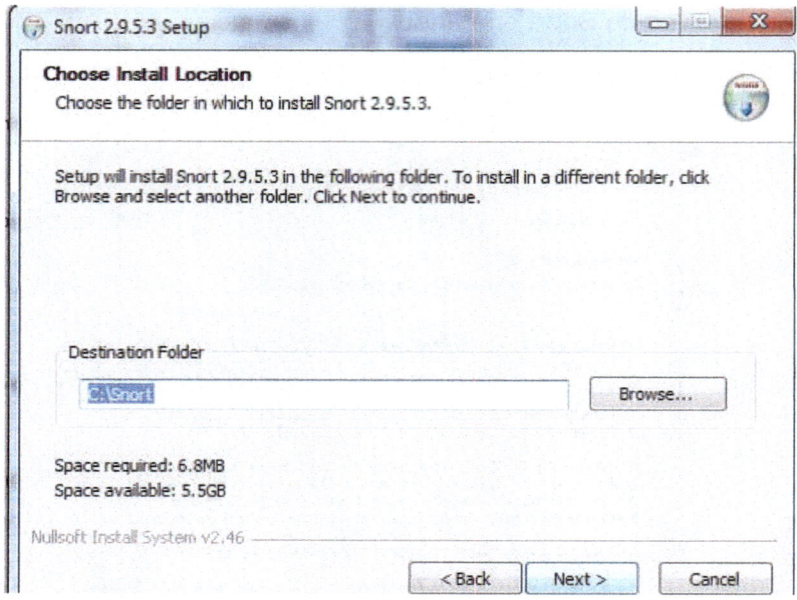

Instalación Snort, pantalla 3

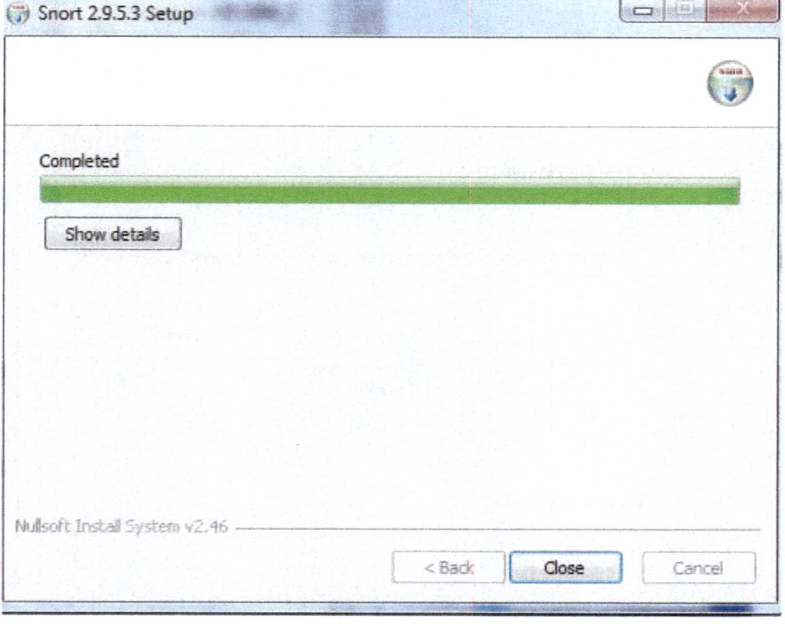

Instalación Snort, pantalla 4

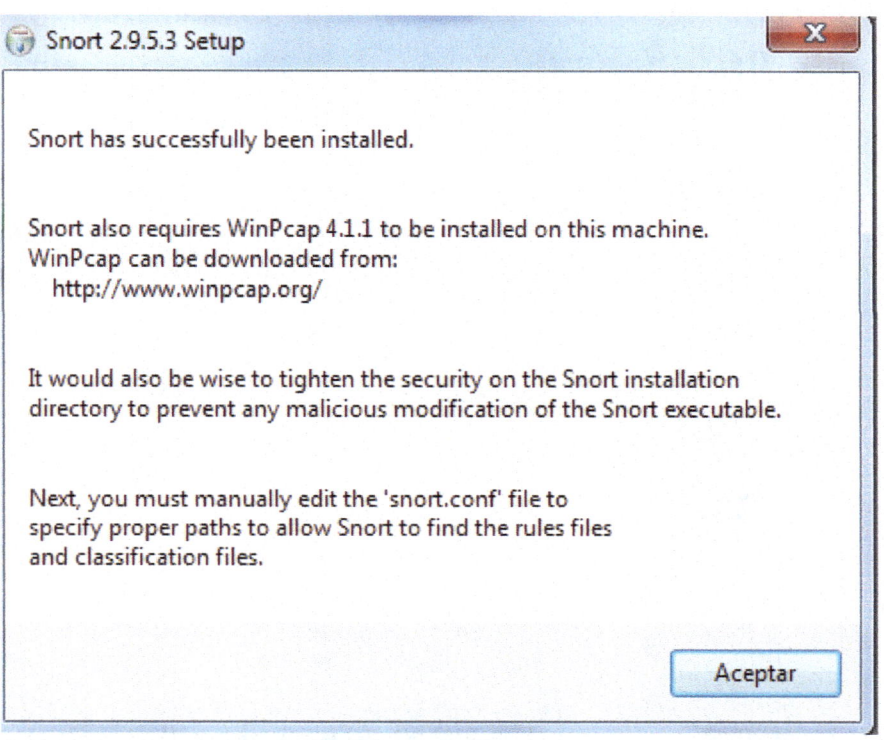

Instalación Snort, pantalla 5

El siguiente paso sería descargar las reglas (rules) de la página oficial de Snort.

https://www.snort.org/downloads/#rule-downloads

Descargamos las reglas, también de la página oficial (donde pone rules) y las pegamos en la carpeta rules dentro de la carpeta Snort que estará en C: Aquí encontraremos reglas para correo, FTP, HTTP, etc…

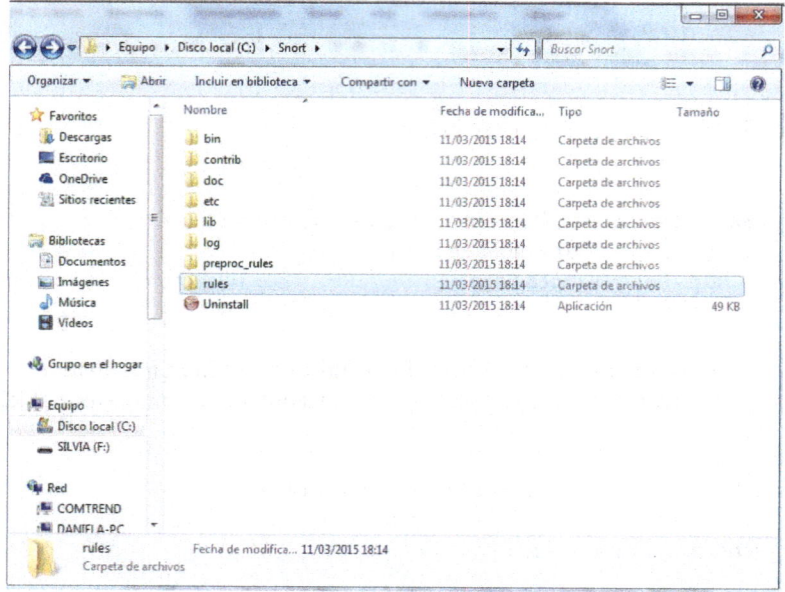

Snort, carpeta rules

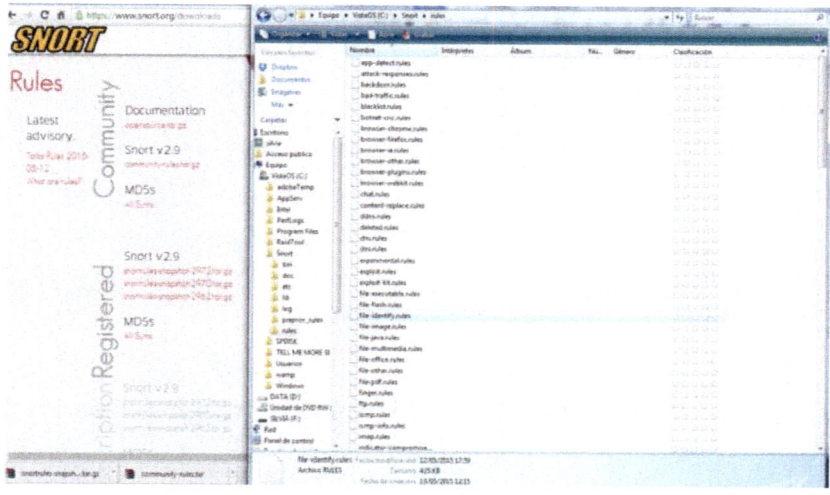

Snort, rules

Ahora iremos a la carpeta Snort y buscamos la carpeta etc, y abrimos el archivo Snort le pinchamos con botón derecho para abrir el menú contextual y escogemos la opción abrir con Block de notas o con Wordpad. Aquí vamos a editar este archivo para configurar varios aspectos.

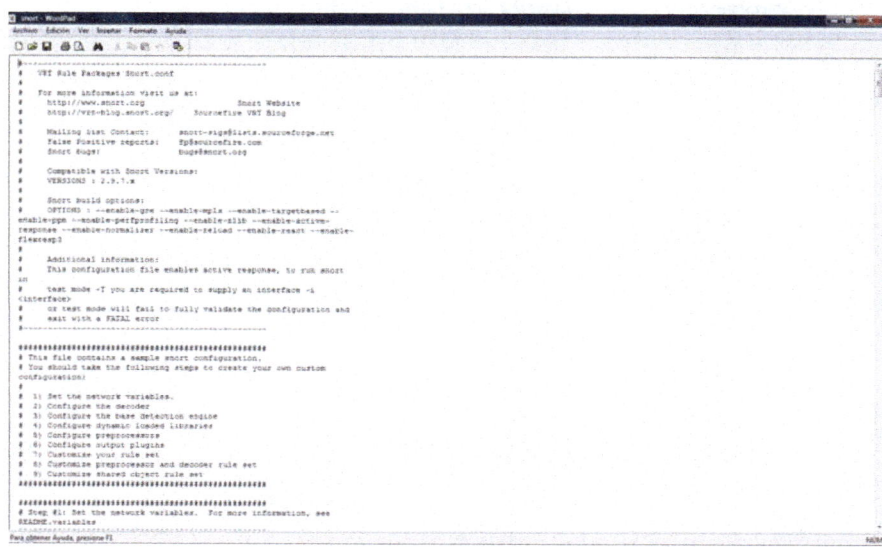

Snort, block de notas

Lo primero será configurar la red que vamos a monitorear.

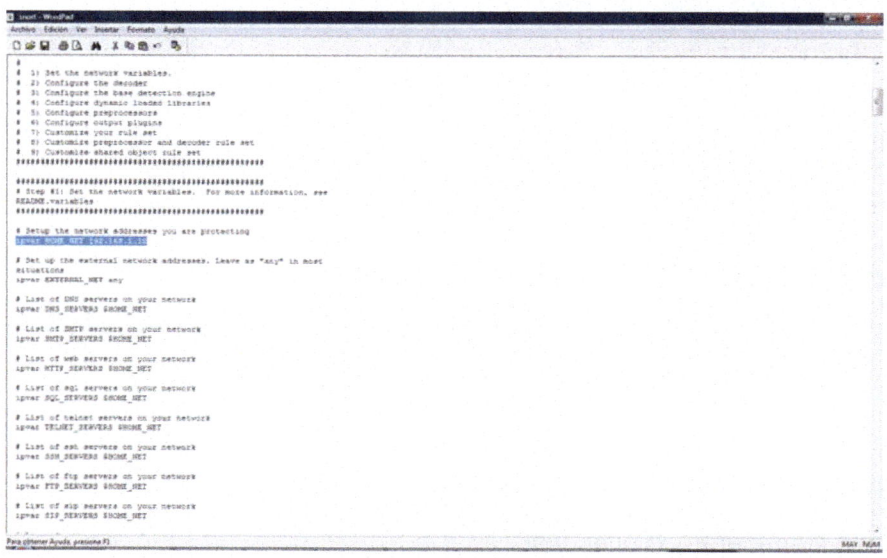

Snort, block de notas 2

Pondremos aquí la dirección de red.

Ipvar HOME_NET 192.168.1.10

Bastante más abajo encontraremos las reglas que se van a usar, podemos comprobarlas.

Snort, block de notas 3

Configuramos el acceso.

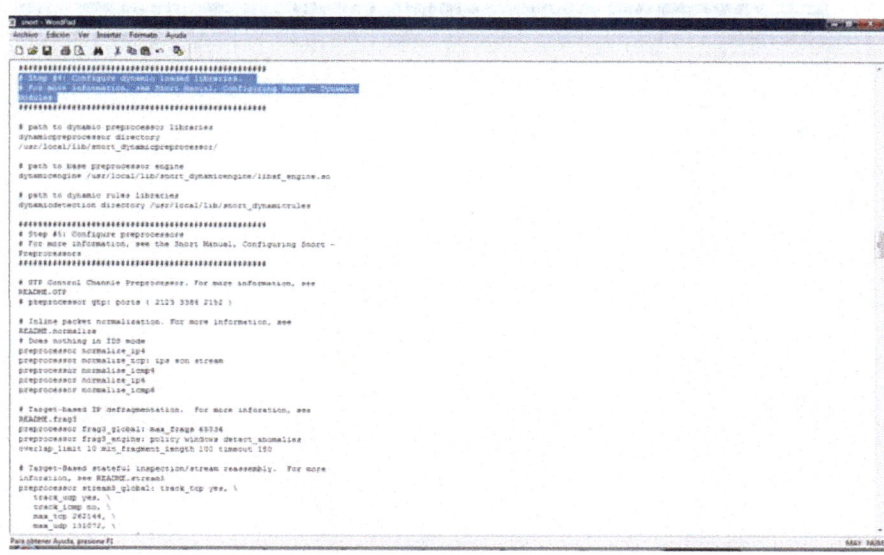

Snort, block de notas 4

Modificamos la siguiente línea:

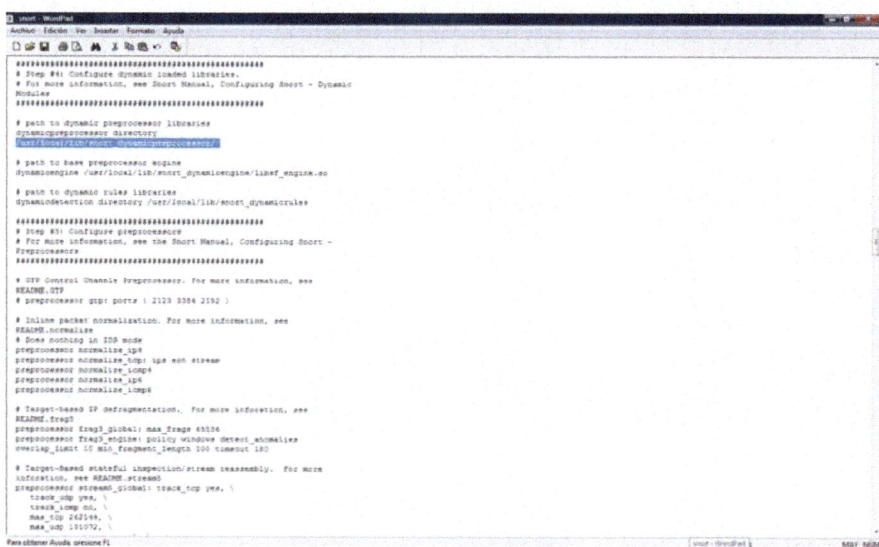

Snort, block de notas 5

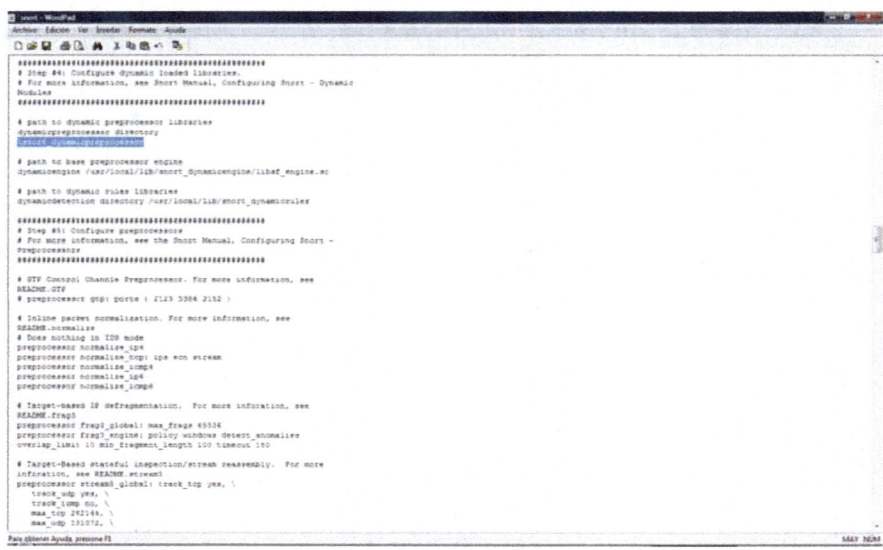

Snort, block de notas 6

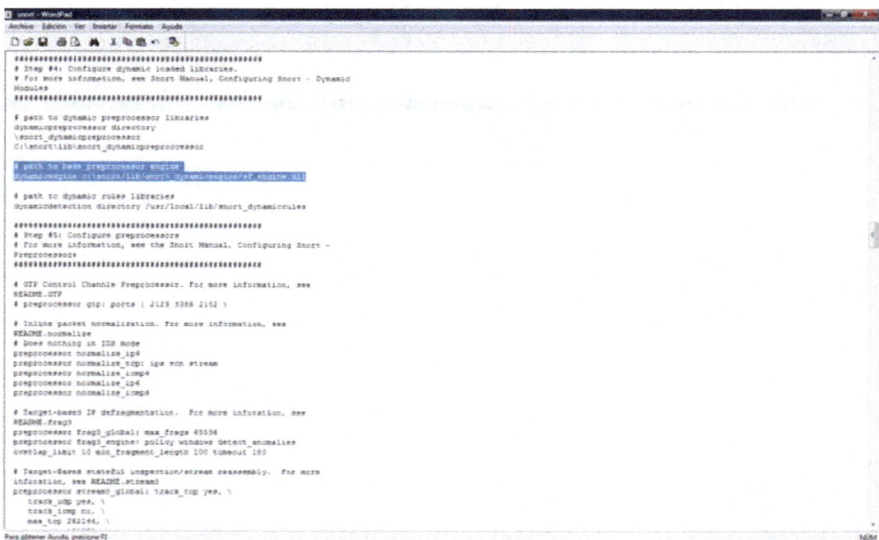

Snort, block de notas 7

Sustituir la línea:

```
dynamicpreprocessor directory /usr/local/lib/snort_dynamicpreprocessor/
```

Por:

```
dynamicpreprocessor directory c:\snort\lib\snort_dynamicpreprocessor
```

Sustituir la línea:

```
dynamicengine /usr/local/lib/snort_dynamicengine/libsf_engine.so
```

Por:

```
dynamicengine c:\snort\lib\snort_dynamicengine\sf_engine.dll
```

Guardamos el archivo de configuración (CTRL+G)

Finalmente ejecutamos Snort desde la consola de comandos (CMD), para ello vamos a Inicio y en el cuadro de buscar ponemos CMD.

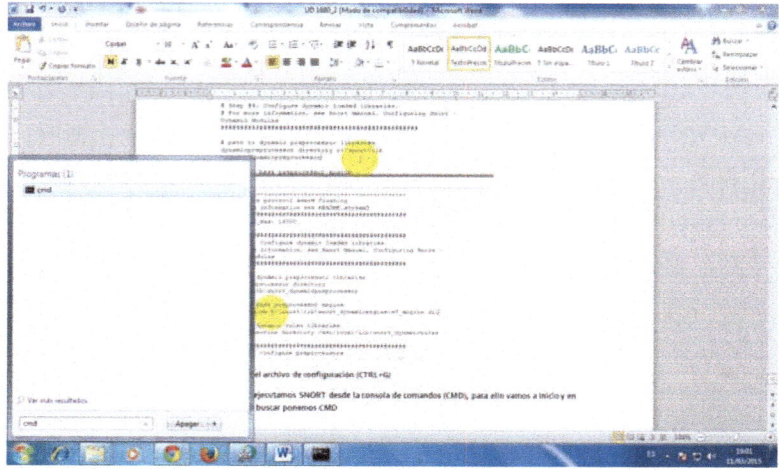

Inicio–CMD

Se abrirá la consola de comandos.

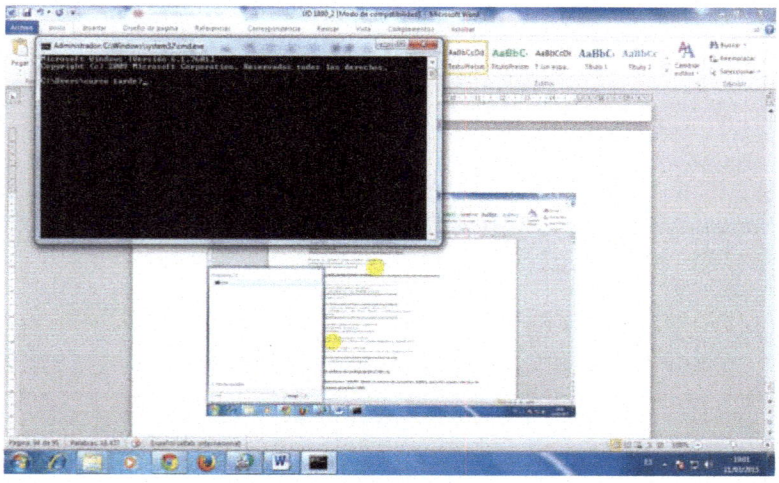

CMD (consola de comandos)

. Ahora tenemos que dirigirnos al Promt, para ello escribimos el comando cd.. hasta llegar a c:.

CMD (consola de comandos) cd

Escribimos cd snort para acceder a la carpeta de Snort y cd bin para acceder a la carpeta bin.

Allí escribimos Snort.

CMD (consola de comandos) Snort

Y ya se está ejecutando Snort en tiempo real.

CMD (consola de comandos) Snort

```
C:\Snort20\bin>snort
-*> Snort! <*-
Version 2.0.0-ODBC-MySQL-FlexRESP-WIN32 (Build 72)
By Martin Roesch (roesch@sourcefire.com, http://www.snort.org)
1.7-WIN32 Port By Michael Davis (mike@datanerds.net,http://www.datanerds.net/~mike)
1.8 – 2.0 WIN32 Port By Chris Reid (chris.reid@codecraftconsultants.com)
USAGE: snort [-options]
snort /SERVICE /INSTALL [-options]
snort /SERVICE /UNINSTALL
snort /SERVICE /SHOW

Options:
-A Set alert mode: fast, full, console, or none (alert file alerts only)
-b Log packets in tcpdump format (much faster!)
-c Use Rules File
-C Print out payloads with character data only (no hex)
-d Dump the Application Layer
-e Display the second layer header info
-E Log alert messages to NT Eventlog. (Win32 only)
-f Turn off fflush() calls after binary log writes
-F Read BPF filters from file
```

```
-h Home network =
-i Listen on interface
-I Add Interface name to alert output
-k Checksum mode (all,noip,notcp,noudp,noicmp,none)
-l Log to directory
-L Log to this tcpdump file
-n Exit after receiving packets
-N Turn off logging (alerts still work)
-o Change the rule testing order to Pass|Alert|Log
-O Obfuscate the logged IP addresses
-p Disable promiscuous mode sniffing
-P Set explicit snaplen of packet (default: 1514)
-q Quiet. Don't show banner and status report
-r Read and process tcpdump file
-R Include 'id' in snort_intf.pid file name
-s Log alert messages to syslog
-S Set rules file variable n equal to value v
-T Test and report on the current Snort configuration
-U Use UTC for timestamps
-v Be verbose
-V Show version number
-W Lists available interfaces. (Win32 only)
-w Dump 802.11 management and control frames
-X Dump the raw packet data starting at the link layer
-y Include year in timestamp in the alert and log files
-z Set assurance mode, match on established sesions (for TCP)
-? Show thisinformation
are standard BPF options, as seen in TCPDump
Uh, you need to tell me to do something...
: No such file ordirectory
```

Si hacemos un ping a una ip(ping 192.168.1.30) en otra consola de comandos y observamos la consola del Snort, vemos que aparecen nuevas líneas, ya que está analizando el tráfico ICMP que surge de hacer el ping a una dirección IP.

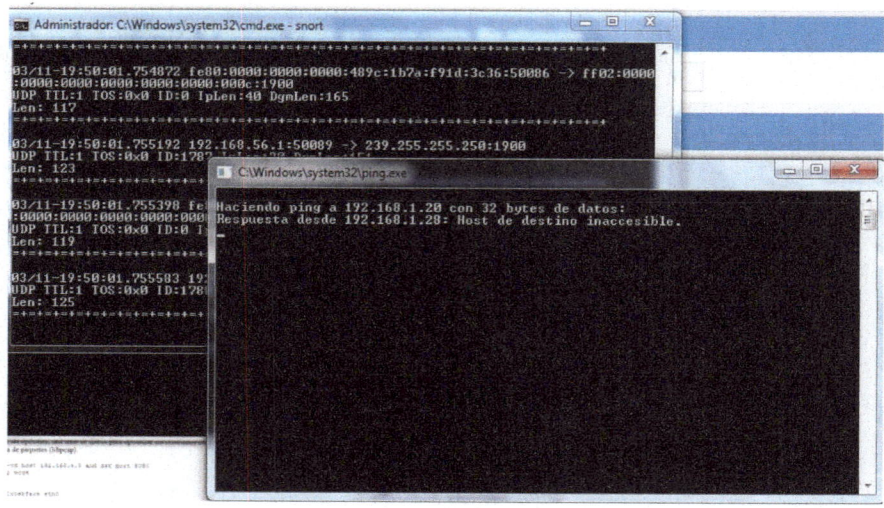

CMD (consola de comandos) Snort y ping

Otro ping a otra dirección….

CMD (consola de comandos) Snort y ping 2

Mostramos aquí algunos ejemplos de la configuración y funcionamiento de Snort.

- **Snort en modo Sniffer**

  El formato genérico para este modo es: *snort [-opciones], en este caso snort –v.* Veremos en pantalla las cabeceras de los paquetes TCP/IP, es decir, en **modo sniffer** y nos mostrará las cabeceras **IP, TCP, UDP y ICMP.**

```
C:\Snort20\bin>snort -v
Running in packet dump mode
Log directory = log
Initializing Network Interface \Device\NPF_{604C8AE3-5FAC-45A5-BFAA-81175A8C32BF}
```

Para visualizar los datos que pasan por la interface de red, añadiremos **-d.**

```
C:\Snort20\bin>snort -vd
Running in packet dump mode
Log directory = log
Initializing Network Interface \Device\NPF_{604C8AE3-5FAC-45A5-BFAA-81175A8C32BF}
```

Si añadimos **-e**, snort nos mostrará más información aún como las cabeceras a nivel de enlace.

Esto va a generar mucha información que veremos pasar rápidamente por pantalla, nos interesa entonces registrar y guardar esos datos para su posterior comprobación, para lo que entramos en snort en el modo de registro de paquetes (packetlogger).

```
C:\Snort20\bin>snort -dev -l./log
```

La opción **-l** indica a snort que guarde los logs en un directorio, en este ejemplo lo hace en la carpeta **/log**, en windows pondríamos la ruta **c:\snort\log**. Aquí se irán guardando los logs dentro de una estructura de subcarpetas.

· **Snort modo NIDS**

El modo detección de intrusos de red se activa -c snort.conf.

En este archivo,snort.conf, se guarda toda la configuración de las reglas, preprocesadores y otras configuraciones que permiten el modo NIDS.

```
C:\Snort20\bin>snort -dev -l./log -h 192.168.4.0/24 -c../etc/snort.conf
```

En Linux con al opción -D indicará a snort que corra como un servicio.

```
# snort -dev -l./log -h 192.168.4.0/24 -c../etc/snort.conf –D
```

Para las versión win32 usaremos /SERVICE /INSTALL:

```
C:\Snort20\bin>snort /SERVICE /INSTALL -dev -l./log -h 192.168.4.0/24 -c../etc/snort.conf
```

Snort creará un archivo alert.ids donde almacenará las alertas generadas.

· **Modos de Alerta**

Existen varias formas de configurar las alertas, y cómo se almacenarán estas en el archivo alert.ids.

Snort dispone de siete modos de alertas:

› Completo (Full)

Tiempo, mensaje de la alerta, clasificación, prioridad, IP y puerto de origen/destino e información completa de las cabeceras de los paquetes registrados.

```
C:\Snort20\bin>snort -A full -dev -l./log -h 192.168.1.30/24 -c../etc/snort.conf
```

› Rápido (Fast)

Tiempo, mensaje de la alerta, clasificación, prioridad de la alerta, IP y puerto de origen y destino.

```
C:\Snort20\bin>snort -A fast -dev -l./log -h 192.168.1.30/24 -c../etc/snort.conf
```

› Socket

- Manda las alertas a través de un socket, para que las escuche otra aplicación.

- Sólo para Linux/UNIX.

```
# snort -A unsock -c snort.conf
```

> › Syslog

Envía las alarmas al syslog.

```
C:\Snort20\bin>snort -A console -dev -l./log -h
192.168.1.30/24 -c../etc/snort.conf -s 192.168.4.33:514
```

> › smb (WinPopup)

> › Consola (Console)

Imprime las alarmas en pantalla.

```
C:\Snort20\bin>snort -A console -dev -l./log -h 192.168.1.30/24 -c../etc/snort.conf
```

> › Ninguno (none)

Desactiva alarmas.

```
# snort -A none -c snort.conf
```

En la página oficial encontrarás documentación suficiente para poder configurar correctamente Snort, crear reglas, etc. Pinchando en Documents.

www.snort.org

https://www.snort.org/#documents

Importante

Es importante que leas a cerca de la configuración y uso de reglas, en la página web hay información más que suficiente, eso sí, en inglés..y te recomiendo que la leas en inglés porque las traducciones de lenguaje técnico son bastante confusas.

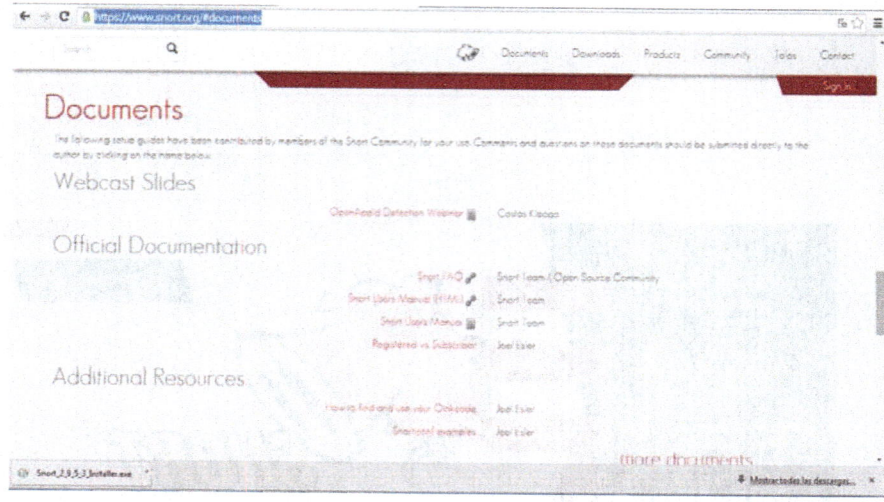

www.snort.org/documents

— Nessus

Nessus, a mi juicio un gran programa, es un escaneador de vulnerabilidades, se utiliza mucho para realizar auditorías de seguridad de los equipos de la red.

Definición

Vulnerabilidad es cualquier debilidad que compromete la seguridad de nuestros sistemas informático, como agujeros de seguridad, contraseñas inseguras, etc.

Está basado en una arquitectura cliente-servidor, desde nuestro ordenador nos conectamos al mismo a través de la IP de loopback, es decir, 127.0.0.1.

Como decíamos, detecta vulnerabilidades en un sistema remoto, escanea cualquier tipo de sistema operativo, mac, windows, linux...por otra parte también es capaz de detectar vulnerabilidades en los programas que están instalados en el ordenador, nos ofrece muchísima información por ejemplo, a cerca de contraseñas que sean inseguras o que no se hayan cambiado en mucho tiempo,exploits que se pueden aplicar a los sistemas operativos y programas que pongan en entredicho la seguridad de nuestros sistemas, etc.

Escanea puertos en busca de puertos abiertos que después intenta atacar con exploits, los resultados de los escaneos y pruebas que realiza se pueden exportar a modo de reporte en diversos formatos, texto plano, html, xml, etc.

Se compone de dos partes, el servidor, daemon (nessusud, que realiza los escaneos, y el cliente que nos muestra los resultados en una interfaz gráfica.

Esta interfaz gráfica nos muestra los resultados en tiempo real.

La parte del cliente, se conecta con el servidor para desde la interfaz de red lanzar los escaneos.

Disponemos de versiones para Linux y Windows, además de una versión gratuita y otra de pago.

· HomeFeed

  › Gratis

  › Uso doméstico o no profesional

· ProffessionalFeed

  Fines comerciales (consultoría seguridad)

Versiones Nessus

Las pruebas que realiza están en una lista de plugins NASL (NessusAttack Scripting Languaje), se pueden añadir determinadas pruebas, seleccionar plugins específicos o elegirlos todos. En la página web de Nessus podemos obtener una lista completa de los plugins disponibles.

Su base de datos se actualiza diariamente, por lo que podemos disponer de las comprobaciones de seguridad más actuales.

Estas actualizaciones está disponibles en la página:

http://www.nessus.org/scripts.php

Las capacidades de este programa son impresionantes, no sólo nos dice las vulnerabilidades de nuestro sistema, además nos informa de su nivel de riesgo (info, Low, Medium, High y Critical), y por si fuera poco nos informa de las medidas a tomar para solucionar los problemas detectados.

Requisitos de instalación:

Obviamente el programa consume ciertos recursos en nuestro ordenador y necesita ciertos requisitos, por lo que se recomienda para poder instalarlo:

Sistema operativo:

· Debian 5 (i386 y x86-64)

· FedoraCore 12, 13 y 14 (i386 y x86-64)

· FreeBSD 8 (i386 y x86-64)

· Mac OS X 10.4, 10.5 y 10.6 (i386, x86-64, ppc)

· Red Hat ES 4/CentOS 4 (i386)

· Red Hat ES 5/CentOS 5/Oracle Linux 5 (i386 y x86-64)

· Red Hat ES 6/CentOS 6 (i386 y x86-64) [servidor, equipo de escritorio, estación de trabajo]

- Solaris 10 (sparc) >SuSE 9.3 (i386)

- SuSE 10.0 y 11 (i386 y x86-64)

- Ubuntu 8.04, 9.10, 10.04 y 10.10 (i386 y x86-64)

- Windows XP, Server 2003, Server 2008, Server 2008 R2, Vista y 7 (i386 y x86-64)

Requisitos de memoria:

Tenable recomienda una memoria de 2 GB como mínimo para operar Nessus.

Para realizar análisis más amplios de varias redes se recomienda al menos 3 GB de memoria,incluso hasta 4 GB.

Requisitos del procesador:

Se recomienda un procesador Pentium 3 que funcione a 2 GHz o más. Cuando se use Mac OS X, se recomienda un procesador Intel® de doble núcleo que funcione a 2 GHz o más.

Descarga:

http://www.nessus.org/download

http://www.tenable.com/products/nessus-vulnerability-scanner

Instalación de Nessus:

Desde la página web se puede descargar el ejecutable.exe.

Instalar como administrador (cuenta con privilegios).

¡Ojo! Algunos antivirus consideran Nessus como Malware, por lo que debemos configurar el antivirus para que permita usar este programa sin bloquearlo, en la lista de excepciones.

Al ejecutar el instalador aparece el asistente de instalación de Nessus:

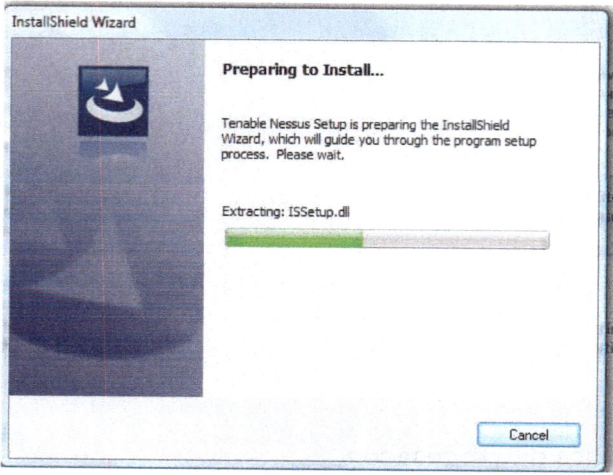

Pantalla instalación Nessus 1

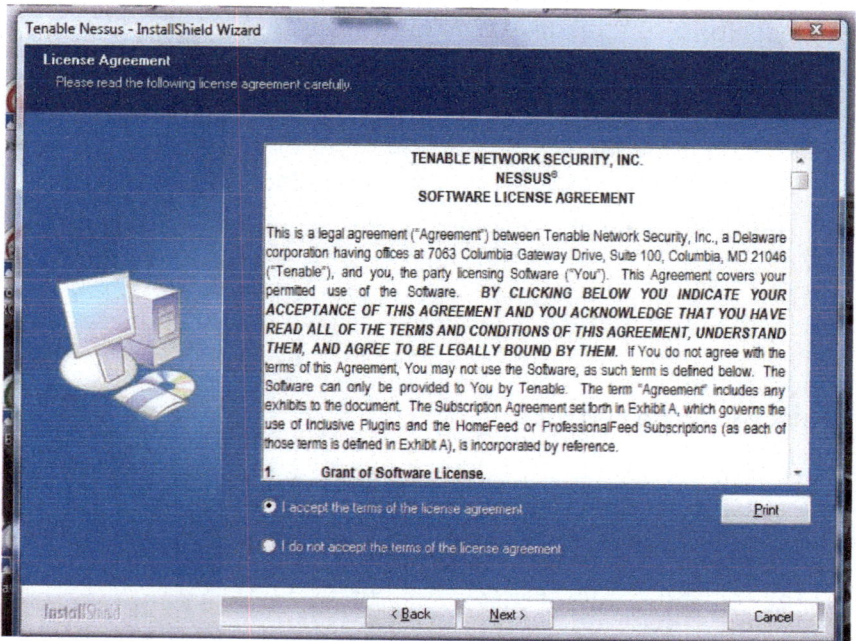

Pantalla instalación Nessus 2

Que nos solicitará algunos datos acerca de la instalación:

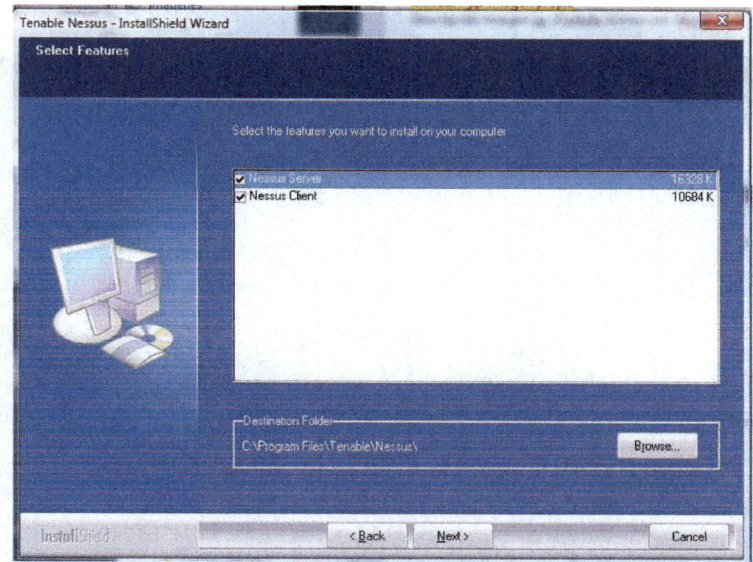

Pantalla instalación Nessus 3

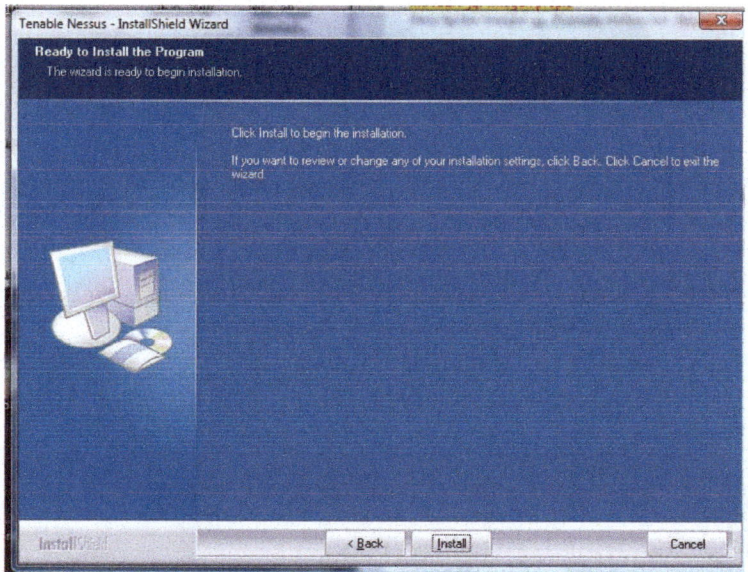

Pantalla instalación Nessus 4

Elegir la instalación Completa dada por defecto:

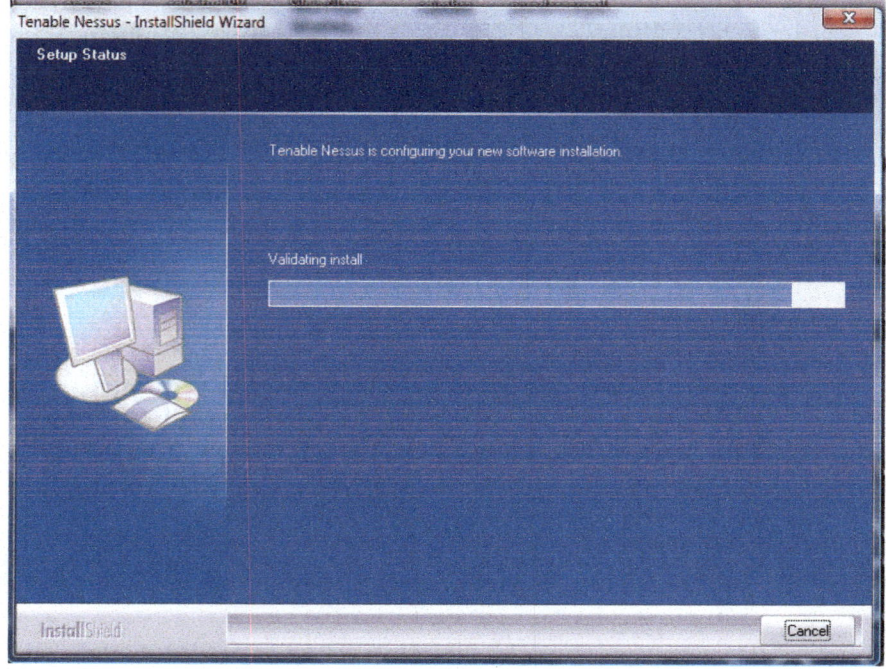

Pantalla instalación Nessus 5

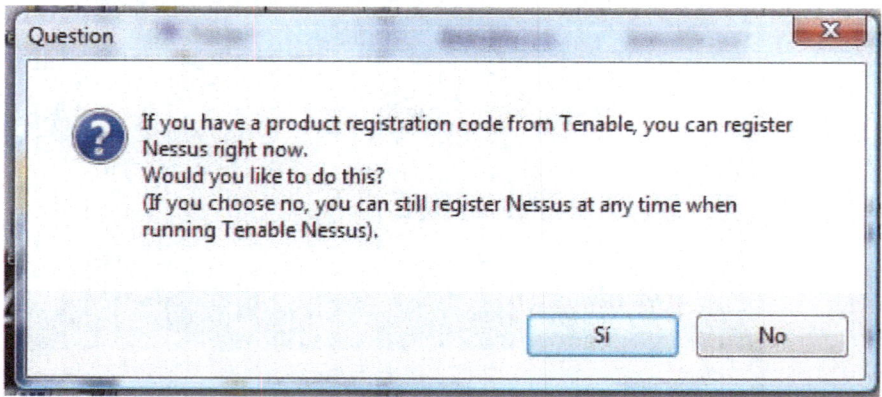

Pantalla instalación Nessus 6

Necesaria la Instalación de WinPcap, que ya nos proporciona la instalación de Nessus.

Pantalla instalación WinPcap

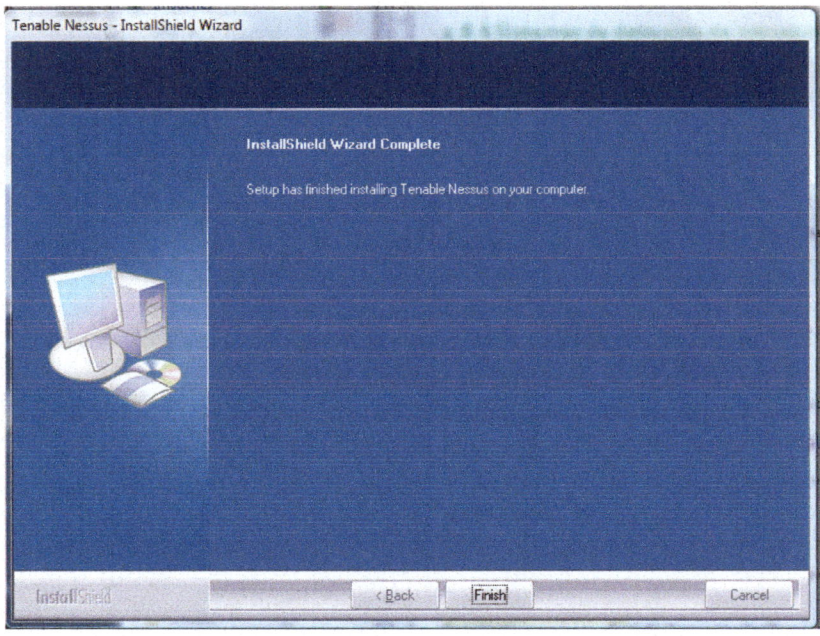

Pantalla instalación WinPcap 2

La instalación tarda un poquito....

En la página web que se muestra a continuación obtendrás toda la información a cerca de la instalación para los diferentes sistemas operativos.

http://static.tenable.com/documentation/nessus_4.4_installation_guide_ESN.pdf

Una vez instalado Nessus vamos al navegador y ponemos nuestra IP con el puerto 8834 que es el de Nessus, así:

192.168.1.30:8834

Si nos aparece en la página un mensaje de Bad Request, pinchamos en el enlace.

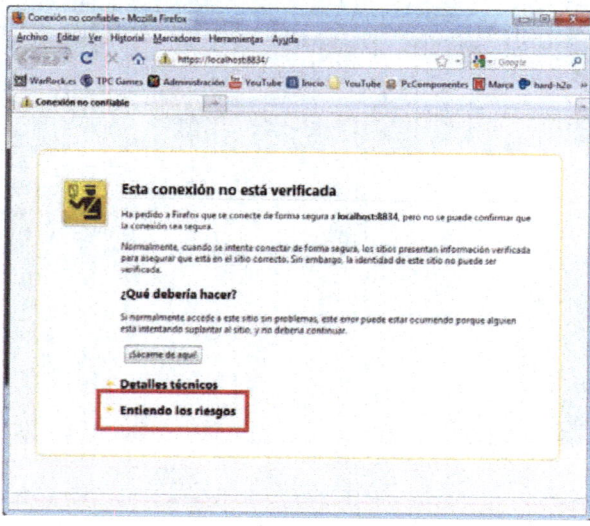

Pantalla Navegador BadRequest

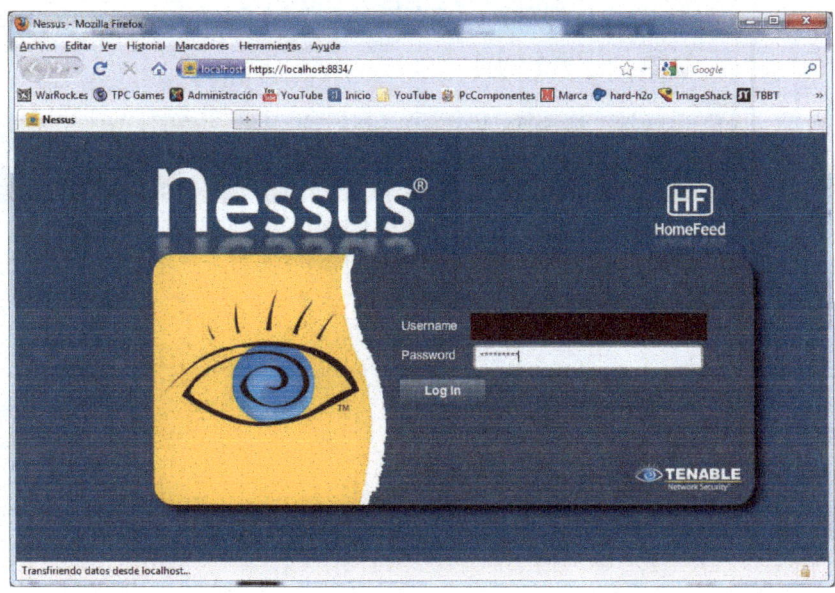

Pantalla Nessus

Ponemos el nombre de usuario y contraseña.

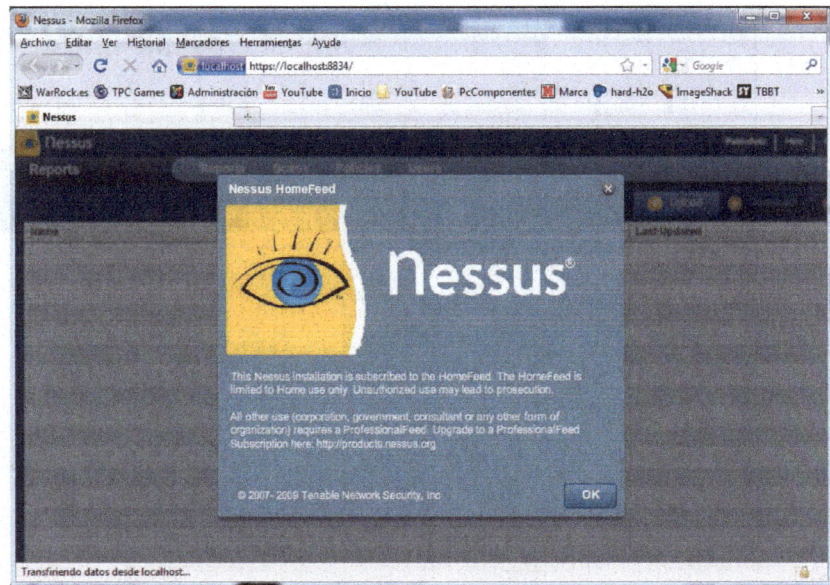

Pantalla Nessus- Login

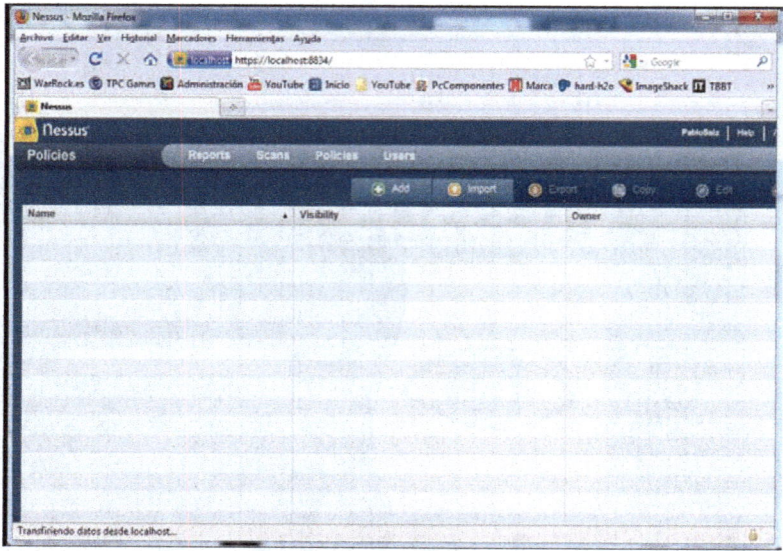

Pantalla Nessus inicial

Ya entramos, en Nessus, lo que haremos ahora será crear unas políticas:
Policies- Add

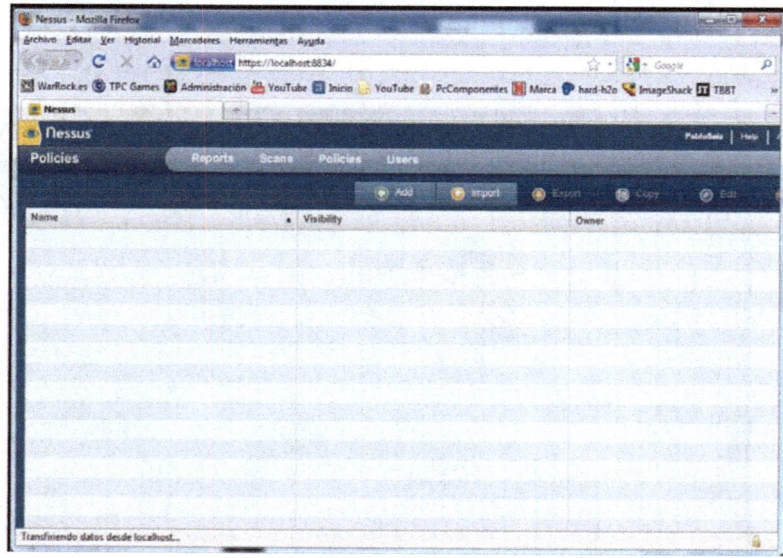

Pantalla Nessus

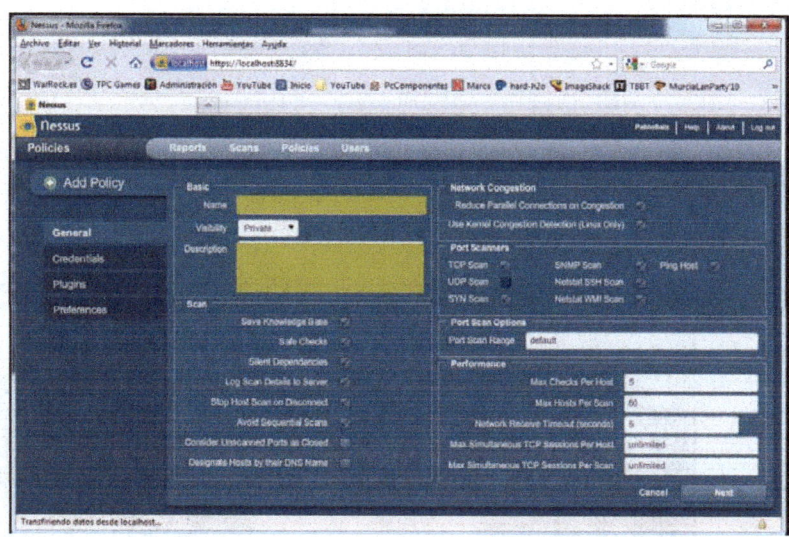

Pantalla Nessus 2

Una vez creadas nos vamos a la opción de Scans y le hacemos click en Add, en el apartado que pone Name ponemos algún nombre que identifique el escaneo que vamos a hacer.

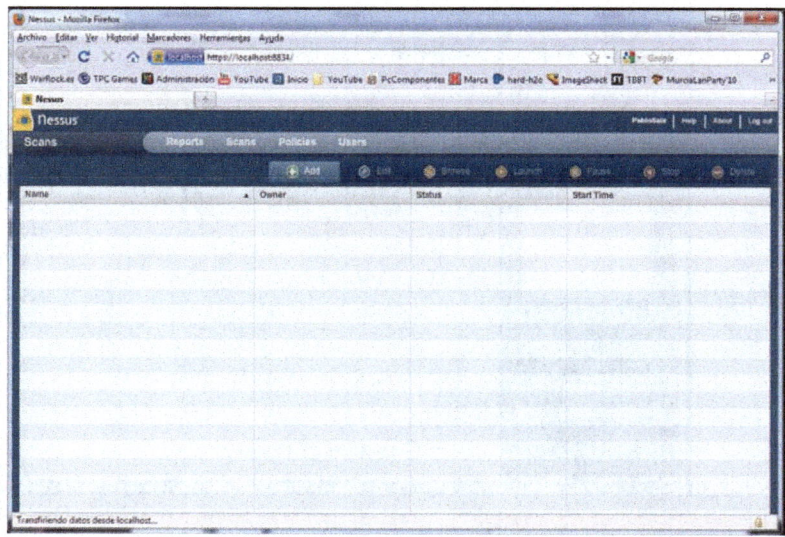

Pantalla Nessus 3

En los apartados a continuación, especificamos el nombre del escaneo, el cuadro de type lo dejamos en "RunNow".

En Policy, seleccionamos la política que creamos.

Y después en Scan Targets ponemos el nombre de la página a escanear y hacemos click en "LaunchScan".

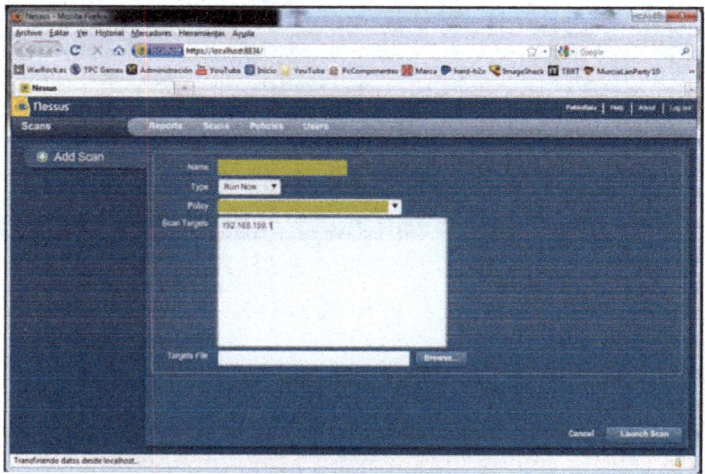

Pantalla Nessus 4

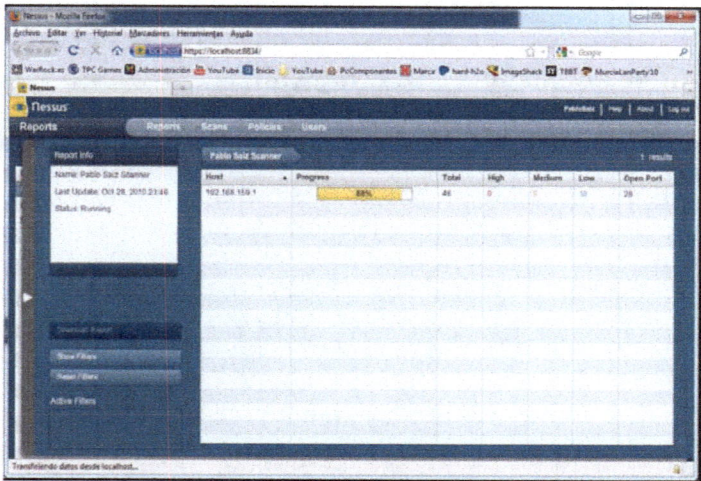

Pantalla Nessus 5

Para saber cuáles son las vulnerabilidades nos fijaremos donde pone "high", en esta columna nos indica el número de vulnerabilidades altas que pueden ser una entrada de fácil acceso para que un hacker tenga el control.

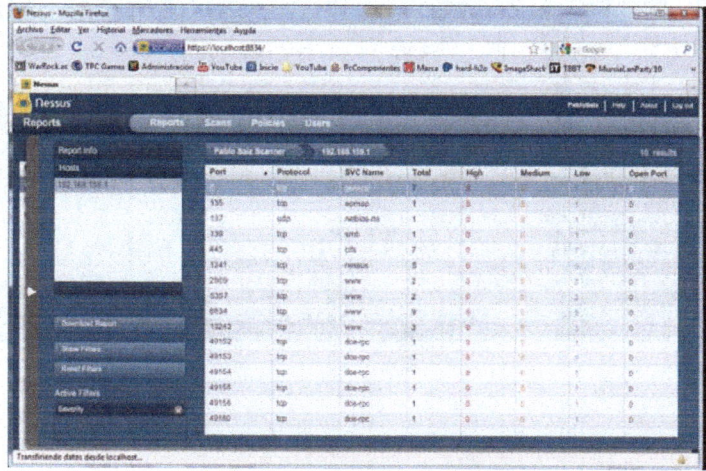

Pantalla Nessus 6

Para ver los reportes de las vulnerabilidades haremos click en DownloadReport, donde encontraremos varias opciones, como por ejemplo cómo explotar esa vulnerabilidad.

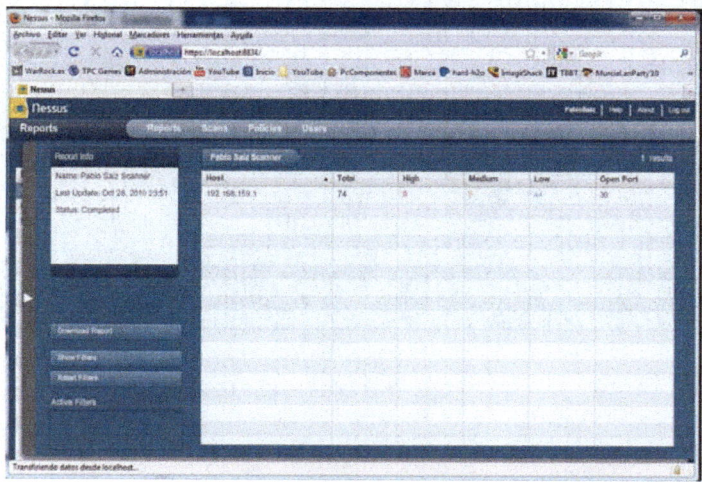

Pantalla Nessus 7

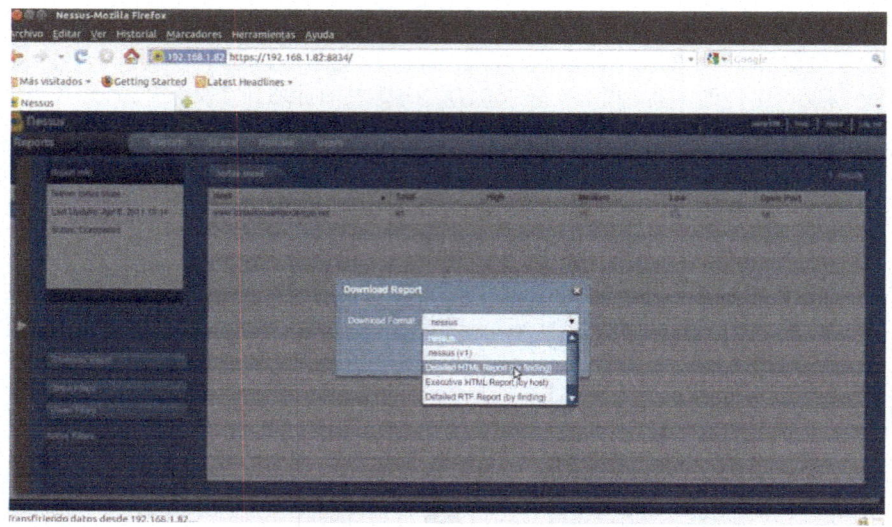

Pantalla Nessus 8

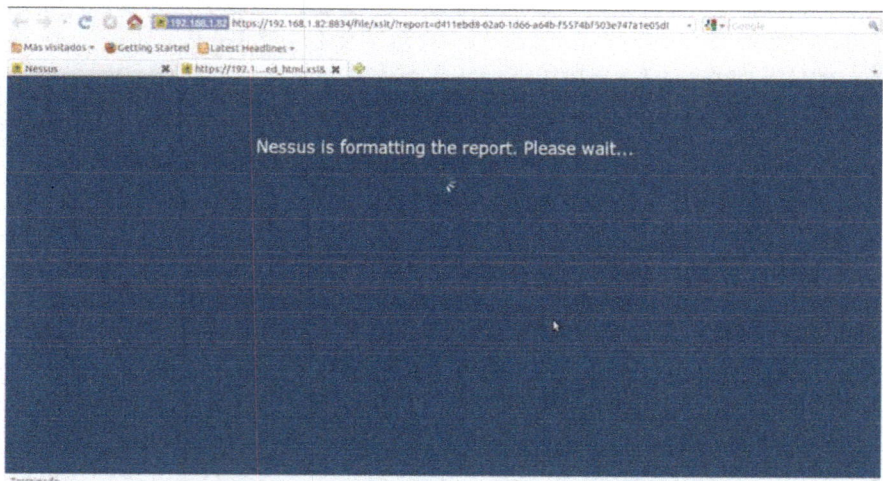

Pantalla Nessus 9

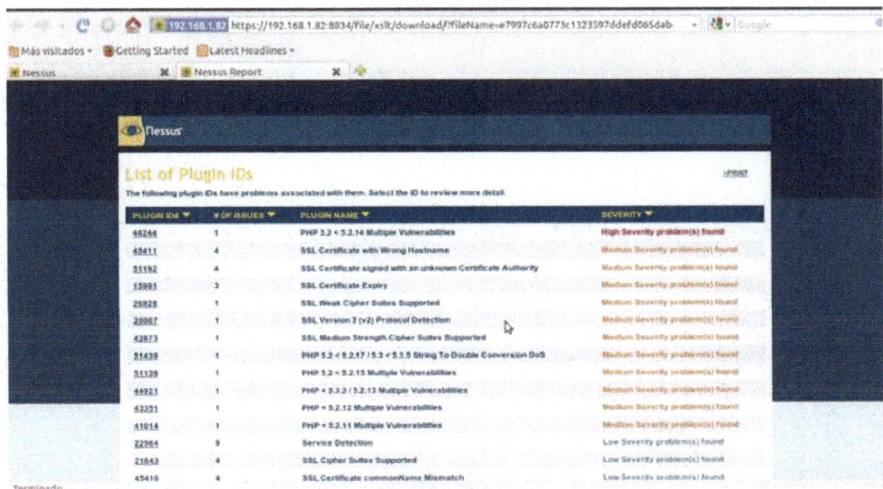

Pantalla Nessus 10

Si pinchamos en lo números que aparecen en la columna de Plugins aparece la información correspondiente a esa vulnerabilidad.

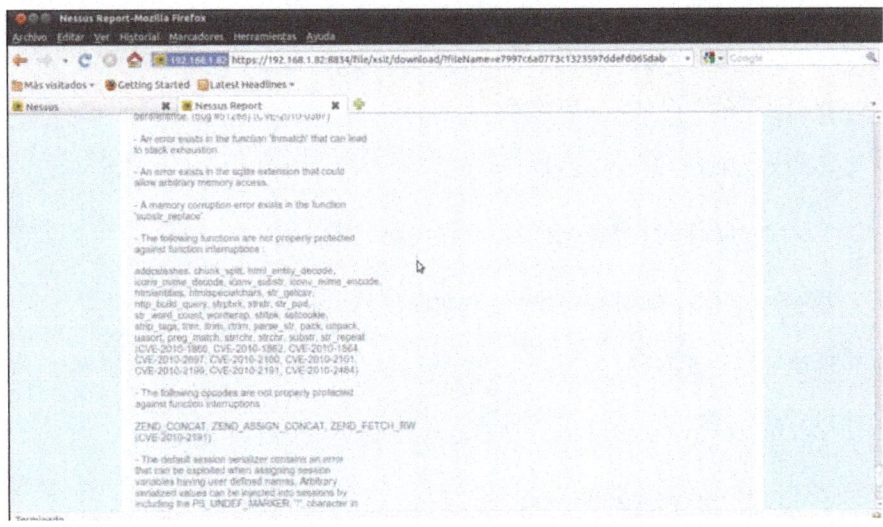

Pantalla Nessus 11

2.8.7. Identificación y comparación de herramientas comerciales y de código abierto

Patriot

Es una herramienta gratuita para Windows con función IDS, monitoriza los cambios en el equipo, así como posibles ataques, mostrando alertas sobre las incidencias y permitiendo bloquear los ataques.

Entre sus características destacan:

− Modificación de claves de registro

− Ficheros en los directorios de '*Startup*' o creación de nuevas tareas

− Creación de nuevos usuarios en el sistema

− Creación de nuevos servicios

− Modificaciones en el fichero de hosts

− Modificaciones en el navegador IE

− Monitorización de la tabla ARP

− Detección de la carga de drivers

− Compartición de nuevos recursos (por NetBios)

− Accesos por recursos compartidos

− Protección TCP/IP

− Modificación de directorios/ficheros críticos para el sistema

− Creación de ventanas ocultas

http://www.security-projects.com/?Patriot_NG

Prelude-IDS

Sistema de detección de intrusos que dispone de una serie de sensores, que son los programas que incorpora que analizan, interpretan y envían información de alertas generando eventos cuando hay actividad sospechosa.

Estos sensores son:

– Prelude-LML, analizador de logs

– Snort

– MwCollect

Dispone también de un servidor(Prelude-Manager) que recopila información y la almacena en una base de datos (PostgreSQL).

Posee también una interfaz gráfica en formato html que nos muestra toda la información.

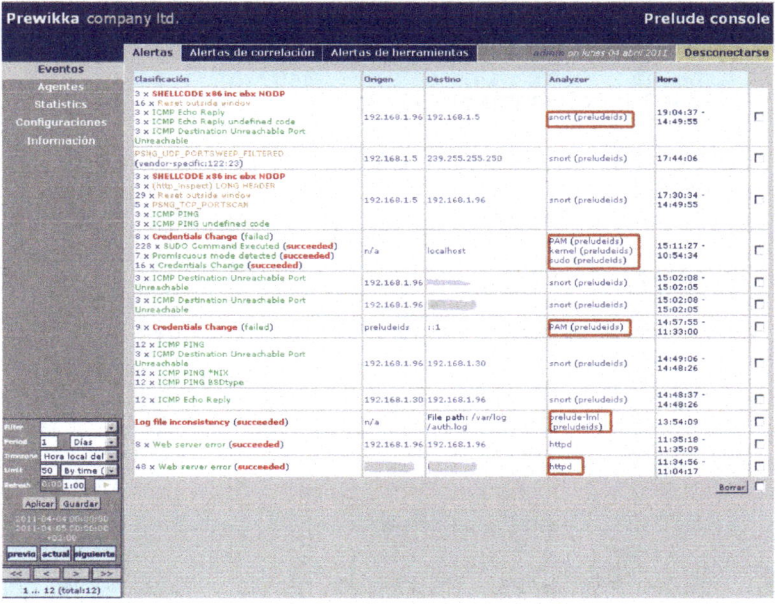

Interfaz Prelude IDS

http://www.security-projects.com/?Patriot_NG

Herramientas comerciales

- **IDS Symantec Network Security 7100**

  Detecta y previene ataques,

  Técnicas de intercepción de ataques mediante firmas,

  Detecta anomalía de protocolos,

  Genera estadísticas

  Detección de vulnerabilidad.

- **Decoy Server 3.1**

  Complementa las soluciones de seguridad como firewalls y otros sistemas de detección de intrusos con una tecnología de cebo avanzada y
  sensores de detección rápida.

  Detecta intrusiones procedentes de la red o del host

  Es un HoneyPot.

- **Host IDS 4.1 IDS basado en Servidor**

  Protección contra intrusos en la red.

  Velocidades hasta de 2 gigabits por segundo.

  Identifica ataques día cero.

  Protege contra ataques de negación del servicios (DoS).

  Se puede instalar sobre Red Hat Linux o Sun Solaris

2.9. Gestión de incidencias

La Gestión de Incidencias trata de resolver, rápida y eficazmente, cualquier
incidente que cause una interrupción en el servicio.

Se ocupa exclusivamente de restaurar el servicio y minimizar el impacto negativo en la organización de manera que la calidad del servicio y la disponibilidad
se mantengan, por lo que no debemos confundirla con otros procesos como
el de Gestión de Problemas, aunque exista relación entre ambos procesos

Incidente es, cualquier evento que no forma parte del desarrollo habitual del servicio y que causa, o puede causar una interrupción del mismo o una reducción de la calidad de dicho servicio.

Subprocesos

– **Soporte a Gestión de Incidentes**

Objetivo: Proveer y mantener las herramientas, los procesos, las destrezas y las reglas para un manejo de Incidentes efectivo y eficiente.

– **Registro y Categorización de Incidentes**

Objetivo: Registrar y asignar prioridades a los incidentes, de forma que se faciliten soluciones efectivas e inmediatas.

– **Resolución de Incidentes por el Soporte de Primera Línea**

Objetivo: Resolver un Incidente (interrupción del servicio) en el período acordado.

– **Resolución de Incidentes por el Soporte de Segunda Línea**

Objetivo: Resolver un Incidente (interrupción del servicio) en el período acordado.

– **Gestión de Incidentes Graves**

Objetivo: Solucionar un Incidente Grave y urgente. Si no se puede corregir la raíz del problema, se crea un Registro de Problema respectivo y se remite a la Gestión de Problemas.

– **Monitorización e Escalado de Incidentes**

Objetivo: Monitorizar constantemente el estatus del procesamiento de Incidentes pendientes, con el objetivo de tomar medidas lo antes posible.

– **Cierre y Evaluación de Incidentes**

Objetivo: Registro de Incidentesy asegurarse de que el incidente se haya resuelto, los hallazgos de la resolución se registrarán para referencia futura.

– **Información Pro-Activa a Usuarios**

Objetivo: Informar a los usuarios de fallos en el servicio tan pronto como se conozcan en el ServiceDesk, para que estos puedan tomar medidas en caso de interrupción.

– **Informes de Gestión de Incidentes**

Objetivo: Proveer información relacionada con los Incidentes para su uso en otros procesos.

2.9.1. Explicación de los objetivos

Los objetivos principales de la Gestión de Incidencias son:

– Detectar alteraciones en los servicios TI.

– Registrar y clasificar los incidentes

– Asignar el personal encargado de restaurar el servicio.

– Tener un contacto con los usuarios.

El siguiente diagrama resume el proceso de Gestión de Incidencias:

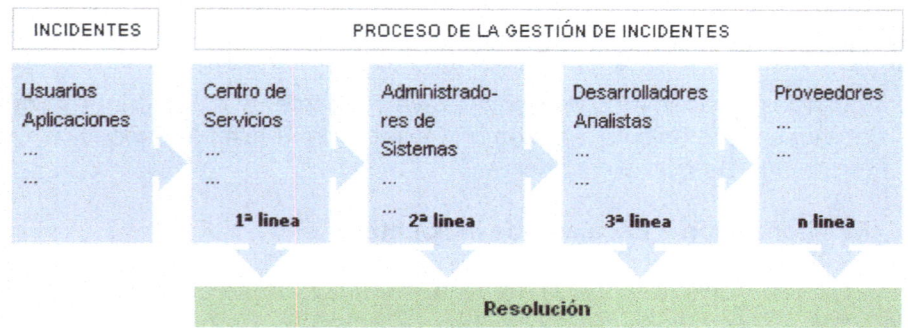

Se persigue lograr unos beneficios:

- Mayor productividad de los usuarios.

- Cumplimiento de los niveles de servicio acordados en el SLA.

- Mayor control de los procesos

- Mayor monitorización del servicio.

- Optimización de los recursos de los que se dispone.

- Una CMDB más precisa

- Mejorar la satisfacción de clientes y usuarios.

2.9.2. Enumeración de las actividades

Clasificación y registro

Determinar un nivel de prioridad para la resolución de las diversas incidencias que se puedan estar dando, basada en:

- Impacto

- Urgencia

Tener en cuenta también factores como el tiempo de resolución esperado y los recursos necesarios

Asignar los recursos necesarios para la resolución de la incidencia según prioridades.

Establecer un protocolo para determinarla prioridad del incidente.

Escalado y soporte

Cuando un incidente no se resuelve por el HelpDesk, se escala a un especialista.

Hay dos tipos de escalado de incidencias:

- Escalado funcional: especialista de más alto nivel.

- Escalado jerárquico: Responsable de mayor autoridad para tomar decisiones que no se nos permiten como asignar más recursos para la resolución de un incidente específico.

Registro y clasificación

- Registro.

  · La admisión y registro de la incidencia.

  · La admisión a trámite del incidente: Ver si el servicio requerido se incluye en el SLA del cliente. Comprobación de que ese incidente aún no ha sido registrado.

  · Asignación de referencia al incidente para luego poder buscarlo e identificarlo en la base de datos.

  · Registro inicial en la base de datos con la información básica necesaria para el procesamiento del incidente (hora, descripción del incidente, sistemas afectados...).

  · Información de apoyo.

  · Notificación del incidente: en los casos en que pueda afectar a otros usuarios.

- Clasificación.

- Recopilar toda la información que pueda ser utilizada para la resolución del mismo.

- Categorización.

  · Establecimiento del nivel de prioridad.

  · Asignación de recursos.

  · Monitorización del estado y tiempo de respuesta esperado (registrado, activo, suspendido, resuelto, cerrado.

Análisis, resolución y cierre

Cuando se haya solucionado el incidente se:

- Confirma con los usuarios la solución satisfactoria del mismo.

- Incorpora el proceso de resolución al SKMS.

- Reclasifica el incidente si fuera necesario.

- Actualiza la información en la CMDB sobre los elementos de configuración (CIs) implicados en el incidente.

- Cierra el incidente.

UD2
Lo más importante

— La administración de redes se engloba dentro de las fases operar y optimizar dentro del modelo PDIOO, ya que es en estas fases donde se va a velar por el mantenimiento, buen funcionamiento y mejoras de la red.

— Debemos de ser proactivos en el monitoreo de la salud y signos vitales de la red para mejorar la calidad del servicio, reducir interrupciones, mitigar las caídas, y mantener la alta disponibilidad, fiabilidad y seguridad.

— Durante la fase de optimización, una vez que la red ya está funcionando se revisa y compara siempre con el plan inicial de negocio, y con los datos proporcionados en el acto de administrar la red, se evalúan y validan las configuraciones de los dispositivos, se identifican áreas de congestión de red.

— El NOC es el centro de operaciones de red (Network Operations Center), también llamado CCR o centro de control de red, donde los administradores, ingenieros y técnicos supervisan, monitorean y mantienen la red de telecomunicaciones y datos en óptimas condiciones.

— La monitorización de redes es el uso de un sistema que constantemente monitoriza una red de ordenadores para poder localizar componentes lentos o que son causa de fallos en la red para luego notificar al administrador

— Control de cambios en la configuración. Es una actividad de Gestión de Configuración cuyo objetivo es proporcionar un mecanismo que controle los cambios, sabiendo que los cambios se van a ocurrir.

— Se deben establecer políticas de seguridad orientadas a la protección contra ataques de intrusos.

- El análisis de riesgos informáticos es un proceso que identifica los activos de la empresa, sus vulnerabilidades y amenazas, así como su probabilidad de que ocurran y el impacto que ello tendía en la empresa con el fin de determinar los controles adecuados disminuir o evitar la amenaza.

- Un ticket es un archivo que contiene información acerca de intervenciones de software o hardware que recibe el departamento de soporte técnico de un usuario de la red que ha reportado un incidente.

- Las incidencias quedan almacenadas en una base de datos.

- Uno de los procesos a la hora de implantar proyectos tecnológicos es ITIL (IT Infrastructure Library, biblioteca de infraestructura de IT)

- Por otra parte está la ISO/IEC 27002. Formada por 14 dominios, 35 objetivos de control y 114 controles.

- La gestión de la configuración es el registro y actualización detallados de la información que describe el hardware y software de una empresa.

- La Gestión de la disponibilidad es la que permite que nuestro sistema funciones de forma ininterrumpida.

- Gestión de la capacidad. Se encargada de que todos los servicios TI se vean respaldados por una capacidad de proceso y almacenamiento suficiente y correctamente dimensionada. Es necesario aprovechar bien los recurso para no tener que realizar inversiones innecesarias y que la calidad del servicio no se vea afectada.

- La seguridad de nuestros sistemas es algo que nos debe preocupar mucha, debido al gran número de amenazas que existen tanto internas como externas, además estas amenazas crecen de forma exponencial.

- La gestión de incidencias trata de resolver rápidamente las incidencias que se producen y que puedan causar una interrupción del servicio. Su principal objetivo es recuperar el funcionamiento del servicio y minimizar el impacto al sistema y al usuario, permitiendo la disponibilidad del servicio.

- A groso modo un NOC o Network Operations Center es un área en donde se monitorean las actividades en redes de telecomunicaciones, sistemas de services, transmisiones de TV, etc.

- La gestión de la configuración engloba los procesos que aseguran la calidad del servicio, mediante el control de cambios.

- La Gestión de la disponibilidad se engloba dentro de los procesos de Diseño de los Servicios IT.

- La Gestión de la Capacidad hace que todos los servicios TI se vean respaldados por una capacidad de proceso y almacenamiento suficiente y correctamente dimensionada.

- La información es el activo más importante de la empresa

- La integridad se refiere a la fiabilidad de los recursos de información.

- La disponibilidad se refiere a la disponibilidad de recursos de información. Una falta de disponibilidad de los recursos tendrá un gran impacto en la organización.

- En la Gestión de seguridad en redes el objetivo es proteger la información y la infraestructura, la gestión, los controles y medidas así como los datos sensibles en circulación a través de las redes públicas.

- IDS (Intrusion Detection System) es un sistema de detección de intrusiones.

UD2
Autoevaluación

1. **Objetivos PDIOO:**
   a. Mejorar la continuidad en la operación de la red mediante el control y monitoreo, y la resolución de problemas y de suministro de recursos.
   b. Hacer uso eficiente de la red y utilizar mejor los recursos.
   c. Reducir costos.
   d. Todas son ciertas

2. **Un administrador de redes en general:**
   a. Se encarga de asegurar la correcta operación de la red
   b. Tomará acciones bien en modo remoto o local.
   c. Administra cualquier equipo de telecomunicaciones de voz, datos y video, así como de administración remota de fallos, configuración rendimiento, seguridad e inventarios.
   d. Todas son ciertas

3. **Directrices de buenas prácticas no son:**
   a. Mantener a la organización (NOC) responsabilizada con la administración de la red.
   b. Monitorizar la red para garantizar niveles de servicio en el presente y futuro.
   c. Controlar, analizar, probar y registrar cambios en la red.
   d. Todas son ciertas

4. **El NOC es el centro de operaciones de red:**

   a. También se llana CCR

   b. Es el centro de control de red

   c. Es el puesto del administrador

   d. A y B son correctas

5. **El Control de cambios:**

   a. También se llana CCR

   b. Es una actividad de Gestión de Configuración

   c. A y B son correctas

   d. Ninguna es correcta

6. **Principales amenazas de seguridad son:**

   a. Mala programación del Software que deje bugs, brechas de seguridad

   b. Funcionamiento erróneo de equipos

   c. Malas configuraciones en servidores y equipos de red

   d. Todas son correctas

7. **Son objeto de los sistemas de tickets:**

   a. Gestión de reclamaciones

   b. Incidencias

   c. Averías

   d. Todas son ciertas

8. **El documento de la ISO/IEC 27002 contiene unas categorías de seguridad principales, entre ellas:**

   a. Gestión de precios

   b. Seguridad no ligada a los recursos humanos

   c. Seguridad personas

   d. Ninguna es correcta

9. **La gestión de la configuración:**

   a. Es el registro y actualización de la información

   b. Todas son correctas

   c. Es falso

   d. Ninguna es correcta

10. **La CMDB:**

   a. Significa (Configuration Management Database)

   b. Contiene datos detallados de elementos físicos y lógicos

   c. A y B son ciertas

   d. Ninguna es cierta

UD3

Protocolos de gestión de red

3.1. Explicación del marco conceptual

Las redes corporativas suelen contar con sistemas de administración y monitorización del tráfico de red y de la calidad del servicio (QoS), en estas redes tan grandes la monitorización se hace compleja y requiere de herramientas automatizadas que permitan poder gestionar los fallos, administrar cuentas, configuraciones, etc., además de ofrecer prestaciones y seguridad.

Los elementos que forman un sistema de gestión de redes son:

- Gestor

    · Emite directivas de operaciones de gestión.

    · Recibe notificaciones

    · Recibe respuestas

- Agente

    Su función es responder a las directivas que le envía el gestor.

- Protocolo de gestión

    · Especificaciones y convenciones que tienen que ver con la interacción de los procesos y elementos en un sistema de gestión.

    · SNMP y CMIP.

- Base de información de gestión MIB (Management Information Base)

    Recursos de red u objetos gestionados

Las actuales redes de telecomunicación son muy complejas y se caracterizan por su gran heterogeneidad de los recursos de las que están compuestas.

Las redes son heterogéneas por varias razones y por ello se hace necesaria su gestión:

– Información que transportan

  · Voz

    Red de circuitos conmutada

  · Datos

    › Red de conmutación de paquetes

    › Redes LAN, MAN y WAN

Importante

– Redes LAN: Redes de área local

– Redes MAN: Redes de área metropolitana

– Redes WAN: Redes de área extensa

  · Vídeo

    Redes de difusión: las que la señal emitida por un transmisor es recibida por cualquier terminal conectado a la red, por lo que todos los usuarios reciben la misma información a la vez, por ejemplo las redes de televisión.

– Por su organización.

  · Red privada

    › Son las redes que usan direcciones IP que se especifican en la RFC 1918, y que se permiten que se comuniquen nodos que pertenecen a una red interna, por ejemplo un aula. Es decir que los nodos se conectan dentro de su misma red pero no a internet directamente.

    › Estas direcciones tienen unos rangos concretos especificados para cada clase de direcciones IP.

    › Las IP privadas sí pueden repetirse en redes separadas y distintas.

Rango de direcciones IP	Número de IPs	Clase	Mayor bloque de CIDR(máscara de subred)	Definido en
10.0.0.0 – 10.255.255.255	16.777.216	Clase A	10.0.0.0/8 (255.0.0.0)	RFC 1597 (obsoleto), RFC 1918
172.16.0.0 – 172.31.255.255	1.048.576	16 redes clase B	172.16.0.0/12 (255.240.0.0)	
192.168.0.0 – 192.168.255.255	65.536	256 redes clase C	192.168.0.0/16 (255.255.0.0)	
169.254.0.0 – 169.254.255.255	65.536	Clase B – no enrutable APIPA	169.254.0.0/16	RFC 3330, RFC 3927

- Red pública

  › Es la dirección IP que tiene asignada cualquier dispositivo conectado de forma directa a Internet.

  › Las IP públicas son siempre únicas. No se pueden repetir, es decir dos dispositivos en una red no pueden tener la misma dirección IP.

Importante

La dirección de nuestra red interna no es la misma que la que usamos para salir a internet, en la web puedes encontrar muchas páginas que nos informa sobre cuál es nuestra IP pública, también lo podemos comprobar en la configuración de estado de nuestro router, para saber nuestra IP interna basta con que entremos a la consola de comandos y ejecutemos el comando IPconfig.

Para conectar una red privada con una pública necesitamos una especie de traductor, que forma parte de una función del router llamada NAT. Network Address Translation (Traducción de Dirección de Red).

- Entorno de red centralizado/jerárquico

  Estas redes concentran toda la información en un nodo central al que acceden los usuarios para consultar la información, es el concepto utilizado por los grandes servidores.

- Entornos de red distribuidos.

  Otra opción es repartir la información entre varios servidores y que cada uno de ellos realice una función específica, por ejemplo redes en las que tenemos un servidor de correo, otro de servidor de archivos, otro de datos, aplicaciones, etc.

– Recursos variados

– Complejidad de la red

- Gran variedad de tecnologías diferentes

  Entornos abiertos, que son los sistemas heterogéneos que mezclan varios sistemas

- Muchos equipos

- Diferentes fabricantes

- Distancia geográfica de redes y usuarios

- Multiprotocolo

– Aumentan las necesidades y expectativas de los usuarios

- Seguridad

- Disponibilidad

– Convergencia de las redes informáticas y de telecomunicaciones

Por esto la gestión de las redes, su operación y la planificación estratégica de su crecimiento son muy importantes y suele ser más del 70% del coste de una red, es la razón de que la gestión de red integrada, entendida como el conjunto de actividades dedicadas al control y vigilancia de recursos de telecomunicación bajo el mismo sistema de gestión, se torna muy importante.

Red

Existen una serie de organismos de normalización que definen los modelos para la gestión de red integrada, estos son:

– Arquitectura TMN (Telecomunications Management Network)

- TMN tiene como objetivo proporcionar una estructura de red organizada que permita la interconexión de diversos tipos de sistemas de administración, operación y mantenimiento (sistemas de operación) y equipos de telecomunicación usando una arquitectura estándar e interfaces normalizados.

- Su idea surge de que la gestión no la va a realizar un único sistema de operación sino más bien por un conjunto de estos sistemas interconectados a los elementos gestionados mediante una red, además cabe la posibilidad de no usar los mismos medios de transmisión que la red gestionada.

- En la red controlada existen muchos tipos diferentes de equipos de transmisión y conmutación, llamados Elementos de Red (Network Elements).

- En realidad es una mezcla entre los modelos de red OSI e internet.

–   Gestión de red OSI (Open Systems Interconnection)

·   Definido por la OSI (interconexión de sistemas abiertos)

·   Basado en el uso de protocolos a nivel de aplicación

·   Usa el paradigma Gestor-Agente

·   En este modelo se integran 4 más que son:

> Modelo de Comunicación.

Define el intercambio de información de gestión a través de un protocolo que pertenece a la capa de aplicación, que es CMIP (protocolo común de información de gestión)orientado a la conexión, y que proporciona el servicio CMIS (servicio común de información de gestión).

> Modelo de Información.

Incluye el concepto de Objeto gestionado y define las lases de objetos gestionados como el conjunto de ellos con las mismas propiedades en el sistema de gestión.

> Modelo Funcional.

Se definen las funciones de gestión.

> Modelo de Organización.

Se proponen las subdivisiones de la red en dominios de gestión.

–   Gestión de Internet para gestión de red TCP/IP, definida por la ISOC.

·   Modelo de referencia de TCP/IP

·   Usa el protocolo SNMP para la gestión de redes.

- Los sistemas de gestión de Internet están formados por cuatro elementos:

  › Gestores

  › Agentes

  › MIB

  › Protocolo de información de intercambio SNMP. El modelo SNMP de una red administrada está formado por:

    - Nodos administrados: deben ejecutar el protocolo SNMP para poder ser administrados, esto es ser agente SNMP

      › Host

      › Routers

      › Impresoras

      › Otros dispositivos de red

    - Estaciones administradas.

      Interactúa con los agentes usando el protocolo SNMP, que permite a la estación administradora consultar, y modificar, el estado de los objetos locales de un agente.

    - Información de administración.

    - Un protocolo de administración.

Importante

Un marco conceptual incluye los elementos y el ámbito en los cuales se desarrolla el campo de investigación, que en nuestro caso es la gestión de la red.

3.1.1. Entidades que participan en la gestión

Los elementos del sistema de gestión de red que configuran el paradigma gestor-agente se agrupan en dos grupos.

Los gestores

Elementos del sistema de gestión que interaccionan con los operadores humanos y desencadenan acciones necesarias para llevar a cabo las tareas por ellos invocadas.

Los gestores también son conocidos como Sistema de Gestión de redes NMS, que ejecutan aplicaciones que supervisan y controlan permanentemente todos los dispositivos administrados.

Los agentes

Componentes del sistema de gestión invocados por el gestor o gestores de la red.

El funcionamiento se basa en el intercambio de información de gestión entre host gestores y gestionados.

Los agentes almacenan en cada host gestionado información sobre el estado y las características de funcionamiento de un recurso de la red.

El gestor pide al agente, usando para ello un protocolo de gestión de red, que realice determinadas operaciones con estos datos de gestión, mediante lo que se podrá conocer el estado del recurso e influir en su comportamiento.

Cuando ocurre algún suceso anómalo en un recurso gestionado, los agentes, por sí mismos, emiten eventos, alarmas o notificaciones que son enviados a un gestor para que el sistema de gestión pueda actuar acorde a las circunstancias.

Además están los protocolos de gestión de red:

SNMP

–   Protocolo simple de administración de red (Simple Network Management Protocol).

–   Protocolo de la capa de aplicación que permite el intercambio de información entre los diferentes dispositivos de red.

–   Pertenece a la familia de protocolos TCP/IP.

– Permite a los administradores de red comprobar el funcionamiento de red, para así poder resolver incidentes y también para poder planear el crecimiento de la red.

– Existen varias versiones de este protocolo, la actual es SNMP v3.

– Es un protocolo estándar de facto.

Importante

En redes basadas en Windows, las estaciones de trabajo (Workstations) tienen instalado versiones cliente del servicio SNMP (SNMP Client), a fin, de gestionar y auditar todos los servicios provistos por la estación de trabajo a través de un software de gestión local.

CMIP

– Common Management Information Protocol

– Pertenece a la familia de protocolos OSI

– Ofrece un mecanismo de transporte en forma de servicio pregunta-respuesta para capas OSI.

– Describe cómo se ejecutan los servicios CMIS

– Asegura que los mensajes llegan a su destino.

– Orientado a gestión por eventos.

– Define la sintaxis para codificación y decodificación (ASN.1) de unidades de datos del protocolo CMIP, las PDUs.

– Comunicación con los agentes orientada a conexión.

– Estructura de funcionamiento distribuida.

- Permite jerarquía de sistemas de operación.

- No está muy implantado en la empresa, pero sí en la mayoría de los operadores de los servicios de telecomunicación para su gestión de redes.

- Requiere gran cantidad de memoria y capacidad de procesamiento

- Genera largas cabeceras en los mensajes.

- Existen diferentes versiones del protocolo

    · Para TCP/IP, llamada CMOT.

      CMOT significa CMIP over TCP/IP

    · Para protocolos IEEE de LAN, llamada CMOL

      Gestión de redes de área local.

3.1.2. Estructuras de datos utilizadas

Las estructuras de datos se basan en el uso de bases de datos, como lo es la MIB.

La MIB es una base de datos del modelo de redes que almacena información de gestión en los agentes.

La información de la MIB es información "virtual" que se agrupa en vistas. Esta información se organiza de forma jerárquica, y se accede a ella mediante un protocolo de administración de red, como SNMP..

Los objetos administrados u objetos MIB son características específicas de los dispositivos administrados.

A su vez, los objetos se componen de una o más instancias de objeto, que son las variables

LA estructura de información de gestión define el formato con el que se va a definir y construir la MIB, el tipo de datos usados y cómo se nombran y caracterizan los objetos, se debe ofrecer procedimientos para definir la estructura de la MIB, sus objetos y la sintaxis y valor para cada objetos, así como un procedimiento de codificación de los valores de los objetos.

Para referenciar un objeto de la MIB se usa OBJECT IDENTIFIER (OID), que es una secuencia de enteros no negativos separados por puntos.

La sintaxis se define por el tipo de datos que lo modela, se suele usar ASN.1.(Abstract Syntax Notation One), que es la norma que representa datos siendo indiferente que la máquina que se esté usando y de cuáles sean sus formas de representar los datos internamente.

Los tipos permitidos para los objetos son:

– Tipos simples

  · Integer

    Las variables de tipo Integer se almacenan como enteros de 32 bits (4 bytes) con signo con valores comprendidos entre –2.147.483.648 y 2.147.483.647.

  · Octect

    El tipo OCTET STRING almacena una secuencia de bytes.

- Boolean

  Valores verdadero/falso

- String

  › Las variables de tipo String se almacenan como secuencias de números de 16 bits (2 bytes) sin signo con valores comprendidos entre 0 y 65535.

  › Cada número representa un único carácter Unicode.

- Object identifier.

  Para representar los identificadores de los objetos, es decir, la posición de un objeto dentro del árbol de la MIB.

- Null

  Ausencia de valor.

– Tipos de aplicación.

- ipAddress

  Almacena direcciones IP

- Gauge

  Valor que puede aumentar o disminuir, para llevar a cabo determinadas decisiones cuando se llega a un umbral.

- Counter

  Contador que incrementa en uno su valor hasta llegar al máximo, entonces vuelve a cero.

- Tme Ticks

  Medidor de tiempos

– Tipos estructurados

- Sequence

  › Lista de datos ordenada

  › Forma en que se almacenan las filas de la tabla

- Sequence of

  Como la anterior pero se refiere a una lista de datos que son iguales.

- Set

  Como sequence pero las listas están sin ordenar

- Set of

  Como sequence of pero las listas también están sin ordenar

- Choice

  › Permite elegir datos disponibles de una fila.

  › Por ejemplo si tenemos un tipo de datos "coches", podremos elegir entre los tipos "opel", "mercedes","citroen", etc.

– Clases de datos

- Universales

  › Tipos de datos generales, es decir los simples.

  › Boolean

  › Integer

  › Real

- Específicos al contexto

  Definidos dentro de un contexto donde se usa un tipo de datos específico.

- De aplicación

  Específicos de una aplicación en concreto

- Privados

  Definidos por el usuario

3.1.3. Protocolos de comunicación

Los protocolos de comunicaciones definen las reglas para la transmisión y recepción de la información entre los nodos de la red, de modo que para que dos nodos se puedan comunicar entre si es necesario que ambos "hablen el mismo idioma", es decir, que usen la misma configuración de protocolos.

Definición

Protocolo es "un conjunto de reglas que gobiernan el intercambio de datos entre dos entidades"

Los protocolos de comunicación en redes son:

− **IPX/SPX**

· IPX (Internet workPacket Exchange) es un protocolo de Novell que interconecta redes que usan clientes y servidores Novell Netware.

· Es un protocolo orientado a paquetes y a la conexión, lo que significa que no es necesario que se establezca una conexión antes de que los paquetes se envíen a su destino.

· El SPX (Sequenced Packete Xchange), actúa sobre IPXy es el que nos va a asegurar la entrega de los paquetes.

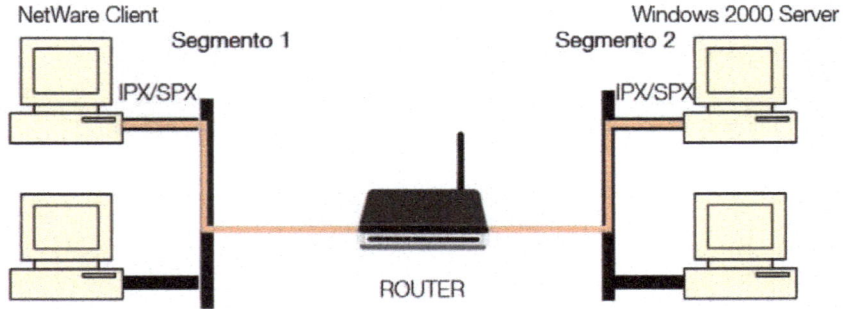

- **NetBIOS**

  - NetBIOS (Network Basic Input/Output System) permite que se comuniquen aplicaciones en diferentes ordenadores dentro de una LAN.

  - NetBIOS puede actuar como protocolo orientado a conexión o no

  - Una de las desventajas de NetBIOS es que no proporciona un formato de datos estándar para la transmisión.

- **NetBeui**

  - NetBIOS Extended User Interface o Interfaz de Usuario para NetBIOS.

  - Es una versión mejorada de NetBIOS que sí permite el formato de la información en una transmisión de datos.

  - No soporta el enrutamiento de mensajes hacia otras redes, que deberá hacerse a través de otros protocolos como IPX o TCP/IP.

- **Apple Talk**

  Es el protocolo de comunicación para ordenadores Apple Macintosh incluido en su sistema operativo.

- **Protocolos TCP/IP**

  - Es un conjunto de protocolos englobados en protocolo TCP (Transmission Control Protocol o protocolo de control de transmisión) e IP (InternetProtocol o protocolo Internet), de ahí sus siglas TCP/IP.

  - Dentro de la suite de protocolos TCP/IP podemos diferenciar dos clases:

    › Protocolos de red

      - TCP

      - IP

    › Protocolos de aplicación

      FTP, Telnet, HTTP…

Dentro de estas familias de protocolos se engloban multitud de protocolos como podemos observar en la siguiente tabla.

TCP	ISO	Apple Talk	Novel NEtware
HTTP DNS DHCP FTP	ACSE ROSE TRSE SESE	AFP	NDS
TCP UDP	TP0 TP1 TP2 TP3 TP4	ATP, AEP, NBP, RTPM	SPX
IPv4, IPv6 ICMPv4 ICMPv6	CONP/CMNS SLNP/CLNS	AARP	IPX
ETHERNET PPP FRAME RELAY ATM WLAN			

Importante

El protocolo TCP/IP es en realidad un conjunto de protocolos, por una parte está TCP (protocolo de control de transporte) y por otra parte, IP (protocolo de internet).

Arquitectura de capas del protocolo TCP/IP						
Capa aplicación	telnet	FTP	SMTP	DNS	RIP	SNMP
Capa de transporte	TCP				UDP	
Capa de internet	IP				IGMP	ICMP
Capa de interfaz de red	ARP					
	Ethernet	Token Ring		Frame relay		ATM

3.2. Componentes de la infraestructura y arquitectura

En las redes heterogéneas se hace necesario definir unos elementos que permitan su gestión fácilmente, además de que estén estandarizados:

– Entidades gestoras.

  · Hardware

  · Software

  Ambos se encargan de reunir, procesar y analizar, así como de presentar la información de red, e interactuar con el administrador de red. Es el punto central de control de los dispositivos de red.

– Dispositivos gestionados

  · Tarjeta de red

  · CPU

  · Pila de protocolos

  · Ventiladores…

Estos elementos contienen información que se puede almacenar y modificar por la entidad gestora.

Disponen de un agente de gestión que se comunica con la entidad gestora y ejecuta acciones de forma local como leer o escribir datos.

— Estructuras de datos a usar.

Estructura de información de Gestión

- Lenguaje DDL (Lenguaje de definición de datos)

- Proporciona una sintaxis y semántica de los datos

- Basado en ASN.1

- Define el tipo de datos, modelo de objetos, reglas para ver los datos y modificarlos...

— Base de información de Gestión.

MIB (Management Information Base)

— Protocolos de comunicación y gestión.

Reglas de comunicación entre la entidad gestora y los agentes de gestión

Tarjeta de red

3.2.1. Entidad gestora

Los gestores ejecutan aplicaciones que monitorizan y controlan los dispositivos de red permanentemente. Proporcionan unos recursos de procesamiento y memoria que se requieren para la administración de red.

Emite las directivas de operaciones de gestión y recibe notificaciones y respuestas.

En una red administrada debe de haber uno o más gestores de red.

Este software se encuentra en la central de gestión y es el responsable de iniciar o terminar una tarea de gestión. Dispone de una interfaz gráfica.

El funcionamiento de un sistema de gestión se basa en el intercambio de información entre los diferentes elementos que conforman la red a través de un protocolo de gestión.

La entidad gestora almacena en un nodo gestionado información sobre el estado y el funcionamiento del dispositivo.

Estos sistemas se basan en dos procedimientos para poder gestionar sus tareas:

– Monitorización

  · Obtención de datos de estado de los recursos gestionados

    › Información estática, que no cambia en la red

      Configuraciones de dispositivos, como los puertos de un router

    › Información dinámica, evoluciona con la actividad de red

    › Información estadística

  · Es un acto pasivo hasta que ocurre algún evento

– Control

  · Recoge información sobre la monitorización

  · Modifica el comportamiento de los componentes de la red gestionada

  · Permite tomar medidas proactivas.

Recuerda

La entidad gestora es una aplicación que se ejecuta en un dispositivo de red ubicado en el NOC (centro de operaciones de red). Desde aquí se controla la gestión de la red, y además permite al administrador de red poder interactuar con los dispositivos que desea controlar.

3.2.2. Dispositivos gestionados

Los dispositivos gestionados (managed objects) son los que tienen capacidades de trabajo en red, tanto Hardware como Software.

– Hardware

  · Servidor

    Ordenador central

  · Switch

    › Conmutador de red, que permite la conexión de varios segmentos de red, actúa en las capas del modelo OSI física y de enlace de datos, por lo que procesan información de las tramas.

    › Su función más importante es la de crear tablas de direcciones.

  · Componentes y medio físico

    › Cableado

      - UTP

      - COAXIAL

      - ÓPTICO

- ›   Medio físico

  - - Alámbrico

  - - Inalámbrico

    - ›   WIFI

    - ›   Bluetooth

- · Componentes de los ordenadores

  - ›   Procesador

  - ›   RAM

  - ›   Disco duro

- · Componentes de conectividad e interconexión

- · Protocolos

  TCP, IP, SNMP, etc.

- · Componentes de telecomunicaciones

- · Tarjeta de red.

  - ›   Cableadas

  - ›   Inalámbricas

  - ›   De fibra óptica

- · Módem

  (Modulador- Demodulador de señales)

- · Impresora de red

- · Hub

  Concentrador

- · Hosts…

- Software

  - Sistemas operativos

    › Windows

    › Linux

    › Unix

    › MAC/OS

    › Android, etc.

  - Software de interconexión

  - Aplicaciones y herramientas software

  - Aplicaciones cliente-servidor

Switch

Cada uno de los dispositivos puede contar con diferentes objetos a gestionar, por ejemplo el hardware del dispositivo gestionado, para que lo entiendas mejor, en un servidor será su tarjeta de red, se gestionarán también sus parámetros de configuración, como por ejemplo bytes emitidos, bytes recibidos, etc…

En estos objetos se almacena la información que el administrador de red puede ver y controlar desde la entidad gestora. Esta información se almacenará en una base de datos de información de gestión, también conocida como MIB (Manager Information Base) para su posterior análisis.

A su vez, cada dispositivo dispone de un agente de gestión de red que es el que se comunica con la entidad gestora enviando la información que esta le solicite.

Software de gestión

–   Munin

   ·   Herramienta que monitoriza recursos de la red, que ayuda a analizar tendencias y posibles problemas. Muy sencilla de usar ya que con pocas configuraciones y en su instalación predeterminada, es capaz de mostrarnos mucha información a través de su interfaz gráfica.

   ·   Más información y descargas en la web oficial:

   http://munin-monitoring.org/

–   Cisco

   Sistema propietario.

–   Nagios

   Software de código abierto que monitoriza redes, muy usado en la gestión de redes.

- Centreon

  Es un gestor de redes, que se usa a través de la web, mostrando gráficos y estados del servidor, basado en Nagios.

- MRTG

  Supervisa la carga de tráfico de red.

- Ganglia

  Monitorización de redes y clusters.

- Pandora FMS

  Software de gestión de red, que monitoriza y mide múltiples dispositivos.

- Mon

- Sysmon

  Herramienta de sysinternals que monitoriza el estado de uno o más ordenadores.

- Ntop

  Monitoriza en tiempo real la red y nos presenta informes al respect sobre el estado de la red.

- HpOpenView

  Sistema de gestión propietario de HP.

- Packettrap pt360

- Otros…

Base de datos

3.2.3. Protocolos de gestión

Un buen sistema de gestión es el que es capaz de reconocer la diversidad de dispositivos a administrar que pueden aparecer en una red, ofreciendo un entorno de administración adecuado y que genere el menor impacto posible, en términos de rendimiento a nuestra red.

Para llevar a cabo la comunicación entre los agentes de cada dispositivo y la entidad gestora necesitamos un protocolo de gestión , como SNMP, CMIP principalmente entre otros.

A través del protocolo, la entidad gestora va a realizar las consultas sobre el estado de los dispositivos o indicar a los agentes de cada dispositivo lo que deben hacer. Igualmente, los agentes podrán utilizar el protocolo para informar a la entidad de cualquier incidencia que pudiera ocurrir, como por ejemplo la caída de un dispositivo de red.

El protocolo de gestión, debe soportar un servicio de transporte adecuado y fiable para que no se pierda la información y para generar mayor rendimiento y menor impacto en la red.

Los servicios de transporte pueden ser orientados y no orientados a conexión. Los orientados a conexión como puede ser TCP son más fiables, pero consumen más recursos de la red, por lo que se recomienda el uso de servicios no orientados a conexión como UDP.

Importante

Un protocolo es un conjunto de normas, que en el caso de las redes permite establecer la comunicación entre los nodos de la red.

SNMP

SNMP o protocolo simple de comunicaciones en red (Simple Network Management Protocol

La forma de usar este protocolo es petición-respuesta, donde la entidad gestora envía una petición un agente, que la trata y envía una respuesta. Las peticiones se usan para obtener o modificar (get o set) los valores de los objetos MIB del dispositivo que queremos gestionar. Se obtiene información sobre el estado de los dispositivos.

Otra forma de usar SNMP es mediante "traps" o mensajes trampa, donde la entidad gestora no envía nada, sino que es el agente del dispositivo gestionado el que envía el mensaje a la entidad gestora.

SNMP usa una base de datos definida en una MIB (Management Information Base), y cada elemento gestionado tiene su propio MIB.

UDP es el protocolo de transporte usado para el envío de mensajes SNMP que ofrece un servicio de transporte no orientado a conexión, es decir que no es fiable, con lo que no tenemos garantía de que las peticiones y sus respuestas, lleguen a su destino. Se usan los siguientes puertos:

— Puerto 162 para los mensajes trampa

— Puerto 161 para el resto de mensajes

Te preguntarás por qué se usa sino ofrece garantías a la entidad gestora del envío/recepción, para controlar esto la entidad gestora usa el campo ID Petición de las PDU, numera las peticiones realizadas y así controla si esas peticiones han llegado o no.

SNMP tiene definidos 5 grupos de mensajes

— Operaciones get, enviadas desde la entidad gestora a un agente para obtener el valor de los objetos MIB del dispositivo a gestionar.

· Get request

· GetNextRquest

· GetBulkRequest

— Operaciones Set, para modificar datos.

SetRequest

– Operaciones Inform, se envían desde la entidad gestora al agente de otra entidad gestora para notificar la información MIB que es remota a la entidad receptora

InformRequest

– Operaciones Response, respuesta a los mensajes expuestos anteriormente, desde el agente a la entidad gestora

Response

– Traps

¿Para que usamos SNMP?

Con SNMP podemos consultar a routers y switches obteniendo de estos datos como los octetos entrantes y salientes, carga de la CPU, memoria RAM usada y disponible, tablas ARP, etc. Por otra parte podemos cambiar sus valores, apagarlos, reiniciarlos de forma remota, etc. La ventaja es que podemos automatizar las acciones de muchos equipos al mismo tiempo.

SNMP, opera en el nivel de la capa de aplicación, utilizando el protocolo de transporte TCP/IP. Define una comunicación cliente-servidor, éste último se encuentra en cada equipo que se desea administrar (host, router, etc.) y el cliente en la estación de monitoreo.

Router

Protocolo CMIP

CMIP es un protocolo de gestión de red (protocolo común de gestión de información), al igual que SNMP, pero en este caso sí está orientado a conexión a diferencia de SNMP.

Fue desarrollado por el Comité Consultivo Internacional de Telegrafía y Telefonía, aunque es similar a SNMP, tiene beneficios adicionales, pero lo hacen un protocolo complejo que no se usa mucho.

Este protocolo administra información y permite las acciones de ejecución y modificación de los objetos gestionados, a su vez permite que las aplicaciones de red se comuniquen con sus agentes de administración, llamados servicios CIMS individuales.

Tanto el protocolo CMIP (Common Mangement information Protocol) como el servicio CMIS son definidos en la capa de aplicación del modelo OSI (capa 7). Se define en el estándar 9596 de OSI.

CMIP se basa en un mecanismo de transporte en forma de servicio "pregunta/respuesta" por capas OSI

Se trata de un a gestión de red por eventos que quiere decir que el agente notifica al gestor de sucesos la información acerca de los recursos gestionados. El agente es el que monitoriza los recursos, lo que hace que exista una menor gestión de tráfico de red, lo cual es una ventaja, por contrapartida requiere de agentes más complejos.

CMIP hace uso de varios servicios, ACSE y ROSE.

–   ACSE

    Finaliza y establece asociaciones para intercambiar información

–   ROSE

    Solicitud de ejecución de operaciones remotas en aplicaciones cliente–servidor

Entre sus características fundamentales destacan:

–   Consume muchos recursos (memoria y CPU)

–   Genera cabeceras de mensajes muy largas.

–   Comunicación orientada a conexión

–   Estructura distribuida

–   Permite jerarquía de sistemas de operación

–   Orientado a gestión por eventos

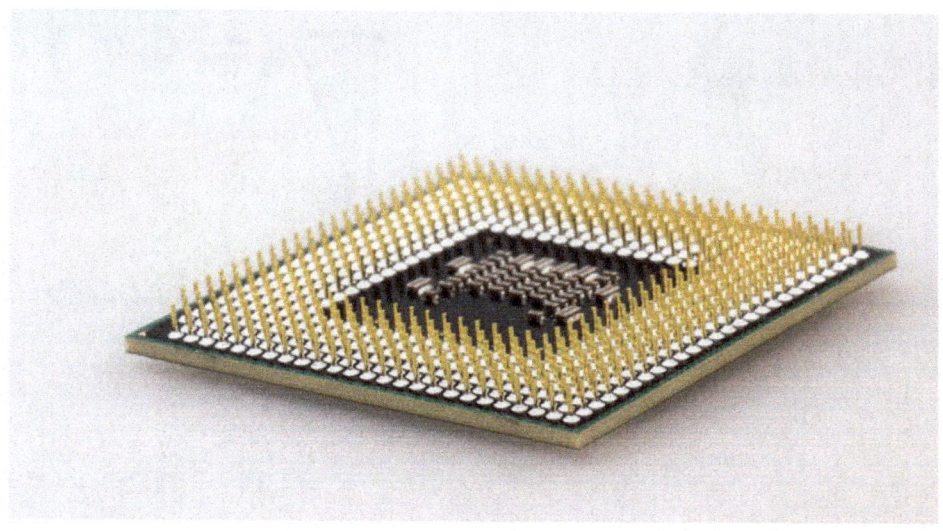

CPU

Este protocolo de gestión, ofrece soporte de seguridad

– Control de acceso.

– Soporte para autorizaciones.

– Archivos de registros de seguridad (logs).

– Reportes de condiciones de red inusuales.

Dentro de las ventajas que tiene en relación con SNMP, es la seguridad integrada junto con la capacidad de activar tareas cuando suceden problemas en el dispositivo administrado, ya que este protocolo no se basa únicamente en preguntas y respuestas, sino también en la activación de tareas.

CMIP ofrece tres servicios diferentes:

– Manejo de datos

    Gestor solicita y altera información de los recursos del agente.

– Informes de sucesos

    Lo usa el agente para informar al gestor de diversos sucesos..

– Control directo

    Lo usa el agente para pedir la ejecución de diversas acciones en el agente.

CMIP se usa en la administración de:

– Redes de Área Local, LAN.

– Redes Corporativas y Privadas de Área Amplia.

– Redes Nacionales e Internacionales.

Informes

3.3. Grupos de estándares

Encontramos dos modelos de estándares de gestión de redes:

– CMISE/CMIP de OSI

   • Common Management Information Services (CMIS) se compone de:

     › CMISE (Common Management Information Element) definido en la ISO 9595

     › CMIP (Common Management Information Protocol) definido en la ISO 9596

   • Servicios de CMISE

     › M-Event Report

     › M-Get

     › M-Cancel- Get

     › M-Set

     › M-Action

     › M-Create

     › M-Delete

– SNMP de TCP/IP

  · SNMP, opera en el nivel de la capa de aplicación, utilizando el protocolo de transporte TCP/IP.

  · Comunicación cliente-servidor.

  · El modelo organizativo de la administración de redes basado en SNMP, se compone de los siguientes elementos:

    › Entidad administradora.

    › Estructura de la información de administración.

    › Seguridad y la administración

    › Administración de agente.

    › Base de información de administración.

    › Protocolo de administración de red.

En redes locales se utiliza SNMP y a nivel de redes de telecomunicaciones, se hace uso del protocolo CMIP.

3.3.1. CMISE/CMIP de OSI

En la comunicación en red, las aplicaciones necesitan un medio de comunicación común, para poder interactuar sin problemas, por lo que se hace necesaria la creación de protocolos de administración normalizados.

OSI desarrolló dos estándares para la administración de redes:

- ISO/IEC 9595 CMIS (Servicios de Información de gestión común)

- ISO/IEC 9596 CMIP (Protocolo de información de gestión común)

Ambos modelos se hayan en la capa de aplicación (capa 7) del modelo OSI.

El conjunto de estándares se denomina Gestión de sistemas OSI (OSI systems management). En OSI se utiliza el término gestión de sistemas en lugar de gestión de red

Cada uno tiene una misión dentro de la administración de redes, CMIP recolecta información de las capas inferiores del modelo OSI e informa a CMIS.

En el estándar OSI se definen 6 documentos de CMIS/CMIP que especifican que el CMIS proporciona servicios a las aplicaciones de gestión y el CMIP que soporta el CMIS.

Los elementos del modelo son:

- Aplicación de gestión de sistemas (SMAP - systems-managementapplicationprocess

- Entidad de aplicación de gestión de sistemas (SMAE – systemsmanagementapplicationentity): Entidad de nivel de aplicación

- Entidad de gestión de nivel (LME - layer-managemententity):

- Base de información de gestión (MIB).

3.3.2. SNMP de TCP/IP

SNMP, protocolo simple de administración de red (Simple Network Management Network) se diseñó en un principio para gestionar bridges y routers en redes sobre TCP/IP, es un protocolo simple y que consume pocos recursos de red pero poco eficiente en algunos aspectos.

SNMP es un protocolo de la capa de aplicación que permite el intercambio de información entre los diferentes dispositivos de red.

Los diferentes dispositivos soportados por SNMP son puentes, routers, switches, servidores, host, módems, etc.

Este protocolo permite la administración de la red.

Han surgido varias versiones de SNMP desde su estandarización en los años 90:

- SNMPv1

- SNMPv2

- SNMPv3 (mejora los aspectos de seguridad)

Desde su inicio, las evoluciones más importantes han sido:

- Extensiones MIB

  - RMON (remote-monitoring)

  - Otras extensiones para vendedores independientes, etc.

- Otras extensiones referentes a su funcionalidad y seguridad

Su arquitectura básica está formada por:

- Estación de gestión

  - Aplicaciones

  - Interfaz de usuario…

- Agentes de gestión

  - Mantienen una MIB local

  - Atienden solicitudes de la estación de gestión

  - Envían informes de eventos (eventreporting)

- Base de información de gestión MIB

  La MIB local de cada agente mantiene información sobre objetos del recurso que gestiona almacenada en forma de pares atributo-valor

- Protocolo de gestión de red (SNMP)

UD**3**
Lo más importante

- Los gestores también son conocidos como Sistema de Gestión de redes NMS, que ejecutan aplicaciones que supervisan y controlan permanentemente todos los dispositivos administrados

- **Los agentes:** Componentes del sistema de gestión invocados por el gestor o gestores de la red. El funcionamiento se basa en el intercambio de información de gestión entre host gestores y gestionados.

- **SNMP:** Protocolo simple de administración de red (Simple Network Management Protocol)

- **CMIP:** Common Management Information Protocol

- Es un conjunto de protocolos englobados en protocolo TCP (Transmission Control Protocol o protocolo de control de transmisión) e IP (Internet Protocol o protocolo Internet), de ahí sus siglas TCP/IP.

- Los gestores ejecutan aplicaciones que monitorizan y controlan los dispositivos de red permanentemente. Proporcionan unos recursos de procesamiento y memoria que se requieren para la administración de red.

- Los dispositivos gestionados (managed objects) son los que tienen capacidades de trabajo en red, tanto Hardware como Software.

- Para llevar a cabo la comunicación entre los agentes de cada dispositivo y la entidad gestora necesitamos un protocolo de gestión , como SNMP, CMIP principalmente entre otros.

- SNMP usa una base de datos definida en una MIB (Management Information Base), y cada elemento gestionado tiene su propio MIB.

- Con SNMP podemos consultar a routers y switches obteniendo de estos datos como los octetos entrantes y salientes, carga de la CPU, memoria RAM usada y disponible, tablas ARP, etc.

- CMIP es un protocolo de gestión de red (protocolo común de gestión de información), al igual que SNMP, pero en este caso sí está orientado a conexión a diferencia de SNMP.

- SNMP es un protocolo de la capa de aplicación que permite el intercambio de información entre los diferentes dispositivos de red.

UD3
Autoevaluación

1. **El gestor:**

   a.   Emite directivas de operaciones de gestión.

   b.   Recibe notificaciones

   c.   Recibe respuestas

   d.   Todas son correctas

2. **Los agentes:**

   a.   Componentes del sistema de gestión invocados por el gestor o gestores de la red.

   b.   Los agentes almacenan en cada host gestionado información sobre el estado y las características de funcionamiento de un recurso de la red.

   c.   A y B son ciertas

   d.   Ninguna es cierta

3. **SNMP es:**

   a.   Protocolo simple de administración de red (Simple Network Management Protocol)

   b.   Protocolo de la capa de aplicación que permite el intercambio de información entre los diferentes dispositivos de red

   c.   Pertenece a la familia de protocolos TCP/IP

   d.   Todas son ciertas

4. **CMIP es:**

   a. Describe cómo se ejecutan los servicios CMIS

   b. No Asegura que los mensajes llegan a su destino

   c. No Orientado a gestión por eventos

   d. Solo A es correcta

5. **TCP/IP es:**

   a. Transmission Control Protocol o protocolo de control de transmisión

   b. Es un protocolo

   c. Ninguna es cierta

   d. A y B son correctas

6. **Dispositivos gestionados son:**

   a. Tarjeta de red

   b. CPU

   c. Pila de protocolos

   d. Todas son ciertas

7. **Los gestores:**

   a. Emite las directivas de operaciones de gestión y recibe notificaciones y respuestas

   b. En una red administrada debe de haber uno o más gestores de red.

   c. La entidad gestora almacena en un nodo gestionado información sobre el estado y el funcionamiento del dispositivo

   d. Todas son ciertas

8. **Un buen sistema de gestión es el que es capaz de reconocer:**

   a. Diversidad de dispositivos a administrar

   b. A es verdadera

   c. A y b son ciertas

   d. Ninguna es cierta

9. **CMIP ofrece tres servicios, señala la falsa:**

   a. Manejo de datos

   b. Datos sobre el protocolo SRG

   c. Informe de sucesos

   d. Control directo

10. **SNMP (señala la falsa):**

    a. Es un protocolo que actúa sobre redes TCP/IP

    b. Es el protocolo simple de administración de red

    c. Es un protocolo de la capa de aplicación

    d. Es un protocolo de la capa de red

Área: informática y comunicaciones

UD4

Análisis del protocolo simple de administración de red (SNMP)

4.1. Objetivos y características de SNMP

El protocolo SNMP tiene como objetivo integrar la gestión de diferentes tipos de redes, mediante un diseño sencillo y poder administrarlas y monitorizarlas, produciendo poca sobrecarga en la red.

Opera en la capa de aplicación usando el protocolo de transporte TCP/IP, su gestión es mediante IP para así poder controlar dispositivos conectados en cualquier red accesible desde internet. Es un protocolo de tipo datagrama (UDP), por lo que no está orientado ala conexión y cada intercambio de información es una transacción independiente entre el gestor y el cliente.

Se compone de varios elementos:

– Agente

   · Software de administración de red que está en un dispositivo administrado.

   · Conoce aspectos locales del dispositivo como: Memoria disponible, usada, paquetes IP enviados y recibidos, rutas, capacidad disco duro, rendimiento CPU, etc.

– Gestor

– MIB

– Protocolo

Su arquitectura es cliente-servidor donde el agente es el servidor y el gestor el cliente.

Es un protocolo sencillo y con pocos comandos. Ya que todas las operaciones realizadas se hacen bajo el paradigma "load and store" (carga y almacenamiento), el gestor realiza operaciones de lectura y escritura en la MIB, operaciones que se llaman get-request y set-request, por último tenemos un comando de peticiones de lectura que es get-request, que sólo usa el agente.

En lo referente a seguridad SNMP dispone de un pobre soporte de autentificación, tan solo un esquema de dos palabras clave, llamadas SNMP communities

Sus posibilidades de gestión son un poco limitadas en general.

– Posee unas limitaciones, entre ellas:

– No es adecuado para la lectura de grandes cantidades de datos

– Mecanismos de seguridad deficientes

– El modelo MIB es limitado, no soportando operaciones complejas

– No soporta comunicación de un gestor con otro.

Para más información acerca de SNMP ver RFC 1157:

http://www.ietf.org/rfc/rfc1157.txt

Importante

La última versión de SNMP es la 3 (SNMPv3)

Un dispositivo administrado es el que tiene un agente SNMP y está en una red administrada.

4.2. Descripción de la arquitectura

SNMP tiene 4 componentes básicos:

— Elementos gestionados (Agente)

El agente es el software que se comunica con los gestores de la red proporcionando información que puede o no ser solicitada por los gestores

— Estación de gestión de la red (NMS= Network managedment system)

Los dispositivos administrados son los elementos de la red

- Routers

- Switches

- Equipos (PC)

- Servidores

- Tarjetas de red

- Memoria

- CPU

— MIB, información de gestión

Es una base de datos

— Protocolo de gestión de red, usado por agentes y gestores para el intercambio de información entre ellos.

SMNP

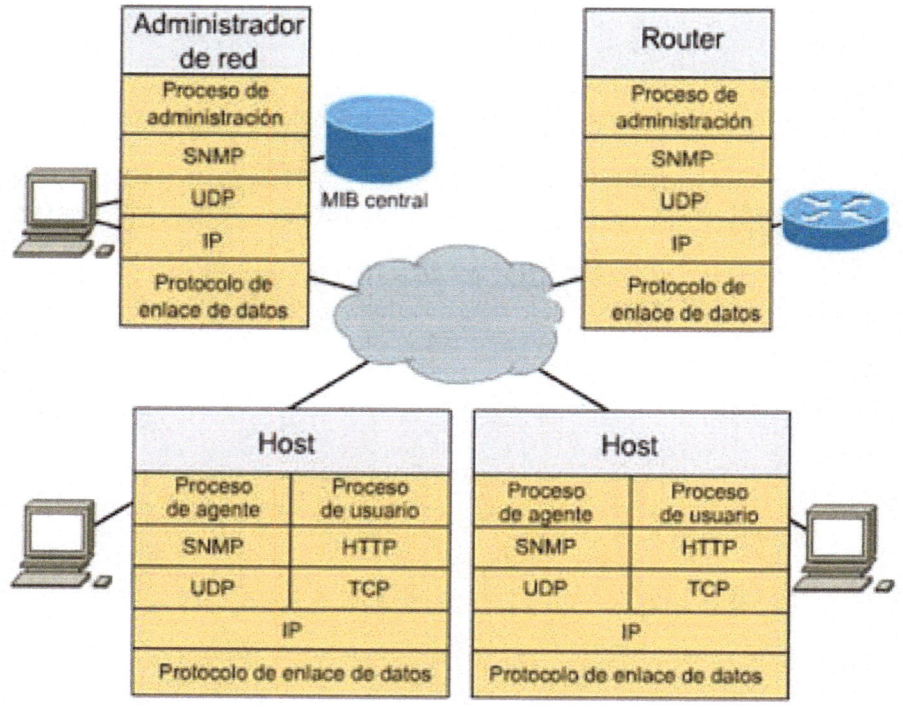

Cómo funciona la arquitectura

4.2.1. Dispositivos administrados

Los dispositivos administrados son cualquier dispositivo con conectividad de red que tengan un agente SNMP y residan en una red administrada. Estos dispositivos contienen objetos administrados como información acerca de su hardware, configuraciones, estadísticas, etc.

Pueden ser:

− Routers

  · También llamado enrutador o encaminador de paquetes de red, usando el mejor camino.

  · Proporciona conectividad y enruta paquetes, actúa en los niveles o capas 1,2 y 3 del modelo OSI (capa física, capa de enlace de datos y capa de red)

– Servidores

Ordenador remoto que proporciona los datos que solicita un cliente, en el caso de las redes facilita el acceso a la red así como a sus recursos.

– Switches

- Un switch es un conmutador de paquetes, permite la interconexión de equipos y trabaja en la capa de enlace del modelo OSI.

- Se usan para interconectar diferentes segmentos de red, usando la MAC (Media Access Control). Tienen la capacidad de poder almacenar direcciones de red en la capa 2. Por lo que los paquetes que se envían van desde el puerto de origen al de destino.

– Bridges

- Es un dispositivo que interconecta redes de ordenadores diferentes.

- Opera en la capa 2 del modelo OSI (capa de enlace de datos).

- Funciona mediante una tabla de direcciones MAC que detecta en cada uno de los segmentos de red a los que está conectado.

– Hubs

- Concentrador.

- Permite la interconexión de equipos de forma centralizada.

- Trabaja en la capa física del modelo OSI.

– Ordenadores

– Impresoras

– Otros dispositivos de red.

Servidores

4.2.2. Agentes

Los agentes SNMP contienen información de cada elemento gestionado.

El agente implementa el protocolo SNMP y envía y recibe mensajes SNMP

Interactúan con el hardware, obteniendo la información que necesitan para responder a las consultas o peticiones del NMS enviando mensajes trap (de notificación).

Los agentes pueden modificar la configuración de los dispositivos y cuentan con una configuración de control de acceso para poder gestionar los privilegios de lectura y escritura, los agentes de administración son procesos que se ejecutan en cada nodo de la red, como los hosts, routers, puentes y hubs, los cuales deben contar con SNMP.

Todos los datos del agente, son almacenados en su MIB y entre las principales funciones que un agente puede controlar encontramos:

— Número y estado de circuitos virtuales

— Número de mensajes de error recibidos.

— Bytes de paquetes entrantes y salientes del dispositivo.

— Longitud máxima de la cola de salida, para routers y otros dispositivos

— Dispositivos de interconectividad.

— Mensajes de difusión enviados y recibidos.

— Interfaces de red que han caído y las que se han activado.

— Memoria usada

— Memoria libre

— Rutas

— Ancho de banda disponible

— Otros…

4.2.3. Sistema de administración

Un sistema administrador de red (NMS) ejecuta aplicaciones que supervisan y controlan a los dispositivos administrados proporcionando el volumen de recursos de procesamiento y memoria requeridos para la administración de la red.

Es un host que es capaz de enviar peticiones SNMP y de recibir y parsear respuestas SNMP además de los mensajes de notificación (trap) hacia/desde los nodos gestionado,es responsable de solicitar información al agente, a través de solicitudes basadas en peticiones específicas.

El administrador registra, procesa y analiza la información recuperada de varias maneras y la muestran a través de un software llamado, Aplicación de Administración de Red (NMA = Network Management Station) que incorpora una interfaz gráfica.

El NMS, es una aplicación que está instalada en una estación de trabajo o nodo que ejecuta un sistema operativo como por ejemplo Windows o Linux, dispone de una cantidad de RAM que permite almacenar todas las aplicaciones de administración en ejecución.

El NMS, responde a los comandos del usuario o administrador y a los emitidos para dirigir a los agentes a lo largo de la red, lleva a cabo el monitoreo de la red y recupera los valores desde la base de gestión de datos (MIB) y permite una acción en un agente o cambiar la configuración de otro.

El NMS está diseñado para optimizar todos los recursos de red del sistema y al mismo proporcionar alertas y avisos en tiempo real del estado y funcionamiento de cada dispositivo, permitiendo además programación y actualizaciones remotas.

Algunos NMS conocidos son:

Cisco Works 2000

Entre sus características destacan:

– Suite de herramientas de administración que simplifican la configuración, administración, monitoreo y resolución de problemas en las redes CISCO

– Proporciona un sistema centralizado para compartir información de los dispositivos a través de toda la LAN

– Descubre topologías de red, y redes.

– Administración VLAN

- Análisis en tiempo real con un fácil despliegue, dispositivos, específicos y plantillas con las mejores prácticas.

- Inventariado de Hardware y Software

- Syslog

- Análisis y reportes

- Portal Web

- Soporte para virtualización de redes.

Forman también parte de la suite CiscoWorks 2000, otros programas como son:

- CiscoWorks Device Fault Manager: Detección, análisis y reporte de fallos en los dispositivos en tiempo real. Además identifica problemas antes de que los usuarios se percaten de ellos.

- CiscoWorks Campus Manager: Configura, administra y visualiza infraestructuras complejas tanto físicas como lógicas de capa 2, User tracking, Administración y configuración de VLAN, discrepancias en la red, y mapeado de topologías.

- CiscoWorks Resource Manager Essentials: Permite inventariar la red, las configuraciones y cambios de los dispositivos, así como también las actualizaciones de Software con el análisis syslog.

- CiscoWorks Internetwork Performance Monitor: Ofrece medidas proactivas de la respuesta de red, rendimiento y disponibilidad, también crea análisis de históricos en tiempo real de la congestión de red y los problemas de latencia.

- CiscoWorks CiscoView: El panel frontal muestra gráficas de los dispositivos Cisco y simplifican la interacción del usuario con los componentes del dispositivo para cambiar los parámetros de configuración y las estadísticas del monitor.

- CiscoWorks Common Services: Proporciona un modelo común para el almacenamiento de datos, inicio de sesión, definiciones de roles de usuario, los privilegios de acceso y protocolos de seguridad, así como la navegación y el lanzamiento de gestión.

- CiscoWorks Health and Utilization Monitor: Monitores para los elementos de red tales como CPU, memoria, interfaces / puertos y enlaces) para sus niveles de disponibilidad y de utilización y proporciona informes históricos a través de un protocolo simple de administración de red (SNMP) basado en la aplicación de encuestas a base MIB.

HP OpenView

HP OpenView es el antiguo nombre de la familia de productos HP de red y gestión de los sistemas de herramientas de monitoreo.

Fue entonces rebautizado bajo la cartera de soluciones de software de HP como el software HP Operations Manager.

El Software HP OpenView permite administrarlos componentes de infraestructura de TI, de forma estandarizada y ordenada, se definen las normas, acciones y alertas características en faltas o problemas potenciales en su entorno de TI.

Se utiliza sobre todo para el control de servidores, dispositivos, redes, bases de datos y aplicaciones para asegurar que los fallos se detectan y se alertan de la manera oportuna.

El monitoreo proactivo también es posible para asegurar que las alertas se reciben antes de que ocurra un fallo, proporcionando de esta manera el tiempo para solucionar un problema potencial antes de que se intensifique y afecta el negocio.

¿Cómo funciona Openview?

Dispone de los siguientes elementos:

— **HP OpenView Agents**

- Para un servidor sea monitorizado usando HP OpenView, el software agente debe estar instalado para enviar alertas al servidor de administración HP OpenView central.

- Una serie de reglas que definen lo que se va a supervisar pueden ser definidas y aplicadas en el servidor. Cubriendo áreas tales como:

    › Monitoreo de la línea base del OS

    › Monitoreo de base de datos

    › La supervisión de componentes de aplicaciones (por ejemplo, middleware)

    › Seguimiento específico de aplicación.

- Los tipos de cosas que HP OpenView puede controlar incluyen:

    › Disponibilidad (respuestas de ping etc.)

    › Monitoreo de archivo de registro para las cadenas específicas

    › Control de procesos

> › Monitoreo del sistema de archivos

> › SNMP trapsRunning un script y análisis la salida (cadenas o valores)

- Para conocer los requisitos más complejos de monitoreo, tales como bases de datos predefinidos paquetes de monitoreo existen, llamados Smart Plug -In módulos (SPI).Estos SPI supervisar diversos componentes sin la necesidad de escribir scripts complejos y funciones de supervisión.

– Modulos SPI de HP OpenView

- Hay una serie de Smart Plug Ins (SPI) para HP OpenView que proporcionan conjuntos a medida de monitores para las áreas de infraestructura fundamentales. Un SPI normalmente contendrá algunos o todos de los siguientes: plantillas o políticas a medida configurados para gestionar la tecnología específica, binarios a medida para la gestión de la tecnología, iconos de aplicaciones a medida para ayudar a manejar, mantener y apoyar la vigilancia.

- Los modulos SPI incluyen:

> › Oracle / Sybase / DB2 / SQL

> › AD / Exchange / Citrix / VMware

> › WebSphere / PeopleSoft / WebLogic

– Integraciones con HP OpenView

- HP OpenView puede integrarse con otras muchas herramientas de monitoreo para proporcionar la vista deseada

- Clasificamos la integración en este contexto como la situación en la que hay una herramienta estándar para el control de un área en particular, y hay una necesidad de incorporar algunas de estas alertas en la herramienta de monitoreo primario, en este caso, HP OpenView. Ejemplos de integraciones son:

> › SCOM

> › SolarWinds

> › Autosys

> › Control-M

> › TWS (Tivoli Workload Scheduler – formerly Maestro)

> › Netbackup

› EMC Control Centre

› HP Systems Insight Manager (SIM)

– **HP OpenView & Trouble-Ticket Systems**

· HP OpenView se puede integrar con los sistemas troble-ticket para permitir que los incidentes que activaron vayan a los departamentos de apoyo específico dentro de su organización.

· La Creación tickets de incidentes de esta manera proporciona un registro auditable de incidentes importantes, que luego pueden ser rastreados por la gestión de problemas y facilitan el proceso de la gestión del cambio donde se requiera una solución.

· La creación de un trouble-ticket también asegura de que la visibilidad del incidente sea máxima. Por ejemplo, un trouble-ticket en un servidor web crítico es capaz de alertar a varios equipos, por ejemplo unix, infrastruture web, comercio electrónico, y cualquier equipos de negocios que en última instancia dependen de ese servicio. Normalmente, el equipo responsable de la observación de una pantalla de HP OpenView (y notificar a los equipos de alerta actuales) tendrá la capacidad de hacer "clic derecho" en una alerta para crear un ticket en el sistema de gestión de incidencias.

· La alerta original de HP OpenView puede ser anotada con el ID del ticket a efectos de seguimiento / registro.

– **HP OpenView & Sistemas de notificación**

HP OpenView se puede integrar con los sistemas de notificación para proporcionar capacidades de alerta mejoradas. Esto podría ser en forma de alertas SMS para apoyar al personal, por ejemplo. Los beneficios de enviar la información de alerta directa a un teléfono móvil (a través de mensajes SMS) son numerosas:

· Menos dependencia de una llamada telefónica Manual

· Los mensajes de alerta se entregan directamente a los que requieren notificación (reduce las llamadas a las personas incorrectas)

· Contenido técnico no tiene que ser leído a través del teléfono (propenso a errores)

· Notificación de alerta más rápido

· Reduce la duración de llamada como el apoyo persona ya es consciente de la culpa de que se trate

· Alerta respuestas son posibles (por ejemplo, acuse de recibo, cerrado, escalado, realizar una acción)

IBM NetView

Tivoli NetView es un software de gestión de red que ayuda a mantenerla disponibilidad de los sistemas de negocios importantes.

Algunas de sus características importantes son:

- Descubre las redes TCP / IP, muestra topologías, monitorea la salud de la red y reúne los datos de rendimiento para que pueda identificar rápidamente la causa raíz de fallas en la red.

- Mide la disponibilidad y proporciona aislamiento de fallas de administración de problemas.

- Es capaz de Administrar áreas de red que están segmentadas por firewalls altamente restrictivas.

- Compartimentar o restringir las acciones del operador y vistas de la red.

- Mantener el inventario de dispositivos para la gestión de activos.

- Dispone de una sencilla consola Web para completar las tareas de administración.

- Elabora informes sobre las tendencias de la red y analiza los datos de la red.

Importante

El NMS (Network Monitoring System es la interfaz intermediaria entre el administrador y el sistema de gestión de red, y consta de una base de datos (MIB) extraídos de las entidades gestionadas dentro de la red.

4.3. Comandos básicos

Los dispositivos comandos SNMP básicos son:

— **Lectura (read)**

· **Comando GET (obtener)**

· Usado por el NMS

› Se usa para supervisar elementos de red

› Examina las variables que se mantienen en los elementos supervisados.

— **Escritura (write)**

· **Comando** SET

· Usado por el NMS

› Controlar los elementos de red

› Cambiar valores y configuraciones de dispositivos administrados

— **Notificación** (trap)

· **Comando TRAP**

· Usado por dispositivos administrados

Reportar eventos (envío de notificaciones al NMS): Reportes asícronos.

Importante

Cuando ocurre un evento determinado, el dispositivo administrado envía un trap al NMS.

- **Operaciones transversales** (transversal operations)

  - Usado por el NMS

  - Recogen información de los dispositivos administrados

Otras operaciones

- Operaciones básicas SNMP 1

  - GetUsed

  - GetNestUsed

  - SetUsed

  - TrapUsed

- Operaciones adicionales incorporadas en SNMP v2

  - GetBulkUsed

  - InformAllows

- SNMPv3 Mejoras en seguridad

  - User-based Security model (USM)

  - View-based Access Control Model (VACM)

4.3.1. Lectura

- GET: LA operación GET es una petición enviada al dispositivo administrado. Se realiza para recuperar uno o más valores desde el dispositivo gestionado.

  El gestor obtiene valores específicos del agente.

- GET NEXT: Esta operación es similar a la GET. La diferencia significativa es que el GET siguiente operación recupera el valor de la siguiente OID en el árbol de MIB.

  El NMS recupera valores de la MIB.

- GET BULK: La operación GETBULK se utiliza para recuperar datos voluminosos de la tabla MIB grande.

  Entrega grandes cantidades de datos.

4.3.2. Escritura

– SET: Esta operación se usa para modificar o asignar un valor al dispositivo administrado..

– WRITE: comando de escritura, usado por el NMS para controlar los dispositivos administrados.

Las operaciones SET de SNMP permiten cambiar los valores de las variables en la MIB.

Las operaciones SET requieren de una información concreta:

– Nombre Host agente SNMP destino

– Nombre de la community de lectura/escritura (la que es aceptada por el SNMP)

– Nombre de la variable que se quiere cambiar en la MIB

– El valor nuevo que damos

Para que la operación SET se dé por buena, el metarchivo de SNMP correspondiente a la variable MIB debe estar activado,y la definición de la variable debe tener permisos de escritura. Así mismo, el agente de SNMP debe poder gestionar operaciones SET en dicha variable.

En las tablas MIB de SNMP se definen tablas estructuradas que agrupan las instancias de un objeto tabular, o lo que es lo mismo, un objeto que contiene variables múltiples. Las tablas están compuestas de 0 o más filas, que son indexadas permitiendo al protocolo SNMP recuperar o modificar una fila entera con un simple GET, GETNEXT o con el comando SET.

4.3.3. Notificación

– TRAPS: A diferencia de los comandos anteriores que se inician desde el Administrador de SNMP, los TRAPs son iniciados por los Agentes.

– Es una señal al administrador de SNMP por el Agente de la ocurrencia de un evento.

4.3.4. Operaciones transversales

– INFORM: Este comando es similar a la TRAP iniciada por el agente, además, INFORM incluye la confirmación del administrador de SNMP al recibir el mensaje.

– RESPONSE: Es el comando utilizado para llevar de vuelta el valor (s) o la señal de las acciones dirigidas por el administrador SNMP.

4.4. Base de información de administración (MIB)

Una MIB (Management Information Base) es una base de datos de objetos y sus valores que están organizados jerárquicamente, y almacenados en un agente SNMP. Almacena valores relacionados con los elementos gestionados y los recursos gestionados se representan mediante un objeto. Las MIB's son accedidas usando un protocolo de administración de red, como por ejemplo, SNMP.

SNMP define un estándar separado para los datos gestionados por el protocolo.

Este estándar se definen los datos que mantiene un dispositivo de red, así sus operaciones permitidas.

Los datos se organizan en una estructura en forma de árbol; donde sólo encontramos una vía o camino desde la raíz hacia cada variable, llamada Management Information Base (MIB).

Disponemos de mucha información de la MIB en diversas RFCs:

- RFC 1156 (MIB-I)

- RFC 1158 (MIB II)

- Existes también MIBs propietarias, esto es de fabricantes concretos.

Cada MIB individual es un subárbol de la estructura total de MIB definida por la ISO (International Standards Organization).

Un objeto administrado (objeto MIB) es un objeto con un número de características específicas de un dispositivo administrado. Los objetos administrados están compuestos de una o más instancias de objeto, que son las variables.

Existen dos tipos de objetos administrados:

- Escalares

    Definen una simple instancia de objeto.

    Ej.: El nombre del fabricante del dispositivo

- Tabulares.

    Definen múltiples instancias de objeto que están agrupadas conjuntamente en tablas MIB y relacionadas entre sí.

    Ej.: Uso de un procesador de cuatro núcleos, lo que daría como resultado un valor para cada CPU por separado, lo que significa que hay cuatro resultados para un objeto en particular (Objet ID)

A una colección de objetos gestionados relacionados, definidos en un documento, se le llama módulo MIB (Management Information Base), teniendo:

−   Módulos MIB estándar

    Soportadas por todos los dispositivos SNMP.

−   Módulos MIB estándar que deberían ser soportados sólo por dispositivos para los que el MIB es relevante.

−   MIB privados

    De un determinado fabricante, que contienen definiciones de objetos gestionados para sus equipos.

Los MIBs contienen los objetos gestionados que representan los recursos, la configuración, el estado, etc, de un sistema, así que se puede decir que los ficheros MIB forman el conjunto de consultas que un NMS puede realizar a un agente.

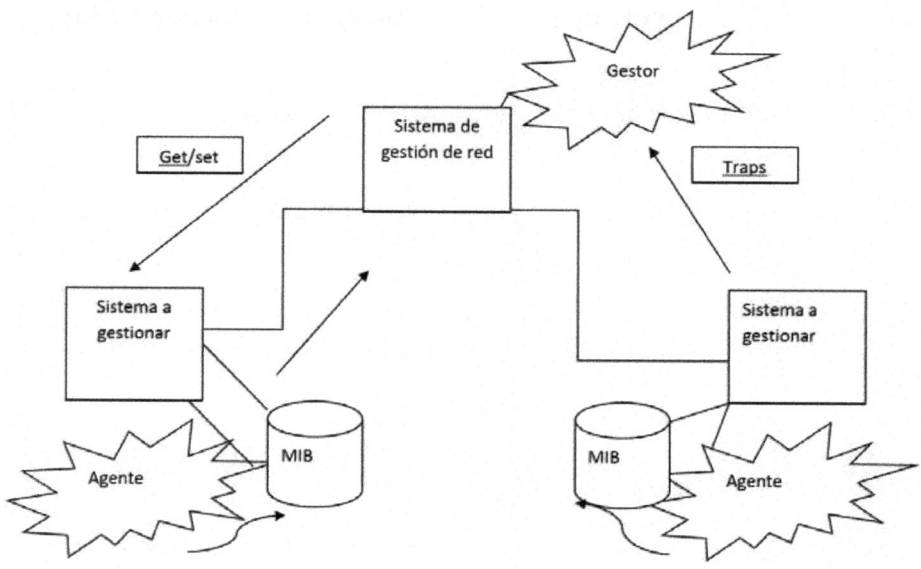

4.4.1. Explicación del concepto

La MIB (Base de administración de información), se emplean para almacenar información estructurada sobre los elementos que integran la red y sus atributos.

Su forma estructurada de almacenamiento se encuentra definida en el SMI, y especifica los tipos de datos que pueden utilizarse para almacenar un objeto, cómo se tienen que nombrarse los objetos y cómo se codifican para su transmisión sobre la red.

Los valores que almacena la MIB, son consultados y/o actualizados por la entidad administradora, que envía mensajes SNMP al agente que se está ejecutando en un dispositivo administrado representando a la entidad administradora.

Los objetos de la MIB son referenciados por un identificador único formando una estructura en árbol.

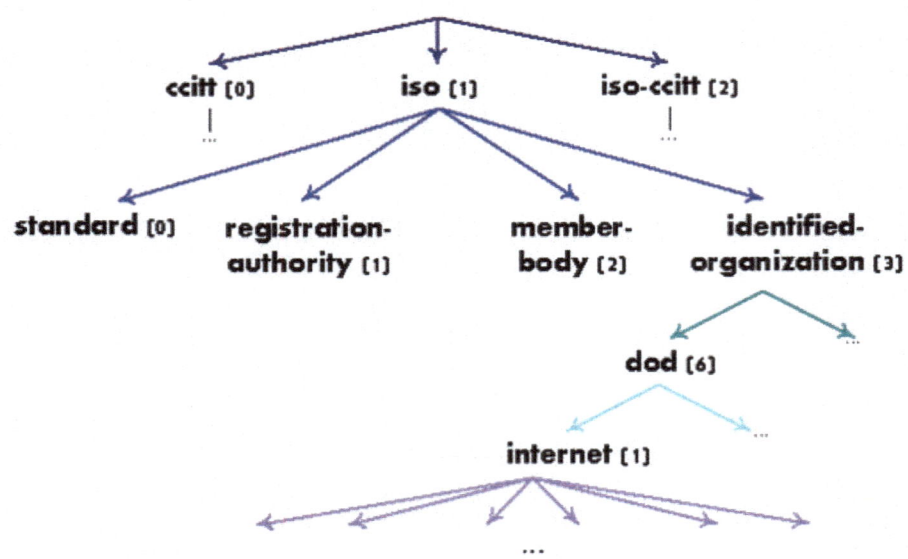

Se debe utilizar un esquema común de representación de la información para permitir la interoperabilidad.

Esto se consigue en SNMP mediante la definición SMI (structure of management información) (RFC 1155).

El estándar que define e identifica las variables MIB, es el "Structure of Management Information" (SMI). SMI especifica las variables MIB, éstas se declaran empleando un lenguaje formal ISO llamado ASN.1, que hace que tanto la forma como los contenidos de estas variables sean no ambiguos.

El SMI se basa en:

— Simplicidad:

Sólo tipos de datos simples: escalares y arrays de dos dimensiones de escalares.

— Posibilidad de extensión:

· Permite introducir nuevos objetos, dependientes o independientes del fabricante.

· La introducción de objetos dependientes del fabricante afectará a la interoperatividad.

El SMI define:

— La estructura de la MIB (en ASN.1).

— Sintaxis y tipos de valores para objetos individuales (en ASN.1).

— Codificación de los valores de los objetos (en ASN.1).

Los contenidos de la MIB están divididos en 10 grupos:

— system: información general del sistema (7 objetos)

— interfaces: "de cada uno de los interfaces de red (2 subárboles: 1 y 22 obj.)

— at (address-translation, despreciado): mapeo internet-subred (3 obj.)

— ip: información sobre el protocolo IP (60 objetos con 4 subárboles)

— icmp: 26 objetos – tcp: 18 objetos y 2 subárboles

— udp: 6 objetos y 2 subárboles

— egp: 20 objetos y 2 subárboles

— transmission: información sobre los esquemas de transmisión y protocolos de acceso (el número de objetos es variable)

— snmp: 30 objetos.

Importante

IP, ICMP, UDP, EGP y SNMP son protocolos.

- IP: Protocolo de internet.

- ICMP: Protocolo de mensajes de control de internet.

- EGP: Exterior Gateway protocol.

- SNMP: Protocolo simple de administración de red.

4.4.2. Organización jerárquica

LA Base de Información de gestión (MIB), es una base de datos jerárquica, que se estructura en forma de árbol y contiene a todos los dispositivos gestionados de la red.

En ella se definen las variables a usar por el protocolo SNMP que supervisan y controlan los elementos de red.

Se compone de objetos que son los dispositivos de red como routers, Switches, etc...

Cada objeto tiene un identificador que lo distingue inequívocamente, e incluye:

- Tipo de objeto

  · Contadores

  · Indicadores

- Nivel de acceso

  · Lectura

  · Escritura

- Información del rango de objeto

Las MIBs se modifican cada cierto tiempo añadiendo por ejemplo, nuevas funcionalidades, eliminar ambigüedades y arreglar errores, etc. Estos cambios realizan teniendo en cuenta la sección 10 del RFC 2578.

Los objetos asociados a variables se organizan en una jerarquía administrada por la ISO y por la ITU-T, donde cada uno posee un nombre y un identificador numérico, así, cada objeto, dentro del árbol jerárquico, determinado por el identificador, que es único,representa su localización relativa en la raíz del árbol.

Cada objeto a gestionar debe ser representado por un objeto. Para que esto sea posible, se necesita un esquema común de representación que soporte la interoperatibilidad entre los nodos.

Todos los objetos de la MIB de SNMP, se identifican así:

— {isoidentigfied-organization(3)

— dod(6)

— internet(1)

— mgmt(2)

— mib-2(1)...}

— o, de manera alternativa {1 3 6 1 2 1...}

La MIB tiene 126 áreas de información que versan sobre el estado del dispositivo, el desempeño del dispositivo, sus conexiones hacia los diferentes dispositivos y su configuración.

El administrador SNMP consulta la MIB a través del software agente y puede conocer los cambios que se le hicieron a la configuración. Estas consultas se hacen en un intervalo regular, normalmente cada 15 minutos pero esto es variable.

Las MIB se especifican en diferentes RFCs:

— Management Information Base I (RFC 1155)

— Management Information Base II (RFC 1213)

— MIBs experimentales:

    ·   IEEE 802.5 Token Ring (RFC 1231)

    ·   IEEE 802.4 Token Bus (RFC 1230)

    ·   IEEE 802.3 RepeaterDevices 1516

    ·   Ethernet (RFC 1398)

    ·   FDDI (RFC 1512)

    ·   RMON (RFC 1271)

- ATM (RFC1695)

- Modem (RFC 1696)

– MIBs privadas

   MIBs de productos específicos, Cisco, IBM, etc.... que añaden funcionalidad a las MIB estándar publicadas en un depósito común en isi.edu.

Árbol de registro ISO

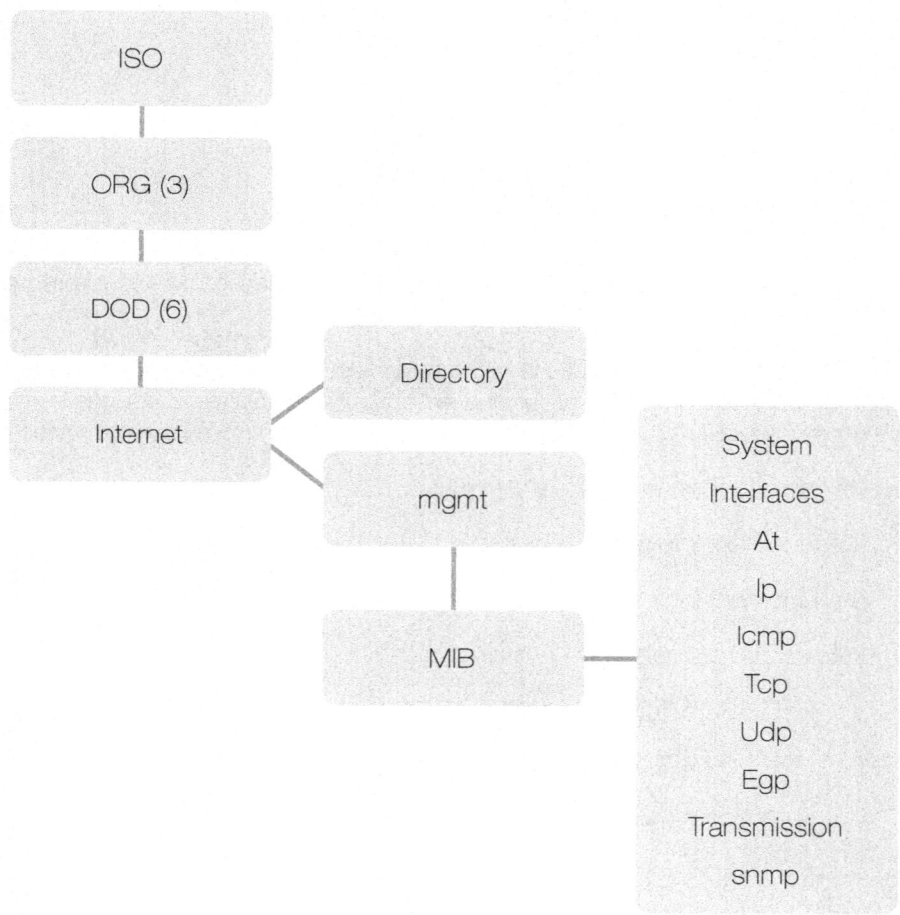

MIB

THE REGISTERED TREE

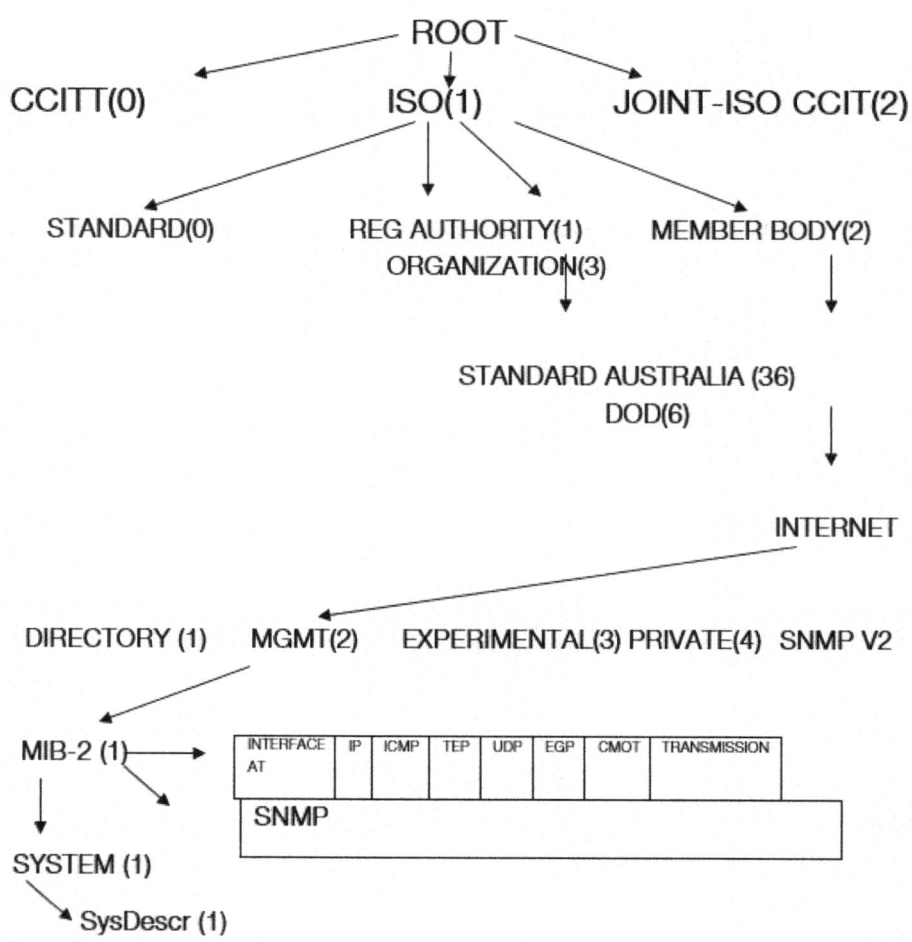

4.5. Explicación del concepto TRAP

Los agentes SNMP de los dispositivos de red, routers, impresoras, servidores, etc, son capaces de enviar alarmas, también llamadas traps cuando se produce un determinado evento. Estos eventos pueden ser del tipo "se cae" una interfaz de red, un ventilador deja de funcionar en el router, se llena una partición de disco duro de un usuario al que hemos asignado una cuota de disco, el SAI cambia de estado, etc.

Una vez se han recogido estos eventos (traps) mediante logs, se pueden realizar dos acciones: bien notificar al NOC de los eventos, o bien generar reportes diarios para su posterior verificación.

El número de traps existentes va de cero a cientos.

Se pueden convertir los traps en mensajes Syslog, para enviarlos al servidor central, para así tener un único sitio donde ir a buscar esos mensajes, preferiblemente en una base de datos.

Ya que no sería muy útil que simplemente se generaran y no hiciéramos nada con ellos, por lo que se puede configuran una respuesta del NMS (Network managementstation) a los diferentes traps, por ejemplo, descartarlos, correr un script determinado ante un evento determinado, enviar un mensaje al administrador, o incluso tomar acciones drásticas como apagar el dispositivo.

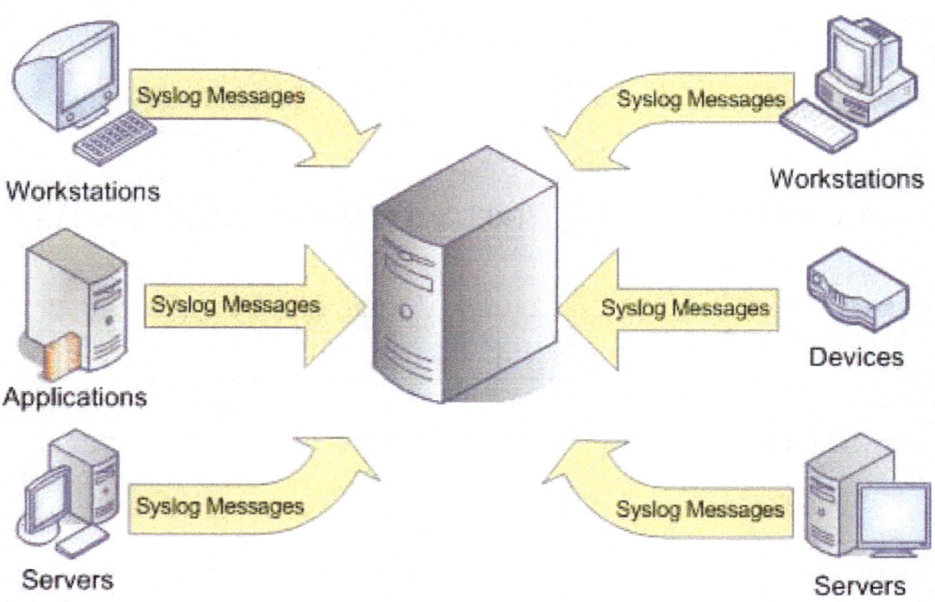

Traps

Cuando se recibe un trap el NMS sabe cómo interpretar su información, y será capaz de mostrarlo de forma adecuada. Cuando definimos nuestros propios traps, podemos decidir qué información van a contener, la información que contengan pueden ser objetos estándar de la MIB, objetos específicos del fabricante u objetos que decidamos nosotros.

Los traps tienen un formato de PDU específico que consta de:

— Tipo

— Enterprise

  Identifica a quien emitió el trap

— Dirección del agente

  Dirección IP del agente emisor

— Tipo genérico de trap (numerados de 0 a 6)

  · Coldstart (0): Indica que el agente se ha reiniciado.

  · Warmstart (1): la configuración del agente ha cambiado;

  · Link down (2): interfaz de comunicación se encuentra fuera de servicio.

  · Link up (3): interfaz de comunicación se encuentra en servicio.

  · Authenticationfailure (4): El agente ha recibido una petición de un NMS no autorizado

  · EGP neighborloss (5): En los routers están utilizando el protocolo EGP, un equipo vecino se encuentra fuera de servicio.

  · Enterprise (6): Nuevos traps incluidos por los fabricantes que amplian las posibilidades.

— Tipo específico de trap

  · traps privados (de fabricantes),

  · Constan de dos partes, un ID del fabricante y un número de trap.

— Timestamp

  Tiempo que ha transcurrido entre la reinicialización del agente y la generación del trap.

— Enlazado de variables

  Se utiliza para proporcionar información adicional sobre la causa del mensaje.

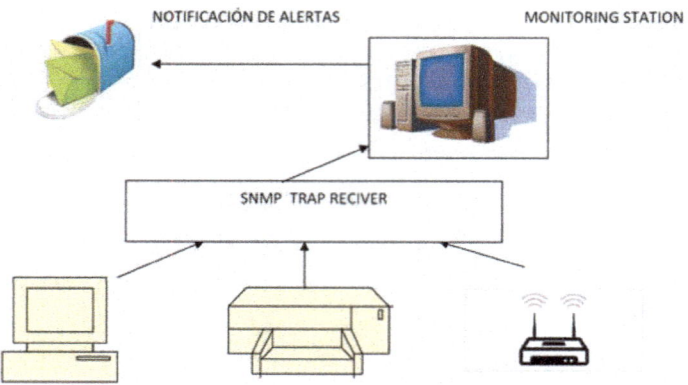

Los traps se definen de forma diferente según la versión de SNMP, así en la versión 1 los traps se definen como TRAP-TYPE, mientras que en la versión 2, se hace mediante NOTIFICATION-TYPE, en el caso de los traps de SNMP v3 son iguales que los de la versión 2 sólo que se añaden capacidades de autenticación y privacidad, o lo que es lo mismo capacidades de seguridad adicionales.

Cuando se recibe un trap, se almacena en el NMS, algunos sólo tienen la capacidad de mostrar una salida estándar de los traps (stout), y otros, normalmente servidores NMS tienen la habilidad de reaccionar a los trapsSNMp recibidos.

Por poner un ejemplo de esto último, cuando un NMS recibe un mensaje linkdown de otro router, puede responder a este evento enviando un mensaje al administrador, o mostrando una ventana Pop-up en la consola de administración, también podría enviar este mensaje a otro NMS.

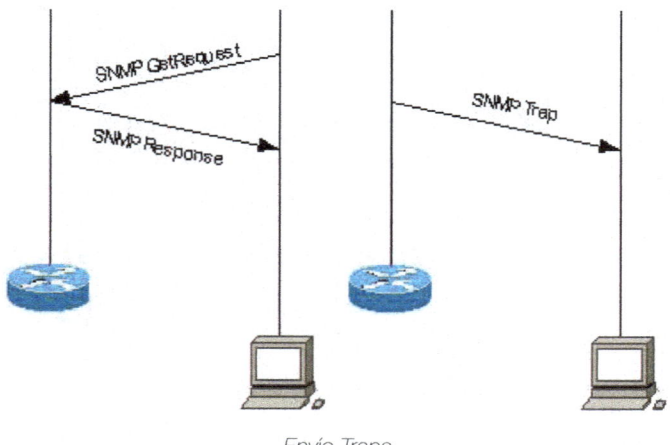

Envío Traps

Se usan diferentes programas para gestionar los traps, entre ellos podemos nombrar HP Open View, CISCO, OidView,etc.

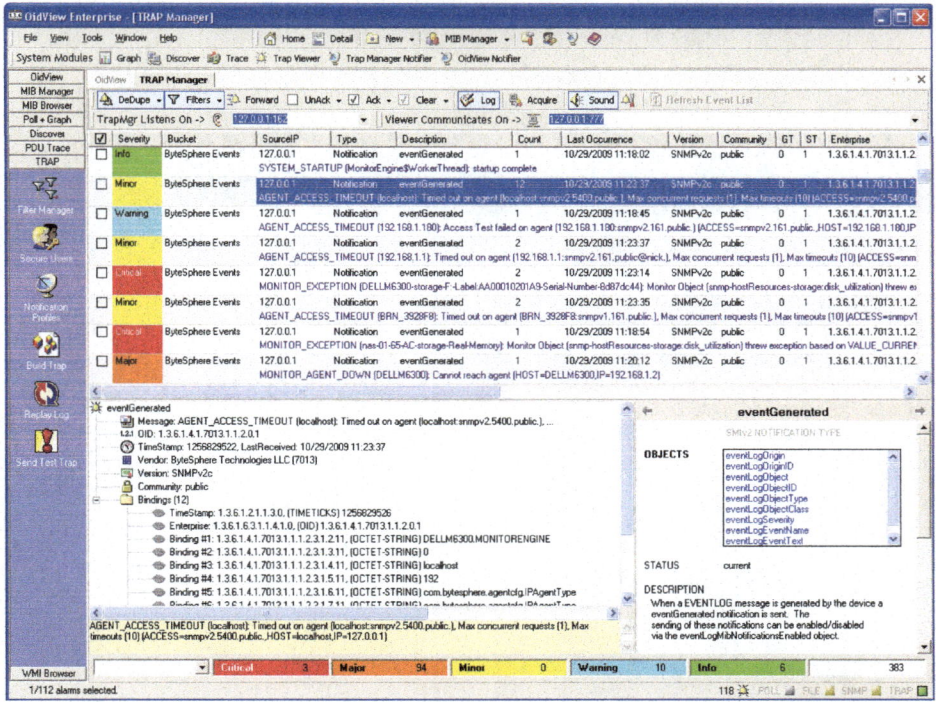

Pantallazo OpenView

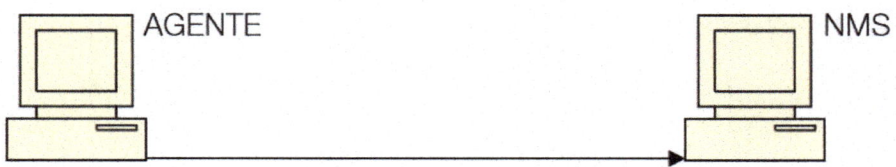

4.6.   Comparación de versiones

El protocolo SNMP tiene tres versiones actualmente:

−   SNMP v1

    ·   Se diseñó en los años 80.

    ·   Gestiona dispositivos como servidores, estaciones de trabajo. Router, switches... sobre IP.

    ·   Solución temporal

    ·   Permite gestionar rendimiento de las redes, así como encontrar y resolver problemas de red.

    ·   Intercambia información de red mediante mensajes PDU

    ·   No estaba pensado para gestionar grandes redes.

    ·   Documentado en las RFCs

        ›   1115

        ›   1157

        ›   1212

        ›   1213

    Se pueden consultar las RFCs en:

http://www.rfceditor.org/download.html

Formato del paquete SNMP V1:

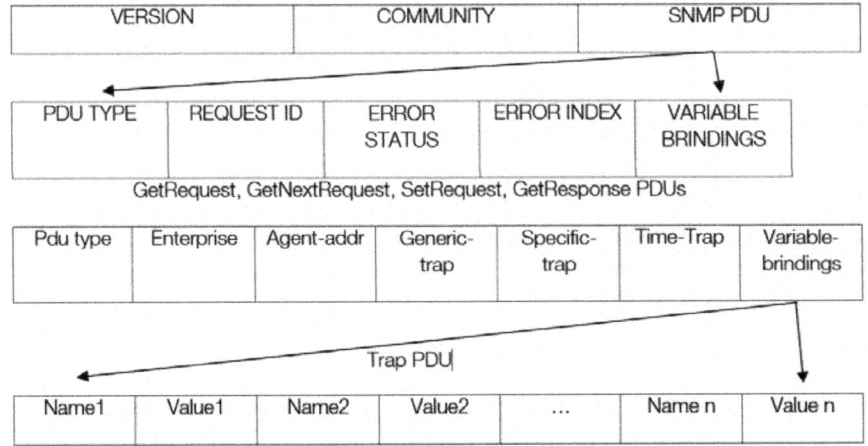

VERSION	COMMUNITY	SNMP PDU

PDU TYPE	REQUEST ID	ERROR STATUS	ERROR INDEX	VARIABLE BRINDINGS

GetRequest, GetNextRequest, SetRequest, GetResponse PDUs

Pdu type	Enterprise	Agent-addr	Generic-trap	Specific-trap	Time-Trap	Variable-brindings

Trap PDU

Name1	Value1	Name2	Value2	...	Name n	Value n

Variable bindings

- SNMP v2

  - Implementado en el año 1993 y revisado en 1995

  - Añade seguridad

  - Mensajes trap diferentes a SNMP v1

  - Se definen dos nuevas operaciones

    › GetBulk, para obtener grandes cantidades de datos.

    › Inform, para enviar a un NMS traps desde otra NMS y recibir una respuesta.

  - Mejora la definición de las variables

  - Se añaden estructuras en la tabla de datos que mejoran su manejo.

  - Fue un simple parche a las deficiencias de la versión anterior.

- Permite coexistencia de gestión centralizada y distribuida, los sistemas pueden trabajar como agentes y gestores

- Mayor eficiencia transfiriendo información en la red

- Soporta señalización extendida de errores

- Permite usar varios servicios

  › TCP (puerto 161)

  › UDP (puertos 161,162)

- RFCs SNMP v2

  › 1901 (SNMPv2)

  › 2576 (coexistencia entre versiones)

  › 2578 (estructura de administración de la información SMIv2)

  › 2579 (Convenios textuales SNMPv2)

  › 2580 (Declaraciones conformidad SNMPv2)

  › 3416 (Operaciones del protocolo)

  › 3417 (Asignaciones de transporte)

  › 3418 (Mecanismos para describir la MIBv2)

Tipo de PDU:

Tipo de PDU (valor)	Tipo de PDU
0	GetRequest-PDU
1	GetNextRequest-PDU
2	Response-PDU
3	SetRequest-PDU
4	Obsolete, not used (traps SNMP v1)
5	GetBulkRequest-PDU
6	InformRequest-PDU
7	Trapv2-PDU
8	Report-PDu

- SNMP v3

  - Se desarrolla en 1998

  - Protocolo de interoperabilidad basado en estándares para la gestión de redes.

  - Se agregan mecanismos de seguridad.

    › Integridad de los mensajes

      Asegura que el mensaje no sea alterado

    › Autenticación

      - Determina que la fuente del mensaje sea válida.

      - Usa el Código de Autenticación de Mensaje Hash (HMAC)

    › Encriptación de los datos

      Encripta los datos para que no puedan verse por fuentes no autorizadas.

    › Establece el uso de lenguajes orientados a objetos como Java, C++ para la creación de objetos.

    › Proporciona modelos y niveles de seguridad

  - RFCs

    › 3410 (SNMPv3)

    › 3411 (Arquitectura para el protocolo SNMPv3)

    › 3412 (Procesamiento y envío SNMPv3)

    › 3413 (Aplicaciones SNMPv3)

    › 3414 (Modelo de seguridad basado en usuarios USM para SNMPv3)

    › 3415 (Control de acceso basado en vistas (VCAM) para SNMPv3)

La versión 3 supone un cambio significativo en lo relativo a seguridad, respecto a sus predecesores.

Formato del mensaje SNMP V3 basado en el modelo de seguridad:

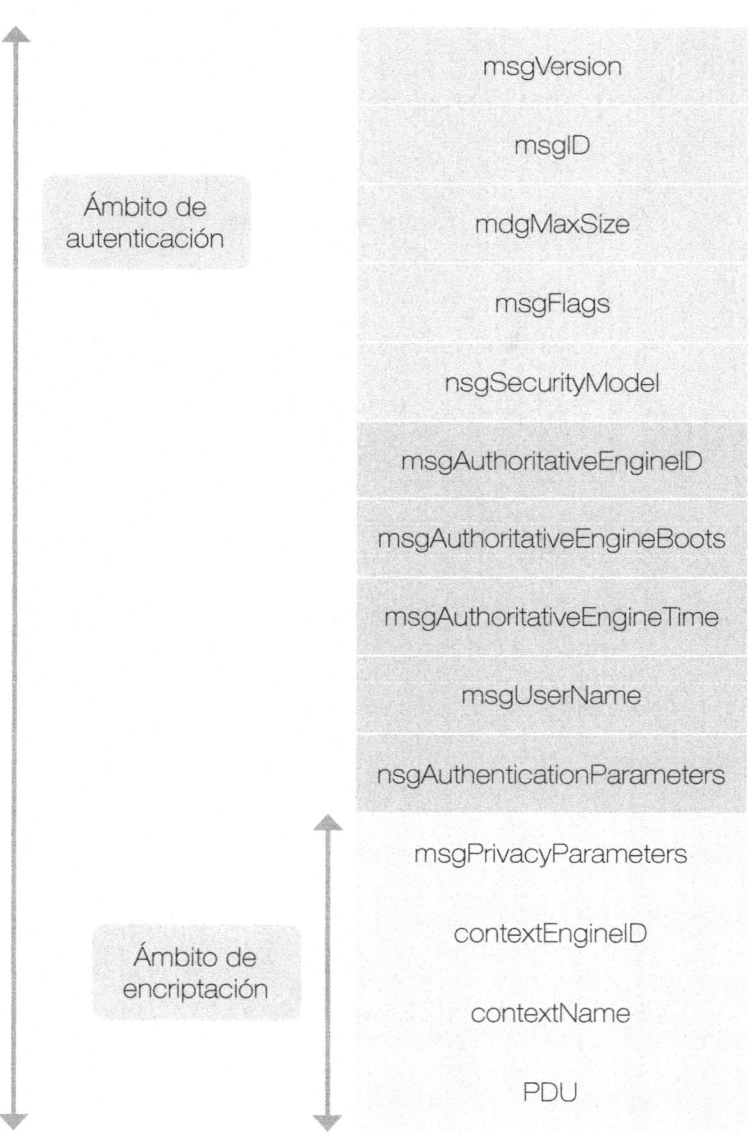

4.7. Ejemplificación de usos

Para monitorizar una red se usa SNMP, tendremos un servidor que se conectará a una serie de direcciones IP almacenadas y extraerá información de los dispositivos. Para poder realizar esto debemos hacer uso de la MIB.

En los routers CISCO, podemos configurar a golpe de comandos el agente SNMP, para que el servidor SNMP extraiga información del router.

Disponemos de una serie de comandos que nos permiten crear ACLs, listas de control de acceso y habilitar eventos que hagan que el dispositivo lance información SNMP al servidor de forma automática

No es nuestro objetivo aquí explicar la configuración SNMP en un router CISCO, pero mostraré algunos ejemplos:

— Snmp-server enable traps snmplinkdown linkup

   Con este comando habilitamos el aviso cuando una interfaz de red se "cae" o se "levanta"

— Snmp-server enable traps cpu threshold type total rising 80

   Nos avisa cuando el umbral de la cpu llega al 80%

— Traps de snmp en el routerCISCO: Si ponemos el siguiente comando en el router nos sale la ayuda indicando los traps que podemos enviar:

   Router(config)#snmp-server enable traps ?

   · atm Enable SNMP atm traps

   · bgp Enable BGP traps

   · bstun Enable SNMP BSTUN traps

   · casa Enable SNMP casa traps

   · cnpd Enable NBAR Protocol Discovery traps

   · config Enable SNMP configtraps

   · config-copy Enable SNMP config-copy traps

   · cpu Allowcpurelatedtraps

   · dial Enable SNMP dial control traps

   · dlsw Enable SNMP dlswtraps

   · dnis Enable SNMP DNIS traps

– Continuación Traps en el router CISCO:

- ds0-busyout Enable ds0-busyout traps

- ds1 Enable SNMP DS1 traps

- ds1-loopback Enable ds1-loopback traps

- ds3 Enable SNMP DS3 traps

- dsp Enable SNMP dsptraps

- eigrp Enable SNMP EIGRP traps

- entity Enable SNMP entitytraps

- envmon Enable SNMP environmental monitor traps

- event-manager Enable SNMP Embedded Event Manager traps

- flash Enable SNMP FLASH notifications

- frame-relay Enable SNMP frame-relay traps

- hsrp Enable SNMP HSRP traps

- icsudsu Enable SNMP ICSUDSU traps

- ipmobile Enable SNMP ipmobiletraps

- ipmulticast Enable SNMP ipmulticasttraps

- ipsec EnableIPsectraps

- isakmp Enable ISAKMP trapstraps

- isdn Enable SNMP isdntraps

- l2tun Enable SNMP L2 tunnel protocol traps

- msdp Enable SNMP MSDP traps

- mvpn Enable Multicast Virtual Private Networks traps

- ospf Enable OSPF traps

- · pim Enable SNMP PIM traps

- · pppoe Enable SNMP pppoetraps

- · rsvp Enable RSVP flow change traps

– Continuación Traps en el router CISCO:

  - · rtr Enable SNMP Response Time Reporter traps

  - · snmp Enable SNMP traps

  - · stun Enable SNMP STUN traps

  - · syslog Enable SNMP syslogtraps

  - · tty Enable TCP connectiontraps

  - · voice Enable SNMP voicetraps

  - · vrrp Enable SNMP vrrptraps

  - · vtp Enable SNMP VTP traps

  - · xgcp Enable XGCP protocoltraps

Aplicaciones de monitoreo de redes que usan SNMP

Disponemos de múltiples herramientas de monitoreo de redes basadas en el protocolo SNMP, vamos a describir aquí algunas de ellas.

– **MRTG**

  Multi router traffic grapher

  Es una herramienta que monitoriza diverso parámetros de red y genera documentos HTML con imágenes y gráficos de los datos obtenidos mediante el protocolo SNMP

  Compatible con varias plataformas, Windows, Linux…

  Consiste en scripts escritos en Perl usando el protocolo SNMP para poder controlar las variables que escojamos, así mismo dispone de un programa en C que registra el tráfico de datos y crea los gráficos en la página HTML.

- **RRDTool**

    Round RobinDatabasetool

    Es la generación siguiente a MRTG, igualmente dispone de gráficos y registros, permitiendo almacenar y representar gráficamente Datos dentro de un intervalo de tiempo, como el tráfico de la red, ancho de banda, uso de cpu… etc. Usa los datos de SNMP y los guarda en una base de datos circular, donde los nuevos valores se sobrescriben sustituyendo los antiguos.

- **NAGIOS**

    Nagios es una herramienta de monitorización de redes.

    Implementa SNMP para realizar el monitoreo de hardware y software.

    Es de código abierto

- **PRTG Network Monitor**

    Software de monitoreo de redes con las siguientes funciones:

    · Más de 200 tipos de sensores cubren todos los aspectos de monitoreo de red

    · Supervisión uptime / downtime

    · Monitorización del ancho de banda utilizando SNMP, WMI, NetFlow, sFlow, jFlow, packetsniffing

    · Monitoreo de aplicaciones, web, servidores virtuales.

    · Monitoreo de SLA (acuerdo de nivel de servicio)

    · Monitorización QoS

    · Monitoreo ambiental

    · Monitorización de LAN, WAN, VPN, y sitios distribuidos

    · Registro extenso de eventos (Extensiveeventlogging)

    · Soporte de IPv6

    · Monitoreo sin agentes (agentes opcionales (remoteprobes) permiten una monitorización incluso más detallada)

    · Múltiples tipos de alertas.

UD**4**
Lo más importante

- El protocolo SNMP tiene como objetivo integrar la gestión de diferentes tipos de redes, mediante un diseño sencillo y poder administrarlas y monitorizarlas, produciendo poca sobrecarga en la red.

- Los dispositivos administrados son cualquier dispositivo con conectividad de red que tengan un agente SNMP y residan en una red administrada. Estos dispositivos contienen objetos administrados como información acerca de su hardware, configuraciones, estadísticas, etc

- Los agentes SNMP contienen información de cada elemento gestionado.

- Un sistema administrador de red (NMS) ejecuta aplicaciones que supervisan y controlan a los dispositivos administrados proporcionando el volumen de recursos de procesamiento y memoria requeridos para la administración de la red.

- Una MIB (Management Information Base) es una base de datos de objetos y sus valores que están organizados jerárquicamente, y almacenados en un agente SNMP.

- SNMP define un estándar separado para los datos gestionados por el protocolo.

- A una colección de objetos gestionados relacionados, definidos en un documento, se le llama módulo MIB (Management Information Base).

- La MIB (Base de administración de información), se emplean para almacenar información estructurada sobre los elementos que integran la red y sus atributos.

- LA Base de Información de gestión (MIB), es una base de datos jerárquica, que se estructura en forma de árbol y contiene a todos los dispositivos gestionados de la red.

- Para monitorizar una red se usa SNMP, tendremos un servidor que se conectará a una serie de direcciones IP almacenadas y extraerá información de los dispositivos. Para poder realizar esto debemos hacer uso de la MIB.

UD4
Autoevaluación

1. **El protocolo SNMP:**

    a. Integra la gestión de diferentes tipos de redes

    b. A es falsa

    c. Ay B son falsas

    d. Ninguna es correcta

2. **Las limitaciones SNMP son:**

    a. Posee unas limitaciones

    b. No es adecuado para la lectura de grandes cantidades de datos

    c. Mecanismos de seguridad deficientes

    d. Todas son ciertas

3. **Dispositivos administrados pueden ser:**

    a. Routers

    b. Servidores

    c. Switches

    d. Todas son ciertas

4. **Los agentes SNMP:**

   a. Contienen información de cada elemento gestionado

   b. Se implementan en el protocolo SNMP

   c. A y b son ciertas

   d. Se implementa en el protocolo ICMP

5. **Una MIB:**

   a. Es una base de datos

   b. Datos están organizados jerárquicamente

   c. A y B son ciertas

   d. Los datos se organizan secuencialmente

6. **Las alarmas son:**

   a. Traps

   b. Es una base de datos

   c. Datos están organizados jerárquicamente

   d. Sólo A es correcta

7. **El protocolo SNMP tiene 3 versiones:**

   a. SNMP v1, v2 y v3

   b. Sólo a es correcta

   c. Ninguna es cierta

   d. Todas son ciertas

8. **Sobre el protocolo SNMP v1 marca la falsa.**

   a. SNMP es igual que SNMPv3

   b. Está documentado en las RFCs 115, 1157,1212, y 1213

   c. Intercambia información de red mediante mensajes PDU

   d. No estaba pensado para gestionar grandes redes

9. **Sobre el protocolo SNMP v2 marca la verdadera:**

   a. También se le conoce como SNMP trap

   b. No estaba pensado para gestionar grandes redes

   c. Se implementó en el año 1990

   d. Soporta señalización extendida de errores

10. **Algunas herramientas que usan SNMP. Son todas excepto:**

    a. RRDTool

    b. NAGIOS

    c. PRGT Network Monitor

    d. Cain y Abel

UD5

Análisis de la especificación de monitorización remota de red (RMON)

5.1.   Explicación de las limitaciones de SNMP y de la necesidad de monitorización remota en redes

5.2.   Caracterización de RMON

5.3.   Explicación de las ventajas aportadas

5.4.   Descripción de la arquitectura cliente servidor en la que opera

5.5.   Comparación de las versiones indicando las capas del modelo TCP/IP en las que opera

5.6.   Ejemplificación de usos

5.1. Explicación de las limitaciones de SNMP y de la necesidad de monitorización remota en redes

El protocolo SNMP tiene muchas limitaciones entre ellas es que no es adecuado para gestionar grandes cantidades de datos.

Otras limitaciones de este protocolo son:

– No hay respuesta de si los traps han llegado a la entidad gestora o no

– Su mecanismo de autentificación es muy simple

– NO es adecuado para redes muy grandes o complejas

– La MIB es muy limitada y no soporta operaciones complejas

– No soporta comunicaciones gestor-gestor

– Limitaciones si se necesita información muy diferenciada del uso del ancho de banda

– No es conveniente para volúmenes de datos muy grandes

– Los traps no tienen acuse de recibo

– La autentificación es trivial

– No soporta comandos imperativos

– No ofrece comunicación entre usuario y administrador

Se hace necesario monitorear las redes para identificar correctamente errores en la red y en los dispositivos de red, antes de que ocurra un mal mayor. El problema con SNMP es que no se puede acceder remotamente a la información de red sin ser ineficaz. Por ello surge la monitorización remota con RMON, que en realidad es un extensión de SNMP.

Con RMON podemos gestionar la red como un todo, y acceder a la información de forma remota usando SNMP.

Por otra parte la información es almacenada en una MIB de gestión que se llama MIB RMON.

Como ventaja adicional, es que la sonda RMON realiza parte del procesamiento de la información de gestión y su monitorización es configurable. Además detecta localmente los fallos e informa al gestor principal de los eventos ocurridos.

Usando RMON se decrementa el consumo de recursos de la red, así como en la estación central de gestión.

Mientras que SNMP recoge sólo un tipo de información de la redMIB (Management Information Base) RMON1 define nueve tipos adicionales de MIBs que amplían la información acerca del uso de la red. Para que una RMON funcione, los dispositivos de la red, deben tener soporte RMON.

Importante

Pese a todo SNMP es más usado y sencillo de implementar que RMON.

5.2.   Caracterización de RMON

RMON (Remote monitor) es un protocolo que permite la monitorización remota de redes, es decir, nos permite analizar y vigilar los datos del tráfico de red en los segmentos alejados de la LAN, logrando capturar la información en tiempo real de toda la red.

El estándar de RMON es una definición para Ethernet, que forma parte del protocolo TCP/IP que permite que la información de una red sea recolectada por una sola estación de trabajo.

RMON consta de un software agente que funciona en un dispositivo de red como por ejemplo un router o un swicht, que puede estar dedicado o no y que se llama sonda ("probe"). Esta sonda funciona en modo promiscuo.

Las sondas son estaciones que reúnen datos remotos en RMON, en general tienen la misma función que un agente SNMP. Se ubican en cada segmento monitoreado de la red y reúnen los datos especificados de cada segmento y los derivan a la consola de administración.

Una sonda tiene capacidades de RMON, en cambio, agente no las tiene.

Al igual que con SNMP una consola de administración central es el punto de reunión de datos.

Estas sondas pueden ser hosts dedicados, residentes en un servidor, o se pueden incluir en un dispositivo de red como un router o switch.

Red con sondas RMON

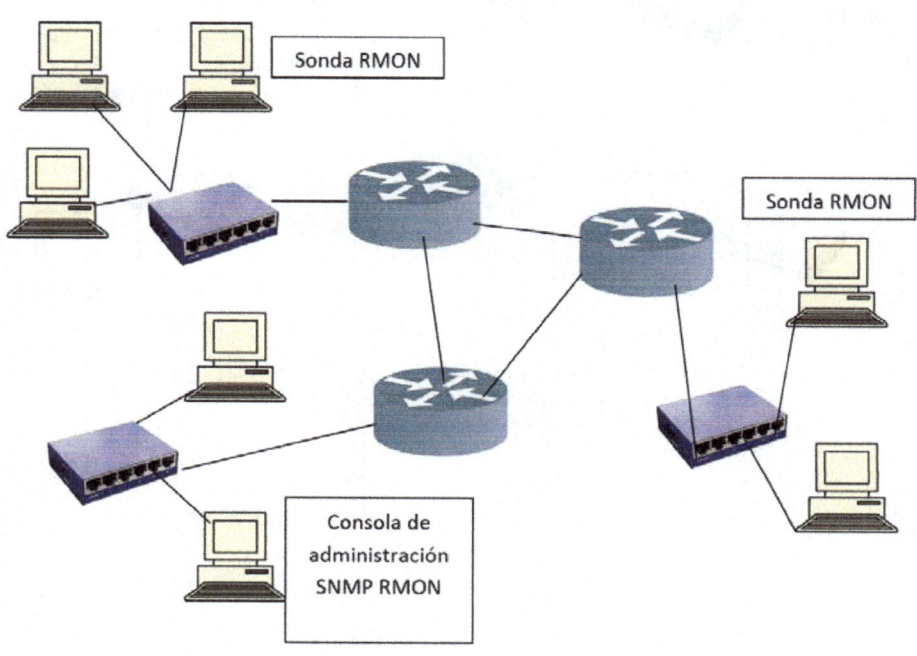

Podemos tener consolas de administración dual lo cual es importante ya que, si una de las consolas falla, la otra todavía puede seguir monitoreando y controlando la red hasta podamos reparar la primera consola.

Las consolas de administración redundantes nos ofrecen una función valiosa para la red, entre otras cosas porque permiten la capacidad para que varios administradores de red, en diferentes ubicaciones físicas, puedan monitorear y administrar la misma red. Por ejemplo, uno en Madrid y otro en Barcelona.

Red con consolas de administración dual

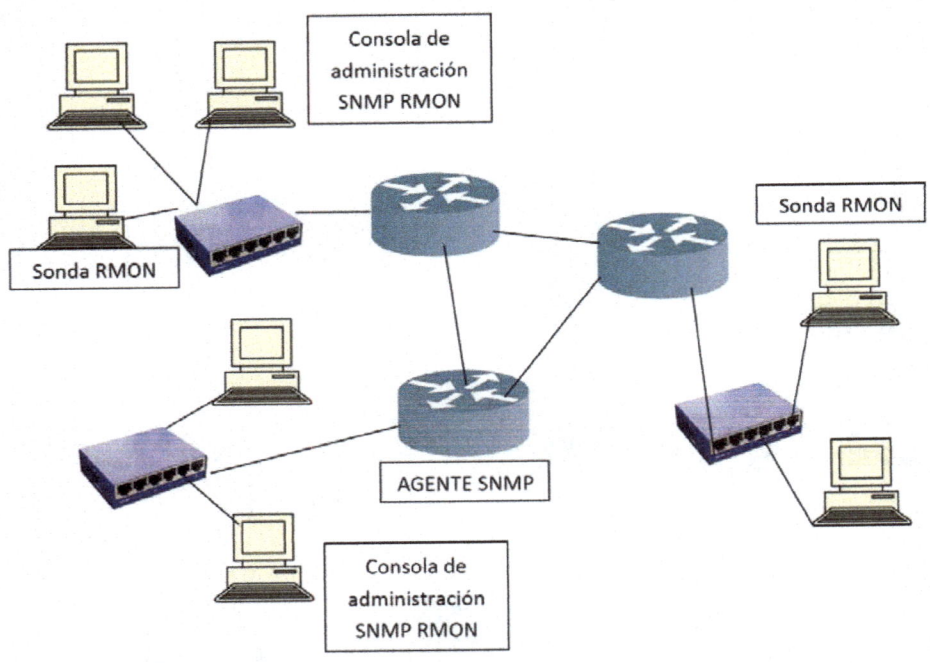

Importante

RMON permite analizar el tráfico de red y vigilarlo dentro de segmentos que están alejados de la LAN, con lo que podemos diagnosticar y aislar muchos problemas.

RMON define una MIB mejora y amplia las funcionalidades ofrecidas por MIB-II además no hay que realizar cambios en el protocolo de gestión SNMP. Nos permite obtener información sobre la red y no sobre los dispositivos conectados a la red como es el caso de MIB-II

Las ventajas de usar RMON son:

– **Operación off-line:**

En caso de fallos en la conexión entre el monitor RMON y la estación de gestión de red, el monitor sigue recolectando información de la red.

Así, cuando se restaure la conexión el monitor enviará la información requerida por éste. La operación off-line disminuye mucho el ancho de banda que se necesita para gestionar la red.

– **Detección y reporte de fallos:**

El monitoreo preventivo permite detectar un fallo antes de que se produzca. Esto es así debido al análisis del rendimiento y el tráfico de la red.

El monitor RMON puede detectar automáticamente los cambios si se configura previamente, y en caso de ocurrir algo, registra el evento y envía un mensaje de notificación al gestor de red.

– **Datos con valor agregado:**

El monitor de red realiza análisis de la información recolectada de la subred que gestiona. Es capaz de detectar situaciones como qué estaciones generan mayor tráfico de red, o errores.

– **Múltiples Gestores de red:**

Si la red es muy grande o tiene muchas subredes se puede usar más de un gestor de red.

El monitor RMON puede estar en un dispositivo dedicado para ejecutar este servicio, o ser un proceso que se ejecuta en un dispositivo de la red, como por ejemplo un Router o un Switch. Es importante saber que no todos los monitores de red soportan RMON.

Las Operaciones que realiza RMON son:

– Monitorización mediante tablas de datos.

– Configuración mediante filas en tablas de control.

– Invocar acciones como generar alarmas.

En la MIB RMON se definen varios objetos que representan estados, y se llevan a cabo acciones cuando el gestor de red cambia el estado de uno de estos objetos de la MIB RMON.

Con la extensión RMON del protocolo SNMP se crean nuevas categorías de datos, que se adicionan a la base de datos MIB. Estos datos pueden implementarse por completo o sólo una parte de ellos.

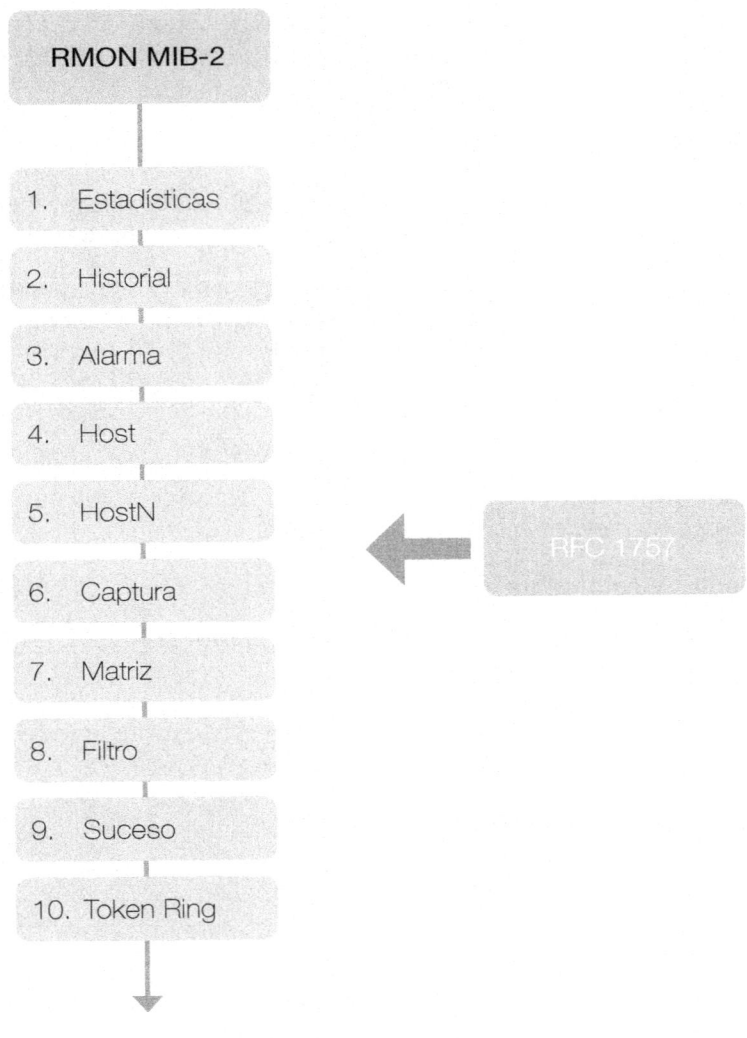

Árbol MIB con extensión RMON

Entre las categorías mencionadas se encuentran:

— **Grupo de estadísticas de Ethernet**

Para cada subred monitoreada que incluyen entre otras:

- Contadores (incrementales a partir de cero) para bytes, paquetes, errores y tamaño de trama

- Vista de la carga total y el estado de una subred midiendo diferentes tipos de errores, como CRC, colisiones, paquetes de tamaño demasiado grande o pequeño.

- Recoge estadísticas sobre la carga de la red e informa de diversos fallos:

  › Error alineación CRC

  › Colisiones de red

  › Paquetes con tamaños incorrectos

- La tabla para este grupo es "etherStatsTable": cada fila de la misma representa un ensamble de la red Ethernet.

- Esta tabla está compuesta por cuatro objetos más:

  › etherStatsIndex (entero)

  Identifica cada fila que se crea con un entero.

  › etherStatsDataSource (String)

  Señala a la interfase a la que hace referencia la fila

  › etherStatsOwner (OwnerString)

  Identifica a la estación de gestión que ha creado la fila en la tabla.

  › etherStatsStatus (EntryStatus)

  Identifica el estado de la fila.

- Los objetos etherStatsDataSource (String), etherStatsOwner (OwnerString) y etherStatsStatus (EntryStatus) tienen permiso de lectura/escritura.

- **Grupo de control de historial**

  - Contiene una tabla de datos que registra muestras de los contadores en el Grupo de estadísticas de Ethernet durante un período de tiempo especificado.

  - 25 horas de monitoreo continuo.

  - Se almacena constantemente nueva información que se puede comparar con la original.

  - Está formado por cuatro tablas:

    › historyControlTable

    › etherHistoryTable

    › tokenRingMLHistoryTable

    › tokenRingPHistoryTable

  - Si el gestor necesita obtener información sobre la evolución de ciertos parámetros de la red en función del tiempo, creará una nueva fila en la tabla de control que incluye los datos que se muestran a continuación, y a su vez el monitor RMON crea otra fila en la tabla de la interfase para cada una de las muestras tomadas que se puede comparar con el fin de detectar cambios en la red.

    › Interfase de la que se quieren obtener los datos.

    › Cantidad de muestras a almacenar.

    › Intervalo entre muestras.

- **Grupo de alarma**

  - Utiliza límites especificados por el usuario, llamados umbrales.

  - Si se superan los umbrales, se envía un mensaje al administrador o persona designada para la recepción de alarmas.

  - Este proceso, conocido como trap de errores.

  - Permite la automatización de muchas funciones de monitoreo de red.

  - Importante para diagnosticar fallos y errores de la red en el mantenimiento preventivo de la misma.

  - El grupo consiste en una única tabla "alarmTable"

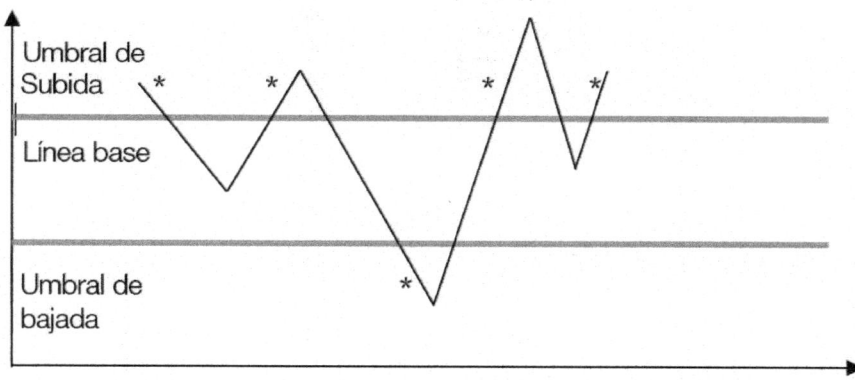

Umbrales en función de una línea base de correcto funcionamiento

– **Grupo de host**

- Contiene contadores para cada host detectado en el segmento de subred que informan de la cantidad total de paquetes, paquetes recibidos, paquetes enviados, y otras cosas.

- Almacena información de cada uno de los host que detecta el explorador.

- Este grupo tiene tres tablas:

  › Una tabla de control

    hostControlTable

  › Dos tablas de datos

    - hostTable

    - hostTimeTable

- El explorador RMON puede descubrir nuevos hosts en una LAN mediante las direcciones MAC fuente/destino que son enviadas a través de la red.

- Los datos que se guardan en la tabla son:

  › Paquetes entrantes.

  › Paquetes salientes.

  › Octetos entrantes.

> › Octetos salientes.

> › Paquetes erróneos enviados por el host.

> › Paquetes broadcast enviados por el host.

> › Paquetes multicast enviados por el host

— **Grupo de host TOPN**

- Se usa para preparar informes acerca de un grupo de hosts que encabezan una lista estadística de acuerdo con un parámetro medido. Por ejemplo, para los diez hosts que generan más broadcasts por día

- Nos ofrece una sencilla manera de determinar quién y qué tipo de tráfico de datos ocupa la mayor parte de la subred seleccionada.

- El grupo se compone de dos tablas:

> › Tabla de control "hostTopNControlTable"

> › Tabla de datos "hostTopNTable"

— **Grupo de matriz**

- Registra la comunicación de datos entre dos hosts en una subred bajo la forma de una matriz

- Permite realza intervalos de mediciones.

- Está compuesto de una tabla de control "matrixControlTable" y dos de datos "matrixSDTable" y "matrixDSTable"

- El gestor debe creará una nueva fila en la tabla de control que incluye la interface de subred de la que se desea obtener la información.

- En el momento en que el monitor reconoce la nueva fila en la tabla de control va generando las filas necesarias en las dos tablas de datos, que por tanto, tienen la misma información organizada de dos formas diferentes, en la tabla matrixSDTable se ordenan los datos primeramente por el índice y después por la dirección de fuente, en último lugar quedaría la dirección de destino, en el caso de la tabla matrixDSTable, es justo al revés, solo la información del índice queda en primer lugar.

- La información que contienen las tablas anteriores es:

> › Dirección MAC de fuente.

> › Dirección MAC de destino.

› Índice de la tabla.

› Paquetes enviados de fuente a destino (matrixSDTable) o vice-versa (matrixDSTable).

› Octetos enviados de fuente a destino (matrixSDTable) o vicever-sa (matrixDSTable).

› Paquetes erróneos enviados de fuente a destino (matrixSDTable) o viceversa

› (matrixDSTable).

— **Grupo de filtro**

· Se pueden filtrar datos específicos.

· Con esta herramienta RMON posee diversas herramientas para que un equipo gestor pueda pedir a un monitor que investigue un grupo de paquetes seleccionados o una interfaz concreta.

· En este grupo hay dos tipos de filtros

› **Filtro de datos:**

- Este filtro hace que el monitor pueda observar a los paquetes, dado un patrón de bits predeterminado.

- Se puede indicar que los paquetes que pasen el filtro sean los que coincidan con el patrón de bits o al contrario.

› Filtro de estado:

Observa los paquetes que se encuentran en un estado concreto, por ejemplo, los que son válidos o los que tienen errores CRC.

· Podemos combinar filtros usando operaciones lógicas como AND y OR, y así crear filtros más complicados y exactos.

· Cuando se crea un filtro se crea un canal por donde solamente pasan los datos que superen la prueba especificada en el filtro, y se contabilizan los que pasan.

- Es posible configurar el monitor para que cuando un paquete pase por el filtro, se genere un evento determinado previamente definido en el grupo event, o que el paquete se capture si está activado el grupo capture.

Funcionamiento del canal:

El objeto channelAcceptType puede tomar los valores acceptMatched(1) o acceptFailed(2).

Si estamos ante el valor acceptMatched los paquetes que pasan por el canal serán los aceptados cuando estos pasan dos filtros el de estado y el de datos. En el valor acceptFailed,los paquetes se aceptan si no superan uno de los dos filtros.

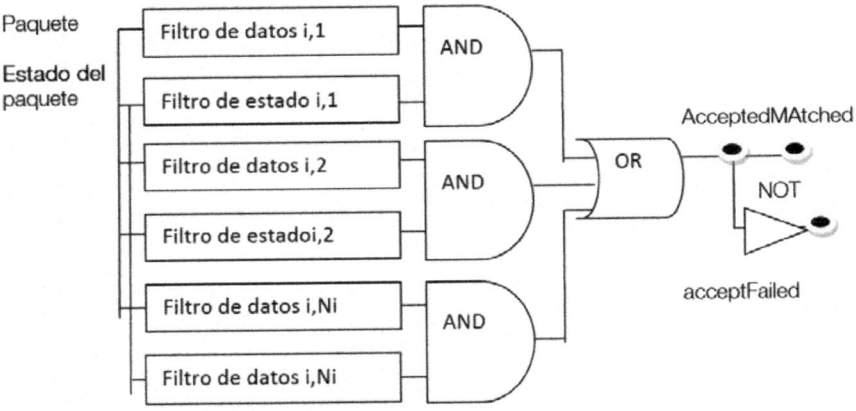

El grupo filter está formado por dos tablas de control:

- **channelTable**

- **filterTable.**

Cada fila de la tabla filterTable define un nuevo filtro y cada fila en la tabla channelTable define un nuevo canal que está asociado con uno o más filtros definidos en filterTable.

Los objetos que podemos definir en la tabla de filtros son:

- Número del canal al que está asociado el filtro.

- Bits que se comparan con cada paquete.

- Máscara de inversión

- Estado de los paquetes que define si pueden pasar el filtro de estado.

- Máscara a aplicar en el proceso de comparación para el filtro de estado.

Así mismo se definen una serie de objetos en la tabla del canal:

- channelAcceptType: o tipo de canal que puede ser.

    › acceptMatched.

    › acceptFailed.

- channelDataControl:

    › Valor ON permite que los datos, el estado y los eventos pasen por el canal.

    › Valor OFF, no pasan los datos.

- channelTurnOnEventIndex: cuando se genera un evento en particular hace que este objeto cambie el estado de channelDataControl a on.

- channelTurnOffEventIndex: cuando se genera un evento en particular hace que este objeto cambie el estado de channelDataControl a off.

- channelEventIndex: Especifica el evento al que está asociado el canal.

- channelEventStatus: Si hay algún evento relacionado con el canal el objetos se identifica de diferentes formas:

    › eventReady: se genera un evento tras ello pasa al estado eventFired.

    › eventFired: no se generan eventos.

    › eventAlwaysReady :todos los paquetes generan un evento.

- channelMatches: paquetes que atravesaron el canal.

- channelDescription: Descripción en texto del canal.

– **Grupo de captura de paquetes**

- Permite que el administrador especifique un método para capturar paquetes que hayan sido seleccionados por el grupo de filtro, y así verificar la información detallada.

- Está formado por la tabla de control bufferControlTable y la de datos captureBufferTable.

- Las filas de la tabla de control definen el buffer que almacena los paquetes que son capturados

- Características modificables del buffer:

  › Máximo número de octetos que serán almacenados de cada uno de los paquetes a partir de su inicio.

  › Mayor número de octetos que se devuelven en cada ocasión por cada pedido SNMP de un paquete.

  › Máximo número de octetos que puede almacenar el buffer.

  › Indicación del número de paquetes almacenados en el buffer.

  › Podemos configurar el buffer de dos formas

    - Cuando el buffer se llene se elimina el paquete más antiguo para almacenar el nuevo.

    - Otra opción es que una vez esté completo el buffer no se capturan más paquetes.

- En las filas de la tabla de datos se almacenan:

  › Paquete capturado

  › Tiempo en ms desde el inicio de la captura hasta el final

  › Longitud del paquete

– **Grupo de sucesos (Event)**

- Contiene sucesos generados por otros grupos en la base de datos MIB.

- Se puede generar una acción a partir de un suceso, como emitir un mensaje de advertencia o crear una entrada registrada en la tabla de sucesos.

- Se genera un suceso para todas las operaciones de comparación en las extensiones MIB RMON.

- Se compone de una tabla de control y otra de datos:

  › Control: eventTable

  Cada fila tiene un objeto diferente y se generan los siguientes eventos:

- Ninguno.

- Enviar un Trap.

- Guardar evento en la tabla de datos.

- Enviar Trap y guardar el evento.

  › Datos: logTable

  Almacena los siguientes datos cuando se guarda un evento:

  - Índice del evento en la tabla de control que generó esta fila.

  - El tiempo en que se generó el evento

  - Descripción del evento generado

- **Grupo Token Ring**

  Existe un décimo grupo que guarda estadísticas y estado de los equipos token ring, e informa a cerca del estado de los anillos monitoreados

RMON se compone de:

- Agente colector

  · Es el encargado de recoger los datos estadísticos de los equipos pertenecientes a la red.

  · Almacena sus datos en la MIB RMON

- Estación de gestión

  Es el equipo que ejecuta la aplicación que gestiona la red.

Los tipos de sondas pueden ser:

- Sondas aisladas

  Son equipos especializados que se conectan a un segmento de red para así monitorizar los equipos que están cerca

- Sondas Integradas

  Están integradas en los equipos de red bien en su firmware o en tarjetas de expansión.

Uso de gestores múltiples

Cuando se comparte el explorador RMON, se puede acceder a él a través de distintos gestores de red y en este caso se generan conflictos, veamos algunos de ellos y cómo pueden subsanarse.

Conflictos

–   Cuando se realizan pedidos mediante varios gestores de forma simultánea, ocurre que la suma de la cantidad de recursos demandados supera la capacidad del gestor explorador de RMON, y no se pueden atender las peticiones requeridas por los recursos por lo que es posible que alguno de los pedidos no se ejecute.

–   Si una de las estaciones de gestión secuestra los recursos del monitor durante bastante tiempo, esto hará que otra estación no pueda tener acceso a los datos por falta de recursos.

–   Además los recursos pueden estar señalando a un gestor que en ese momento haya padecido un error o fallo y que no haya liberado previamente la los recursos.

Cómo evitar los conflictos

En la tabla MIB RMON define una columna en todas las tablas de control que apuntan al propietario de cada fila, y que se usa de la siguiente forma:

–   Un gestor puede liberar los recursos que tiene y que ya no son necesarios, es decir, puede reconocerlos.

–   Los operadores de red pueden ver lo que está sucediendo y liberar los recursos, igualmente si son otros operadores los que hayan reservado la autorización para la liberación de los recursos.

–   Un gestor que se ha reiniciado es capaz de reconocer los recursos que tenía antes del reinicio y liberar los que no son necesarios en ese momento.

Importante

La etiqueta de propietario debe contener alguno de estos datos: dirección IP, nombre estación de gestión, ubicación de la gestión de estación, administrador y un nº de teléfono. No es necesario que todos los datos estén completos, pero sí uno o más.

A saber, que la etiqueta propietario no ofrece seguridad de ningún tipo a los objetos relacionados con ella, por lo que cualquier otro gestor de red es capaz de leer los datos, modificarlos o incluso borrarlos, siempre y cuando tengan permisos de lectura/escritura.

El gran problema de compartir recursos, es que un propietario de una fila la borre de la tabla, porque ya no sea usada por él, aunque si la están usando otros gestores, que por supuesto ya no tendrán acceso a esa información.

5.3. Explicación de las ventajas aportadas

Ventajas generales

–   Monitorización configurable de la sonda RMON.

–   Detector de fallos local

–   Gestor de fallos

–   Recolecta información de varios gestores.

–   Almacena la configuración que recibe de los gestores en tablas

–   Menor consumo de los recursos de la red y de la estación central de gestión.

Ventajas RMON v1 definida en la RFC 1757

– Ofrece información de gestión en las capas física, y de control de acceso al medio (MAC)

– Incorpora a la MIB II de SNMP la RMON MIB v1 (en el subgrupo 16) con 9 características adicionales para Ethernet y una para Token Ring.

Ventajas RMON v2 definida en la RFC 2021

– Mayor énfasis en el monitoreo del tráfico IP y en el del nivel de aplicación

– Proporciona información de gestión de los niveles de red y de aplicación

– Permite analizar el flujo de información entre subredes

– Añade 10 subgrupos nuevos a la RMON MIB v1.

5.4. Descripción de la arquitectura cliente servidor

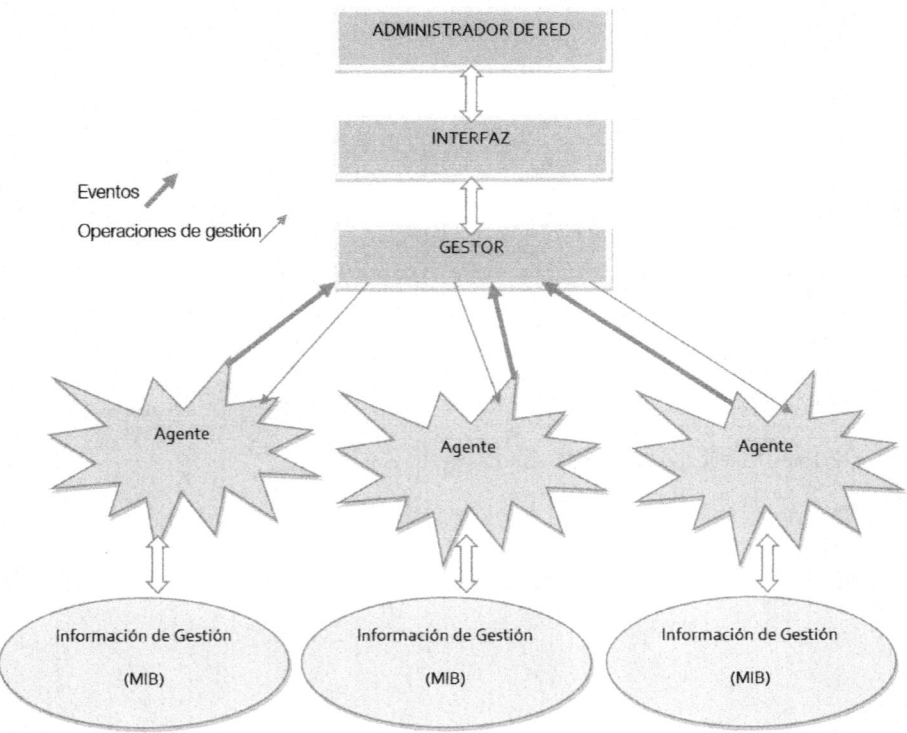

5.5. Comparación de las versiones indicando las capas del modelo TCP/IP en las que opera

El modelo OSI es el que ideal o teóricamente describe las comunicaciones con una familia de protocolos, está compuesto de 7 capas:

7. Aplicación

6. Sesión

5. Presentación

4. Transporte

3. Red

2. Enlace de datos

1. Física

El modelo TCP/IP es parecido pero no se corresponde con las capas del modelo OSI, ya que incorpora varias de sus capas en una como es el caso de las capas de aplicación, sesión y presentación que se engloban en el modelo TCP/IP en una única capa, la de aplicación.

Modelo TCP/IP	Monitoreado por
Aplicación	
Transporte	RMON V2
Red	
Enlace (MAC)	RMON V1
Físico	

5.6. Ejemplificación de usos

Cómo saber si es necesario segmentar una red que dispone de un hub

Mediante la siguiente fórmula con datos obtenidos mediante la sonda RMON.

$$Bit-rate = 8 \frac{etherStatObjects\ t1 - etherStatOctects\ t0}{t1 - 10}$$

$$Utilización = \frac{bit-rate}{ifSpeed}$$

Si el uso (utilización) está por encima del 50% conviene segmentar la red

Además si la tasa de colisiones es mayor al 5% de los paquetes que colisionan, también habría que segmentar la red.

$$Colisiones = \frac{etherStatCollisions\ t1 - etherStatCollisions\ t0}{etherStatsPkts\ t1 - etherStatPkts\ t0}$$

Saber si es conveniente a la hora de diseñar la red segmentar mediante un switch o un router.

El factor más importante a tener en cuenta es el de paquetes de broadcast.

Si el tráfico broadcast supera el 30% de paquetes por segundo tendremos problemas.

Usamos la siguiente fórmula:

$$\text{Broadcast rate} = \frac{\text{etherStatsBroadcastPkts } t1 - \text{etherStatsBroadcastPkts } t0}{t1 - t0}$$

Es mejor mantener los host con mayor % de tráfico en el mismo sitio del dispositivo de interconexión

Si comprobamos el grupo matrix de RMON v1, se pueden saber los nodos con mayor tráfico.

Router

Caso 1

Un fabricante de ordenadores implementa unas simulaciones sobre la intranet de la empresa, lo que necesita de la máxima velocidad de la red, esta simulaciones empezaron a ser lentas y se echó la culpa a que no se disponía de suficiente ancho de banda por lo que se exigía que la tecnología LAN existente fuera reemplazada con una de mayor velocidad, por ejemplo fibra óptica.

Solución:

—   Analizar los logs de tráfico de las sondas RMON

—   Elaborar gráficas donde se muestren el uso y el máximo uso de los equipos de la red

Resultado:

Tras el análisis se obtiene:

—   Que el uso del ancho de banda de las LAN nunca fue superior al 10%

—   Que el equipo de más tráfico de la red era un terminal que tenía funcionando un protector de pantalla muy complejo desde el servidor que era el culpable del uso del ancho de banda.

Gráfico de crecimiento

Caso 2

En una empresa se tiene una intranet enrutada, redundante y con topología en malla en el backbone de la WAN al que se conectas las LAN. Cada x tiempo en un momento concreto del día los usuarios remotos llaman al Helpdesk refiriendo problemas de comunicación con el centro de datos. El problema desaparece en una hora aproximadamente.

Solución:

Se colocaron agentes RMON en las LAN que estaban conectadas a los enlaces WAN, para poder conocer el comportamiento del tráfico de las mismas.

Se fijaron umbrales para el caso en que hubiera una desviación del rango adecuado de tráfico, y para que se activara una alarma si esta desviación ocurría

En los momentos en que surgía el problema un agente disparaba la alarma ya que el tráfico era ente 10 y 13 veces por encima de lo normal.

Se detectó así que el problema estaba en dos puertos del router de la LAN que se conectaban a la WAN. Se demuestra también que el groso del tráfico de la LAN venía de la WAN y estaba destinado a estaciones fuera de la red local.

Además se vio que el router que generaba el problema calculaba mal sus tablas de asignación de rutas, y en lugar de enrutar el tráfico dentro de la malla WAN lo desviaba a la LAN desde donde se volvía a enrutar a la WAN.

Se optó por cambiar el protocolo de enrutamiento y las listas de acceso al router.

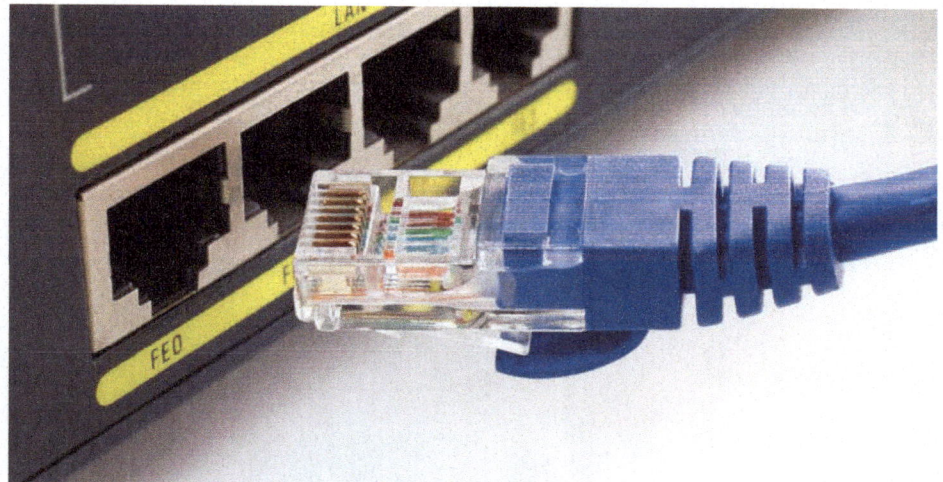

Interfaz LAN

UD**5**
Lo más importante

- El protocolo SNMP tiene muchas limitaciones entre ellas es que no es adecuado para gestionar grandes cantidades de datos.

- Con RMON podemos gestionar la red como un todo, y acceder a la información de forma remota usando SNMP.

- RMON (Remote monitor) es un protocolo que permite la monitorización remota de redes, es decir, nos permite analizar y vigilar los datos del tráfico de red en los segmentos alejados de la LAN, logrando capturar la información en tiempo real de toda la red.

- Las consolas de administración redundantes nos ofrecen una función valiosa para la red, entre otras cosas porque permiten la capacidad para que varios administradores de red, en diferentes ubicaciones físicas, puedan monitorear y administrar la misma red. Por ejemplo, uno en Madrid y otro en Barcelona.

- Con la extensión RMON del protocolo SNMP se crean nuevas categorías de datos, que se adicionan a la base de datos MIB.

UD5
Autoevaluación

1. **El protocolo SNMP tiene limitaciones:**
   a. SNMP v1, v2 y v3
   b. Verdadero
   c. Ninguna es cierta
   d. Todas son ciertas

2. **RMON:**
   a. Es un protocolo que permite la monitorización remota de redes
   b. El estándar de RMON es una definición para Ethernet
   c. A y b son ciertas
   d. Ninguna es cierta

3. **RMON:**
   a. Consta de un software agente que funciona en un dispositivo de red
   b. Puede estar dedicado o no
   c. Se llama sonda ("probe")
   d. Todas son ciertas

4. **Las consolas de administración dual son:**

   a. Importantes ante fallos

   b. Son redundantes

   c. A y B son ciertas

   d. Ninguna es verdadera

5. **Ventajas RMON v2:**

   a. Mayor énfasis en el monitoreo del tráfico IP y en el del nivel de aplicación

   b. Proporciona información de gestión de los niveles de red y de aplicación

   c. Permite analizar el flujo de información entre subredes

   d. Todas son ciertas

6. **Respecto a RMON señala la falsa:**

   a. RMON no es configurable

   b. Ofrece información de gestión en las capas física, y de control de acceso al medio (MAC)

   c. Incorpora a la MIB II de SNMP la RMON MIB v1

   d. Proporciona información de gestión de los niveles de red y de aplicación

7. **En la arquitectura cliente servidor, señala la verdadera:**

   a. El modelo cliente servidor se basa en las redes P2P

   b. El servidor demanda los recursos del cliente

   c. Los recursos se centralizan en el cliente

   d. El servidor es el que aporta los recursos

8. **En el modelo TCP/IP señala la falsa:**

   a. Cambia el número de capas

   b. Es parecido al modelo OSI

   c. Tiene 7 capas

   d. Incorpora varias de sus capas en una como es el caso de las capas de aplicación, sesión y presentación que se engloban en el modelo TCP/IP en una única capa, la de aplicación.

9. **Cómo saber si es necesario segmentar una red que dispone de un hub. Señala la falsa:**

   a. Mediante los datos obtenidos de la sonda RMON

   b. Usando la fórmula Bit-rate

   c. Si el uso (utilización) está por encima del 50% conviene segmentar la red

   d. No se puede saber

10. **Saber si es conveniente a la hora de diseñar la red segmentar mediante un switch o un router. Señala la verdadera.**

   a. El factor más importante a tener en cuenta es el de paquetes de broadcast

   b. Si el tráfico broadcast supera el 30% de paquetes por segundo tendremos problemas

   c. Usamos la fórmula Broadcast rate

   d. Todas son ciertas

UD6

Monitorización de redes

6.1.   Clasificación y ejemplificación de los tipos de herramientas de monitorización

    6.1.1.   Diagnóstico

    6.1.2.   Monitorización activa de la disponibilidad:SNMP

    6.1.3.   Monitorización pasiva de la disponibilidad: NetFlow y Nagios

    6.1.4.   Monitorización del rendimiento: Cricket, MRTG, Cacti

6.2.   Criterios de identificación de los servicios a monitorizar

6.3.   Criterios de planificar los procedimientos de monitorización para que tengan la menor incidencia en el funcionamiento de la red

6.4.   Protocolos de administración de red

6.5.   Ejemplificación y comparación de herramientas comerciales y de código abierto

6.1. Clasificación y ejemplificación de los tipos de herramientas de monitorización

La detección de fallos en la red a tiempo es crucial para poder ofrecer un buen servicio a los usuarios de la red, por ello es de vital importancia contar con mecanismos que nos notifiquen los fallos y nos muestren el comportamiento de la red mediante análisis de la misma y recolección del tráfico.

Hasta no hace mucho tiempo prácticamente no se usaban sistemas de monitoreo muy sofisticados como los que se cuenta actualmente, bastaba con saber que un servidor, o cualquier otro dispositivo de red estaba operativo o no, y para ello se usaba el comando ping, que nos permite comprobar la conectividad con otros equipos de la red desde la consola de comandos.

Ejemplo

C:/ ping 192.168.0.1

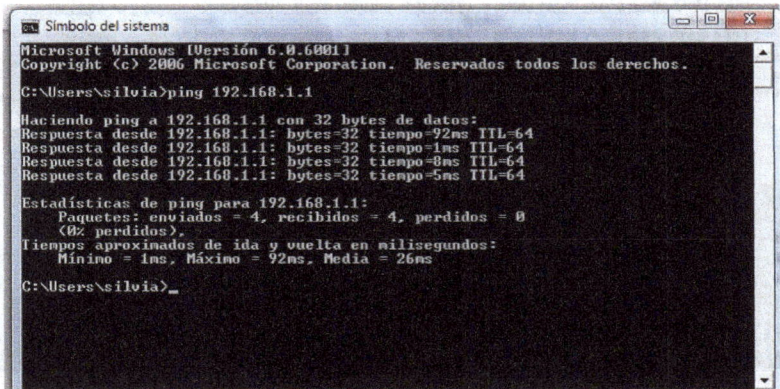

Ping en consola de comandos

Actualmente se hace necesario monitorear otros aspectos de la red, como los servicios web, ftp,etc, o saber si un usuario consume muchos recursos de la red o si sus aplicaciones y sistemas operativos están o no actualizados para hacer frente a las múltiples amenazas existentes en la red.

Los elementos a monitorear son esencialmente:

− Routers

− Switches

− Bases de datos

− Servidores

− Estaciones de trabajo

− Impresoras

Router

- Consumo de CPU

  - Medido en %

  - % uso de cada núcleo de la CPU

- Consumo de memoria

  - Mb libres

  - Mb usados

  - Aplicaciones que usan la memoria

  - Mb disponibles.

  - Memoria virtual

- Estado físico de las conexiones

- Tipo de tráfico

  - Entrante

  - Saliente

  - TCP o UDP

- Alarmas

- Espacio de disco disponible

- Ancho de banda disponible, etc…

Existen varios enfoques atendiendo al tipo de monitoreo, técnicas, estrategia, métricas…

En general, los tipos de monitoreo son activos o pasivos

- Activos:

  - Se introducen paquetes de prueba en la red

  - Se envían paquetes de prueba midiendo los tiempos de respuesta de las aplicaciones

  - Miden el rendimiento de la red.

  - Basado en ICMP, TCP y UDP.

– Pasivos

Recolectamos y analizamos el tráfico de red usando: SNIFFERS, Aplicaciones monitoreo, análisis de tráfico, etc.

UN escáner activo genera mucho tráfico de red, en cambio uno pasivo es menos invasivo, por lo que hay que tener en cuenta cosas como en qué momento realizaremos un escáner activo y que no perjudique demasiado el rendimiento de la red. Eso sí, con un monitoreo activo podemos resolver problemas mucho más rápido y generar alertas, antes de que los usuarios se percaten del problema.

En relación a las métricas es importante definirlas para poder establecer patrones de comportamiento de los dispositivos a monitorear, se asignará un valor o umbral que nos guiará acerca del patrón de comportamiento que deben seguir esos dispositivos, y nos alertará en caso de que esos umbrales se sobrepasen, como por ejemplo si hemos asignado una cuota de disco a un usuario y este está llegando a su límite.

Algunos ejemplos de métricas son:

– Métricas de uso de la CPU y memoria RAM

– Métricas a cerca del estado de las interfaces (up/down)

– Métricas sobre el uso del disco duro.

– Métricas sobre el tráfico entrante y saliente, etc...

Las métricas tienen mucho que ver con las alarmas que generan las aplicaciones de monitoreo, son avisos o eventos de algún comportamiento que no es usual o que ha sobrepasado un umbral preestablecido, a estos umbrales también se les conoce con el nombre de Threshold.

Estas alarmas pueden ser de muy diversos tipos, y no sólo relacionadas con aspectos como el tráfico de red, sino también con otros como:

– Procesamiento

– Tráfico entrante y saliente

– Ambientales (humedad, temperatura...)

– Uso de la red

– Disponibilidad

– Etcétera

La elección de las herramientas a usar para monitorear la red, depende de varios factores, económicos, humanos así como de la infraestructura.

Así mismo disponemos de herramientas comerciales (de pago) y otras basadas en software libre.

No basta tener una herramienta, sea la que sea, sino los conocimientos para poder usarla, por lo que el personal técnico debe formarse en el uso de la herramienta y conocer otros aspectos como las redes, seguridad, sistemas operativos, programación, etc.

Hay herramientas que son muy sencillas de usar y otras más complejas, en ocasiones para monitorear correctamente la red y todos sus elementos, se necesita de varias herramientas.

Lo primero para saber qué es lo que necesitamos o qué aplicaciones usar es saber cuál es el objetivo de partida y los objetivos que se persiguen. Así mismo debemos tener en cuenta que el uso de herramientas activas añade tráfico de red, por lo que puede ralentizarla, y por tanto a lo mejor es preferible un enfoque pasivo.

Importante también es saber qué es lo que queremos monitorizar, por qué y de qué recursos disponemos. Es decir debemos conocer en profundidad nuestra red, sus elementos, tanto físicos, como lógicos y humanos para poder establecer una "política" de monitoreo adecuada.

Tenemos herramientas muy simples como las que incorporan los sistemas operativos o más complejas y completas como:

–   Cacti

    Permite la monitorización de redes en tiempo real usando gráficos y recopilando datos, para ello se ayuda de una herramienta llamada RRD Tool y del protocolo de la capa de aplicación SNMP

–   Nagios

    Bajo licencia GLP, permite ver cuál es el comportamiento de elementos que forman parte de la red como son los host, servidores, routers, impresoras de red, etc. Además de controlar también diversos servicios de red como http, ssh, sql, entre otros.

–   Net-SNMP

    Permite saber los valores de las variables que son comunes en diversos dispositivos de red.

–   Mrtg

    Monitoriza la carga de tráfico de los elementos de red usando SNMP, generando gráficos en páginas html.

–   NetFlow

    Protocolo de Cisco que recolecta información referente al tráfico IP.

–   Cricket

    Aplicación de monitoreo de redes

–   Tivoli

    Software perteneciente a IBM que permite monitorizar la red y optimizar aspectos como el rendimiento y la disponibilidad, gestiona dispositivos, sistemas operativos, bases de datos, etc.

–   Hyperic

    Herramienta Open Source que monitorea y descubre aplicaciones y elementos de red

–   Wireshark...

    ·   Analizador de protocolos que nos permite analizar y resolver diversos problemas en redes.

    ·   Basado en librerías Pcap, capaz de soportar más de 500 protocolos diferentes, permite trabajar con los paquetes capturados en tiempo real o bien posteriormente si han sido almacenados.

Podríamos clasificar las herramientas que podemos usar en diversas categorías, por ejemplo:

–   Diagnóstico

–   Pasivas

–   Activas

–   De disponibilidad

–   De rendimiento

Monitoreo activo

En este tipo de monitorización de la red, se introducen paquetes de prueba y se envían a diversas aplicaciones midiendo sus tiempos de respuesta. Este tipo de monitoreo agrega tráfico a la red para medir su rendimiento.

Para ello se usan diversas técnicas:

− Basado en ICMP

   · Diagnostica problemas de conectividad

   · Detecta retardos en el envío de paquetes

   · Detecta la pérdida de paquetes

   · Nos informa de la disponibilidad de los dispositivos de red.

− Basado en TCP

   · Indica las tasas de transferencias

   · Diagnosis de problemas en la capa de aplicación

− Basado en UDP

   Nos informa de la pérdida de paquetes en un sentido

Basados en TCP y UDP son los análisis activos de puertos, que tratan de conocer que servicios están funcionando en el dispositivo enviando paquetes TCP y UDP a los puertos, así se comprueba cuáles están abiertos y cuáles no. Estos tipos de análisis o también ataques son fácilmente detectados por un IDS, pudiendo saber la IP del ordenador que envía los paquetes.

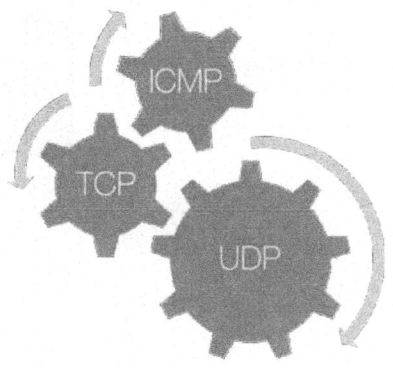

Monitoreo activo

Monitoreo pasivo

Desde este enfoque no se trata de agregar tráfico de red, sino más bien de recolectarlo y analizar el tráfico que circula por la red, para ello usaremos herramientas como los Sniffers, Caín &Abel, TCPdump, etc. Este tipo de aplicaciones almacenan los datos de los paquetes en texto plano lo que facilita su comprensión.

Las técnicas empleadas en este tipo de análisis son:

– Usando SNMP

De manera que obtendremos información sobre el uso del ancho de banda y de los traps que generan los dispositivos.

– Captura de tráfico mediante puertos espejo.

– Análisis del tráfico de red

– Flujos

– Métricas

– Alarmas

– Usando aplicaciones mediante RMON

Clasificación de los tipos de herramientas en función de su cometido

– Herramientas de diagnóstico

– Herramientas de monitorización activa

– Herramientas de monitorización pasiva

– Herramientas de monitorización del rendimiento.

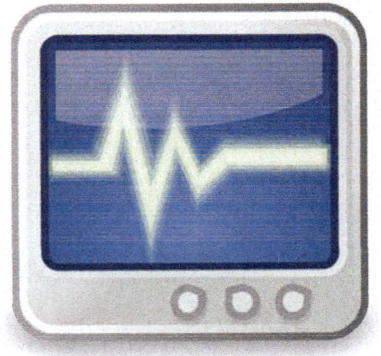

Monitoreo

Hardware de monitoreo

Existe hardware específico para monitorear una red.

– IPS/IDS

- · IDS: detecta accesos no autorizados, analiza el tráfico de red. Se encuentra integrado en el Firewall. Por sí mismo no es capaz de tomar decisiones o detener el tráfico.

    Protección reactiva

- · IPS: Controla el acceso a una red, y toma decisiones basándose en el tráfico de red, direcciones IP o puertos.

    Protección proactiva basada en:

    › Firmas

    › Políticas

    › Anomalías

    › Detección HoneyPot

Importante

HoneyPot define a un equipo trampa, esto es, un equipo, por ejemplo un servidor, que aparentemente es vulnerable, que puede ser accedido por un atacante con el fin de estudiar el comportamiento de éste y poder detectar ataques. Existen más definiciones y tipos de HoneyPot, investiga por la web para conocerlos. Un grupo de Honeypots conforman una HoneyNet.

6.1.1. Diagnóstico

Disponemos de una serie de comandos que nos pueden ayudar a interpretar y diagnosticar fallos en la red.

Ping

Nos permite comprobar la conectividad entre dos máquinas.

Para usarlo nos dirigimos a la consola de comandos (CMD), y desde allí ejecutamos el comando ping a una dirección IP.

Ping 192.168.2.4

Podemos realizar ping a una IP de nuestra red o a una remoto, a un nombre de host, a un dominio, o a nuestra propia tarjeta de red (ping 127.0.0.1).

Ping

Tracert

Este comando nos muestra las direcciones IP intermedias por las que pasa el paquete que se envía desde la máquina local y la dirección IP a la que queremos llegar. Determina la ruta tomada hacia un destino mediante el envío de mensajes de petición de eco del Protocolo de mensajes de control de Internet (ICMP) al destino con valores de campo de tiempo de vida (TTL) que crecen de forma incremental.

La interfaz casi al lado es la interfaz del router que se encuentra más cercano al host emisor en la ruta.

Tracert 192.168.2.30

Podemos añadir el modificador –d para el caso en que al hacer un ping y que no nos dé respuesta poder averiguar dónde está el error.

Tracert –d 192.168.2.30

Ipconfig

El comando ipconfig nos da información acerca de la configuración TCP/IP y nos permite también modificarla.

Este comando y sus modificadores son de utilidad cuando queremos saber cuál es nuestra dirección IP, o si está configurada manualmente o mediante dhcp, así como si tenemos una dirección IP configurada o asignada por el sistema operativo (dirección APIPA). Podremos conocer otros detalles como los servidores DNS, WINS, DHCP, máscara de subred, puerta de enlace, etc.

En la consola de comandos CMD tan sólo escribiremos IPCONFIG.

Podemos usar alguno de sus modificadores para obtener más datos de la configuración o modificarla.

IPCONFIG /ALL

Nos muestra la configuración TCP/IP completa.

IPCONFIG /RELEASE

Libera la dirección IP actual asignada mediante DHCP, es decir, anula su configuración. Se usa por ejemplo cuando el equipo no tiene conectividad con la IP configurada para después usar el siguiente comando IPCONFIG /RENEW

IPCONFIG / RENEW

Renueva una configuración TCP/IP asignada por un DHCP, esto es nos asigna una nueva dirección IP.

Es muy útil cuando no tenemos conectividad probar a hacer un IPCONFIG / RELEASE y después un IPCONFIG /RENEW.

IPCONFIG /DISPLAYDNS

Nos muestra la caché de resolución DNS con todas las entradas cargadas desde el archivo del host local y los registros de recursos que se obtienen de las peticiones de nombres resueltas.

IPCONFIG /?

Nos muestra la ayuda de IPCONFIG donde podemos ver más modificadores y su utilidad así como su sintaxis.

Netstat

Muestra el estado de la pila TCP/IP en el equipo local.

Usando sus modificadores podemos tener constancia de varias cosas:

- -a nos enseña las conexiones y puertos en escucha

- -e Muestra las estadísticas Ethernet

- -n Muestra las direcciones y números de puertos en formato numérico, por ejemplo http sería el puerto 80

- -p proto Muestra las conexiones del protocolo especificado por proto; proto puede ser tcp o udp. Utilizada con la opción –s para mostrar estadísticas por protocolo, proto puede ser tcp, udp, o ip

- -r tablas de rutas

- -s nos enseña estadísticas por protocolos

Netstat

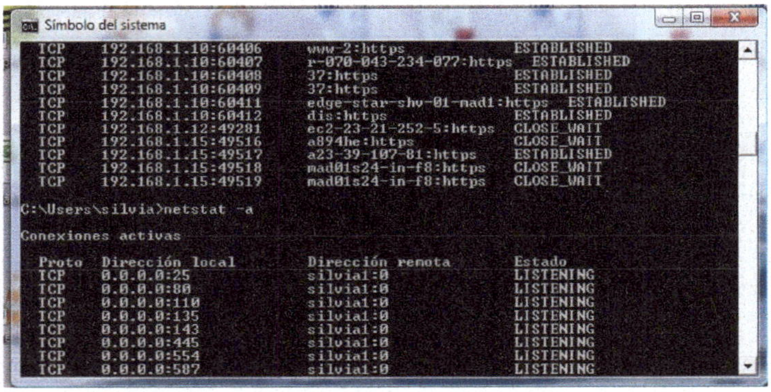

Netstat -a

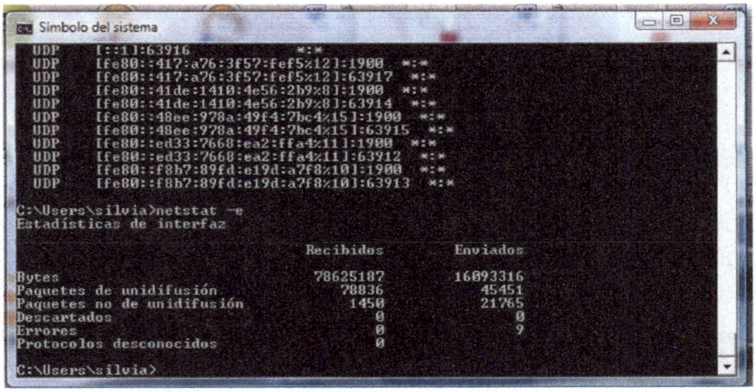

Netstat -e

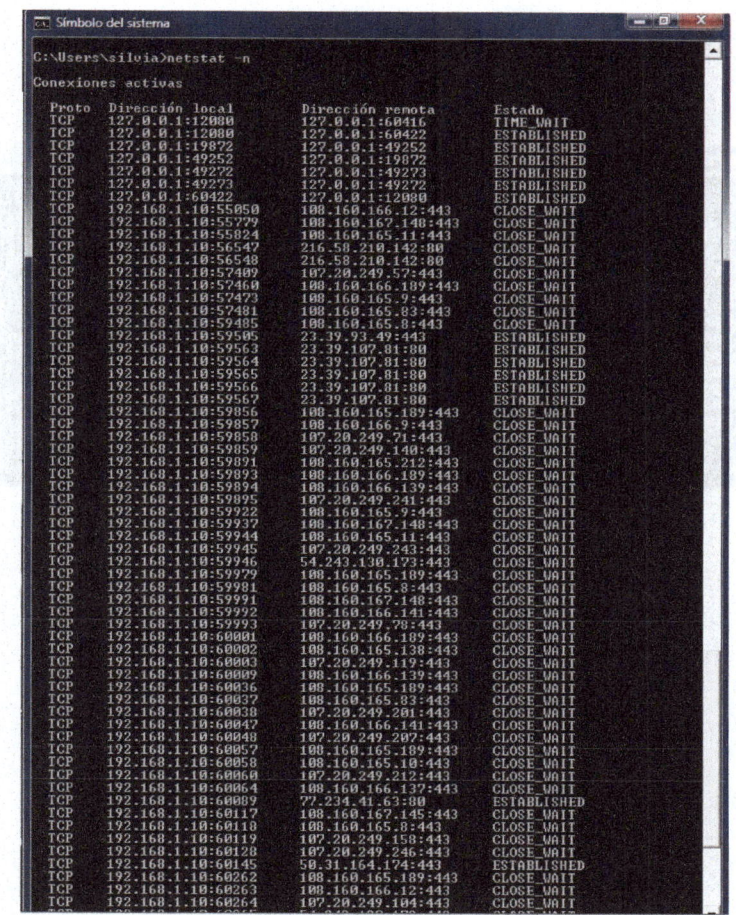

Netstat -n

Telnet

Permite la comunicación remota con un equipo.

Entraremos en la consola de comandos (CMD) y escribimos telnet seguido de la dirección IP y el puerto de conexión, que si no podemos nada se asume el puerto por defecto, que es el 23.

Telnet 192.168.9.0

Mediante telnet se pide usuario y contraseña de validación para así proteger la configuración de nuestros equipos.

Telnet

Para ejecutar telnet, ponemos el comando telnet en la consola de comandos y el nombre del servidor o ip al que nos queremos conectar

Comandos Telnet	
Comando	**Descripción**
?	Mostrar ayuda
close	Cerrar sesión Telnet
display	Mostrar la configuración de la conexión en pantalla (tipo de terminal y puerto)
entorno	Para definir las variables del entorno del sistema operativo
logout	Para cerrar la sesión
mode	Cambia entre los modos de transferencia ASCII (transferencia de un archivo como texto) y los modos BINARIOS (transferencia de un archivo en modo binario)
open	Abre otra conexión de la actual
quit	Sale de la aplicación Telnet
set	Cambia la configuración de conexión
unset	Carga la configuración de conexión predeterminada

Otras herramientas que nos permiten diagnosticar problemas en red son:

NMAP

NMAP es una herramienta que nos permite explorar redes TCP/IP y hacer sondeos de seguridad y de puertos.

Es una herramienta que se puede usar tanto para el bien, como por ejemplo cuando la usa el administrador de red, como para el mal, usada por los atacantes para explorar los puertos que tiene abiertos un equipo, saber cuál es la versión de las aplicaciones que hay detrás de los puertos y cuál es su versión y así poder explotar sus vulnerabilidades.

Su forma de funcionamiento es la siguiente, usa paquetes IP que determinan qué equipos existen disponibles, a su vez detecta los servicios, sistemas operativos, filtros de paquetes e incluso el uso de cortafuegos.

Entre sus usos podemos destacar:

– Auditorías de seguridad

– Escaneo de puertos

– Inventariado de red

– Planificación de servicios y de sus actualizaciones

– Monitorización del tiempo de actividad de los equipos

– Descubrimiento de subredes

– Análisis de penetración de equipos y redes

– Evaluar si funciona bien un cortafuegos

– Monitorización del tiempo de actividad de los servicios.

– Saber versiones y tipos de aplicaciones Y SISTEMAS OPERATIVOS, etc.

Nos ofrece un listado de todo lo que estamos analizando, con opciones e información adicional para cada caso.

Uno de sus aspectos interesantes es tabla de puertos de interés, donde nos muestra el puerto y protocolo, además del nombre del servicio que usa el puerto y su estado.

Por toda la información que nos ofrece podemos dudar de su legalidad en el sentido de que se usa para fines deshonestos, como llegar a la obtención del acceso no autorizado en un sistema.

NMAP incorpora algunas herramientas como:

— NPing

Generador de paquetes que analiza respuestas y también mide los tiempos de respuesta, también se puede usar como un simple ping.

— NCat

Permite el transporte de paquetes entre distintas redes, redirecciona el tráfico de puertos TCP y UDP a diversos destinos, permite autenticación, y se puede usar como proxy HTTP.

— Ndiff

Compara los análisis de NMap y nos muestra las diferencias, por lo que nos permite conocer cambios que se hayan hecho recientemente.

— Zenmap

Interfaz gráfica que facilita el uso de NMap.

Los estados de los puertos que nos muestra NMAP pueden ser:

— Open: abierto

LA aplicación en el equipo de destino está a la espera de recibir conexiones o paquetes por ese puerto.

— Filtered: Filtrado

Bien el cotafuegos u otro dispositivo de seguridad está bloqueando el puerto, por lo que no se puede determinar si el mismo está abierto o cerrado.

— Closed: Cerrado

En este puerto no hay aplicaciones a la escucha.

— Unfiltered: no filtrado

Tras un análisis del tipo ACK, aparece cuando no se puede establecer si el puerto está abierto o cerrado a pesar de ser un puerto alcanzable.

— Abierto/filtrado

Nos ofrece información como:

—   Nombres DNS

—   Listados de todos los sistemas operativos

—   Tipos de dispositivos

—   Direcciones MAC...

Funciona en línea de comandos aunque también existe una versión gráfica para Windows.

Puedes encontrar toda la información y la descarga de este programa en la página web oficial:

https://nmap.org/man/es/

Además podemos ayudarnos de otros programas que nos ayudan a probar y diagnosticar el rendimiento de los componentes y del equipo en general, así podemos testear el funcionamiento de diversos componentes del equipo, no son programas de monitoreo en sí, pero son de gran ayuda.

Everest UltimateEdition

Es un programa sencillo e intuitivo pero que aporta información interesante y nos permite diagnosticar fallos en el hardware y el Software. Nos da información sobre la CPU, placa base, temperaturas, velocidad de giro de los ventiladores, software, licencias, claves, etc. En mi opinión un gran programa.

Respecto al Hardware:

—   Información de la placa base y CPU: BIOS, características del North Bridge, gráfica, información sobre los módulos de memoria del SPD, retrasos de RAM, e instrucciones soportadas por el procesador.

—   Información sobre tarjeta de vídeo y monitor.

- Información de los dispositivos de almacenamiento: Discos duros, unidades ópticas, SMART, etc...

- Información de los dispositivos de red, multimedia y dispositivos de entrada: dispositivos de red, tarjetas de sonido, teclado, ratón, detección de direcciones MAC, IP y DNS.

- Supervisar el tráfico de red.

- Información sobre otros dispositivos: Puertos de comunicación, administración de energía de impresoras, etc.

Respecto al Software:

- Información sobre Sistema Operativo: instalación, clave de licencia, servicios del sistema, lista de controladores, procesos en ejecución, carpetas de sistema, archivos de sistema, registros del sistema, etc.

- Información sobre servidores y visualización: Carpetas compartidas, archivos de la red, usuarios de la red, usuarios registrados, configuración de seguridad de la cuenta, etc.

- Información sobre red: gran Estado de cuentas de correo electrónico, y dispositivos remotos, recursos que están disponibles en red , configuración TCP/IP de Internet, etc.

- Información sobre la Instalación: Software instalado, claves y licencias, tareas programadas, programas de ejecución automática.

- Información sobre la seguridad: seguridad de Windows, parches de seguridad instalados y el estado de los puntos de restauración del sistema.

- Información sobre software de protección: Los cortafuegos, Antivirus y otros programas que tengamos instalados.

Funciones de diagnóstico:

- Panel CPUID: nos informa sobre la CPU, memorias, placa base y chipset entre otros.

- Dispositivos de vigilancia: Es capaz de ofrecer la información de sensores de temperatura CPU, GPU, voltajes de las memorias y CPU, funcionamiento de los ventiladores, etc.

- Medida de rendimiento de CPU y FPU.

- Pruebas relativas a la estabilidad de la memoria RAM, realiza diversa pruebas de carga de la RAM para detectar posible errores en la misma, medir sus latencias, etc.

- Pruebas de rendimiento de los discos duros y unidades ópticas.

- Detecta incompatibilidades en el software.

- Presenta informes con los resultados de las pruebas realizadas.

La versión gratuita es Everest Home Edition.

Microsoft Diagnostics and Recovery Toolset

Es un programa que permite entre otras cosas recuperar equipos que han quedado bloqueados fácilmente, diagnosticar las causas probables y así poder repararlos.

En realidad son varias herramientas, para ser exactos 14, y pueden recuperar archivos eliminados, analizar volcados de memoria e incluso eliminar malware.

Dispone de un asistente que nos facilita mucho los pasos que debemos seguir.

Hot CPU Tester Pro

Permite comprobar la estabilidad del equipo, poniendo a prueba elementos como la CPU, el chipset y demás componentes asociados a la placa base.

CPUMark/ CPU Free BenchMArk

Realiza pruebas sobre la CPU y FPU.

USB Flash Drive Tester

Testea memorias Flash, realizando pruebas de lectura/escritura, y genera informes con los resultados.

Indica el estado de la memoria mediante unos bloques de colores, verde que significa buen estado, amarillo y rojo indican que la memoria contiene errores.

Podemos detectar si la cantidad de memoria es incorrecta, es decir si por ejemplo tenemos un pendrive de 4 gigas, ver si es cierto o no, y cómo se administra la cantidad de memoria

AdvancedSystemCare Pro

Herramienta que realiza tareas de mantenimiento del equipo como optimizar su rendimiento, reparar el registro del sistema, eliminar clave huérfanas del mismo, liberar espacio del disco duro, administrar servicios, procesos, etc

Permite ver información detallada de los componentes del equipo.

HD Tune

Muestra el estado del disco duro, evaluando aspectos como la velocidad de lectura/escritura, tiempos de acceso, e incluso el uso que hace de la CPU durante sus procesos

Nos ofrece cantidad de datos técnicos del disco duro, marca, modelo, capacidad, particiones, temperaturas, buffer de memoria, etc

Mediante la tecnología SMART, es capaz de evaluar el disco duro y notificar al usuario posibles errores antes de que se produzcan para que tome precauciones como hacer una copia de seguridad de los datos, etc

Además permite realizar borrado de datos del disco duro de forma permanente.

Es compatible con discos HDD (magnéticos/mecánicos) y SSD (discos de estado sólido).

Memtest86

Comprueba el funcionamiento de la memoria RAM realizando una serie de bancos de pruebas y localizando errores en la misma. La cantidad máxima de memoria que es capaz de examinar es de 64 Gb, y es compatible con sistemas de 32 y 64 bits en sus últimas versiones.

SiSoft Sandra

Lleva a cabo análisis de todo el sistema, analizando y realizando pruebas sobre componentes específicos del equipo, CPU, RAM, discos duros, etc.

Permite la creación de informes de rendimiento.

Stress Prime 2004

Herramienta que nos permite realizar pruebas de estrés a elementos como CPU y memoria RAM para comprobar su estabilidad y buen funcionamiento.

Permite comprobar errores que no se dan habitualmente, por ejemplo, en ocasiones un ordenador se reinicia de forma puntual, y no sabemos por qué ha ocurrido, esto puede deberse a que la memoria RAM tiene alguna celda defectuosa, pero hasta que no se llega a llenar lo suficiente como para llegar a ella no se produce el error.

Este tipo de errores es muy común en ordenadores que en principio funcionan correctamente pero que por ejemplo al ejecutar un juego que requiere de muchos recursos, o al abrir muchos programas a la vez ocurren de forma puntual.

Nero DiscSpeed

Comprueba las unidades de CD/DVD, y nos reporta información relacionada, como Velocidad de lectura, tiempos de acceso.

Permite validar si los datos de un CD o DVD son de calidad o está dañados, y mediante la herramienta ScanDisk realiza test en la superficie.

AIDA32

Este programa es muy parecido al Everest, por tanto no me voy a entretener en describirlo.

Driver Fusion

Resuelve problemas relacionados con los drivers, eliminando por ejemplo drivers dañados o restos de desinstalaciones mal realizadas.

Examina los registros de Windows en busca de entradas que por ejemplo, se instalan cuando ejecutamos un driver no oficial, y éste provoca un error en ele ordenador.

Además comprueba el estado de los dispositivos y nos muestra la lista de todos los archivos que guardan relación con un controlador.

La versión gratuita es limitada en sus funciones.

PCMark 7

Comprueba el rendimiento del equipo, realizando una prueba completa con sólo pulsar un botón examinando todo el hardware en múltiples situaciones, por ejemplo con un juego, navegando por internet, visualizando videos, usando herramientas de edición de foto, video y música, grabando datos, etc.

WhoCrahed

Es capaz de detectar los drivers que provocan bloqueos del sistema o hace que este se reinicie.

Analiza los archivos de volcado de memoria de caídas disponibles en el ordenador y saca conclusiones informándonos sobre quién provoco el error y cómo debemos proceder.

InSSIDer

Programa que detecta redes WIFI, y nos ofrece información sobre ellas, como la MAC, SSID, tipo de red, seguridad que tiene aplicada, intensidad y velocidad de la señal, por lo que se puede usar en auditorías de redes WIFI.

Video CardStability Test

Esta herramienta comprueba la carga de la GPU y su estabilidad.

UnigineHeavenBenchmark

Comprueba el rendimiento y fiabilidad de los efectos 3D, simulando objetos complejos, paisajes, sombras, luces, etc.

Así mismo es capaz de controlar la temperatura de los componentes relacionados con los efectos 3D, en especial de la tarjeta gráfica.

CPUCool

Este programa nos informa sobre temperaturas, voltajes de los componentes realiza corrección de errores, y hasta puede modificar la velocidad del FSB (Frontal Side Bus).

CPU-Z

Informa sobre la CPU, reloj interno, chipset, RAM, overclocking...

Permite guardar reportes en formato Texto y HTML.

Reimage PC Repair Online

Realiza un estudio del sistema operativo a fin de mostrarnos errores, reparar y reemplazar los archivos dañados, etc.

SIW (System Information for Windows)

Realiza un detallado análisis de la configuración y diagnósticos.

Monitorea en tiempo real elementos como la CPU, memoria y redes.

CoreTemp

Control de temperatura de los distintos núcleos de la CPU.

WinAudit

Este programa tiene múltiples funciones entre ellas son de destacar las auditorías, configuración de seguridad, inventarios del Hardware, detección de fallos del disco duro topología de redes, velocidades de conexión de red, estadísticas a cerca de la disponibilidad de los sistemas, y además configura Windows UPdate y el cortafuegos. Envía las auditorías por email y las exporta a bases de datos

Fiddler

Es capaz de evaluar bastantes protocolos y programas de internet, controlar el consumo, ver el volumen de datos descargado, por lo que nos ayuda ha realizar mediciones y comparativas.

Funciona como si fuera un proxy que captura el tráfico HTTP y entre otras cosas nos muestra la información de los procesos en una tabla con el nombre del host y la URL. Además podemos configurar un filtro avanzado que amplía los resultados.

Proccess Explorer

Aplicación muy interesante, que examina los procesos en ejecución en tiempo real, así podemos saber dónde están ubicados esos procesos, es decir carpetas donde están sus archivos, y ver cuánta RAM consumen, lo que nos permite detectar varias cosas, entre ellas posibles virus.

WireShark

Interesante herramienta que analiza protocolos UDP, TCP, ICMP e IPX, muy usada en el mundo profesional.

Con esta herramienta podemos observar el tráfico de red y detectar problemas de conexión, para entender los resultados de este programa es necesario tener conocimientos bastante amplios sobre los protocolos para poder interpretar las capturas, así que no es precisamente muy fácil, pero a las malas viene con un manual bastante extenso que describe el análisis de protocolos.

Te recomiendo que te examines profundamente este programa y todas sus posibilidades.

Importante

Otros programas parecidos que puedes investigar por tu cuenta: Ease Clean-Genius, Free Window Registry Repair, FreeRAM XP, Debugging Tools for Windows, 3DMark 11, HWMonitor, PC Wizard, Driver Magician, CheckDisc Portable, CoreTemp, Crystal DiskInfo, HD Tune,namebench,

Entre los programas más enfocados a redes vamos a ver algunos de ellos.

AxenceNetTools

Esta aplicación, en realidad es un conjunto de aplicaciones, ya que incorpora 12 herramientas diferentes enfocadas a las redes de comunicación, entre ellas:

- NetWatch: Monitorea la disponibilidad de los equipos.

- WinTools: Permite ver lo que tienen instalado los equipos que forman parte de la red.

- NetStat: revisa entradas y salidas en la red.

- Local info: información detallada del equipo.

- Network scanner: permite ver los nodos de la red.

- Service&port scanner: permite escanear servicios y puertos.

- TCP/IP workshop, prueba diferentes servicios.

- SNMP Browser y otras herramientas para lanzar Trazas, Pings, traps, etc.

SoftPerfect Network Scanner

Escáner de red que comprueba el estado de la misma, ofrece datos acerca de la red, dirección MAC, escanea rangos de direcciones IP, puertos abiertos tanto locales como remotos, permite verificar si nuestra red está en peligro y es penetrable, y así podremos tomar medidas correctivas.

Permite apagar de forma remota un ordenador sobre el que tengamos privilegios administrativos.

Advance IP Scanner

Exploración de redes, IP, HTTP, HTTPS, FTP y carpetas compartidas, permite la conexión remota a ordenadores mediante Radmin Server, encender o apagar ordenadores de forma remota, etc.

CheckConnection v1.0

Permite comprobar la conexión a internet

CommView for WiFi v7.0 Build 771

Es un Snnifer, por lo que captura y analiza paquetes de red WIFI 802.11 a/b/g. Los paquetes se pueden decodificar mediante claves WEP o WPA-PSK, permite generar alarmas ante paquetes sospechosos y es compatible con multitud de protocolos como: ARP, BGP, BMP, DDNS, NetBIOS, NFS, OSPF, POP3, DHCP, DIAG, DNS, EIGRP, FTP, IPsec, IPv4, IPv6, IPX, LDAP, PPP, PPPoE, RARP, RADIUS, RDP, RIP, RPC, RSVP, SMTP, SNA, SNMP, SNTP, SSH, TCP, TELNET, TFTP, TIME, TLS, UDP, 802.1Q, 802.1X, HTTP, HTTPS, ICMP, IGMP, IGRP, IMAP,. entre otros muchos más...

Network Inventory Monitor

Esta aplicación nos permite inventariar la red, tener información acerca de los sistemas operativos, actualizaciones, service packs, hardware y software, así como de los procesos que se ejecutan en un ordenador remoto, obtener capturas de pantalla, enviar mensajes, etc.

Total Network Monitor v1.1.3

Controla el funcionamiento de la red y nos avisa de fallos o posibles errores antes de que ocurran o cuando han ocurrido, creando informes sobre el fallo.

BASpeed

Aplicación Freeware que diagnostica la conexión a internet mediante diferentes módulos de diagnóstico.

Para testear la conexión usa las siguientes herramientas:

–   iSpeed: test de velocidad de la conexión a Internet.

–   Line BenchMark: Puntúa la calidad de la conexión.

–   iPing/iTracert: Como un ping o tracert normales.

–   Servidor de Velocidad en red local: Test de velocidad en la LAN.

–   Optimizador de la conexión a Internet: optimiza los parámetros de nuestra conexión.

Entre sus herramientas de diagnóstico dispone de:

- Tracert

- Test para servidores DNS

- Graficos en tiempo real de la conexión

- Escaneador de puertos

- Monitor para comprobar el estado de la conexión

Otras herramientas que incorpora BASpeed son:

- Datos de la red

- Hora de internet sincronizada

- Resolución de incidencias ADSL

- Muestra el nombre de usuario y password de los routers

- Genera claves WEP y WPA

- Permite hacer un Ipconfig /renew, es decir, renovar la dirección ip asignada mediante dhcp.

- Nos da información sobre el ISP

- Calcula la velocidad máxima teórica

- Dispone de un monitor de latencias

Cain&Abel

Esta es una herramienta muy pero que muy interesante… ¿pare el bien?... ¿para el mal?...

Bien, esta herramienta ha sido creada para que la usen administradores de red, consultores de seguridad, analistas forenses, etc, en definitiva para usos éticos, pero lógicamente roza pero que muy mucho la ilegalidad, no digo que la herramienta sea ilegal en sí, sino que puede ser usada para estos fines.

Entre las múltiples joyas que incorpora realiza funciones como:

— Recuperar passwords para sistemas Windows

— Sniffer de red

— Crackeador de contraseñas encriptadas

— Grabación de conversaciones VoIP

— Desencriptación de claves WIFI

— Análisis de protocolos de enrutamiento

— Dispone de diccionarios y Fuerza Bruta para adivinar contraseñas

— Criptoanálisis

— Otras herramientas.

Probablemente en este momento se te estén ocurriendo muchas cosas...

No encontrarás mucha información acerca del funcionamiento de este programa en internet, y hay muy pocos libros que lo expliquen, lo mejor es leer el manual que trae, lo único malo es que está en inglés. Aunque existen traductores en la web, es mejor leerlo y comprenderlo en inglés, ya que las traducciones de los textos técnicos cambian mucho su significado

A medida que has ido viendo las diferentes aplicaciones y sus usos, te habrás dado cuenta que aunque supuestamente están hechas para ayudar, algunas de ellas pueden usarse en nuestra contra, para obtener información valiosa de nuestra red que puede servir para después atacar nuestro sistema. Obviamente depende de quién use la herramienta y de los fines.

En fin, hay miles y miles de herramientas, como todo, unas mejores otras peores, otras para un uso más profesional y entornos de redes empresariales y otras más caseras.

6.1.2. Monitorización activa de la disponibilidad:SNMP

La monitorización de redes es constante, y busca componentes lentos, con errores, exceso de consumo de recursos, etc., Notifica al administrador de la red de los eventos o alarmas producidos en la red.

Es muy importante que los dispositivos de la red estén disponibles en todo momento, o que en caso de no estarlo, sea durante el menor tiempo posible.

No es fácil implementar un buen s stema de monitorización, como ya habrás visto hay que tener en cuenta muchos factores, el objetivo de implementar estos sistemas es poder prevenir las incidencias y aprovechar correctamente todos los servicios y recursos TIC que están a nuestro alcance.

El primer paso a implementar un sistema de monitorización es la detección de los sistemas críticos y establecer políticas de actuación frente a las posibles incidencias que puedan surgir en la red.

Activar SNMP en Windows

El servicio de protocolo simple de administración de redes (SNMP, Simple Network Management Protocol) se puede usar en equipos donde se ejecuten los protocolos TCP/IP e IPX. Es un servicio opcional que puede instalarse después de haber configurado correctamente el protocolo TCP/IP.

El agente SNMP permite la administración de los servicios siguientes:

–   Windows XP o la familia de servidores de Windows Server 2003 y WINS basado en Microsoft Windows 2000

–   Windows XP o en la familia de servidores de Windows Server 2003 y DHCP basado en Windows 2000

–   Windows XP o la familia de servidores de Windows Server 2003 y Servicios de Internet Information Server basados en Windows 2000

–   Microsoft LAN Manager

Para poder monitorear un sistema operativo de Windows, es necesario habilitar SNMP, ya que esta característica no está habilitada por defecto.

Para ello iremos a Inicio-panel de control-programas-programas y características- activar/desactivar características de Windows, y allí marcamos SNMP (protocolo simple de administración de redes)

Con esto instalamos el agente SNMP.

Tras ello debemos configurar algunos aspectos.

Iremos a equipo-botón derecho del ratón-administrar-servicios y aplicaciones-servicios-servicio SNMP.

En la pestaña general, donde pone tipo de inicio lo ponemos en la opción automático, para que el servicio se inicie automáticamente.

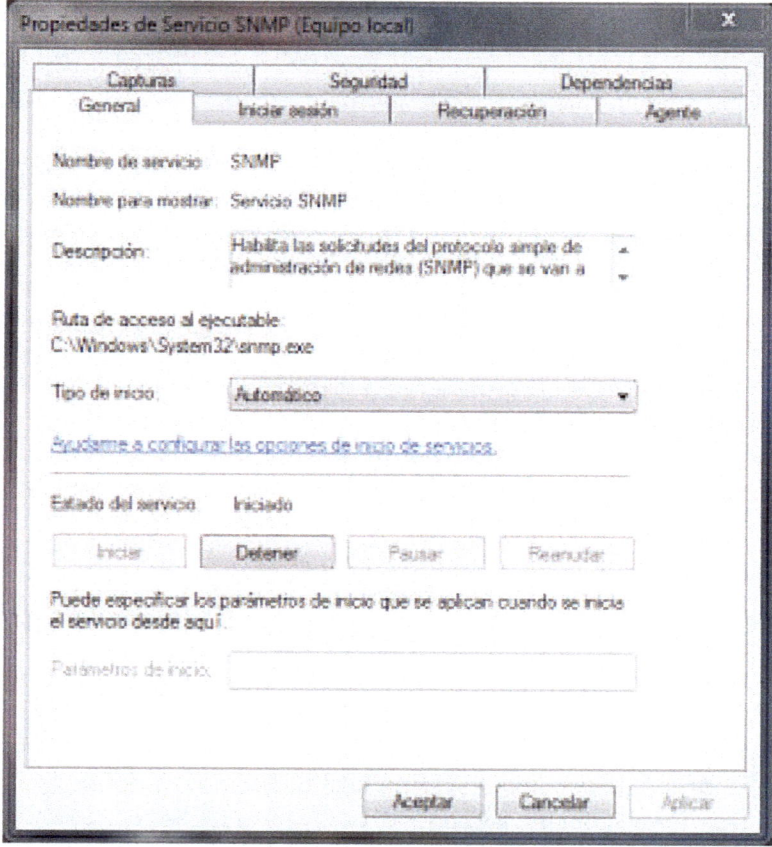

Propiedades Servicio SNMP

En la pestaña Agente indicamos la información a monitorizar, ubicación y contacto (email).

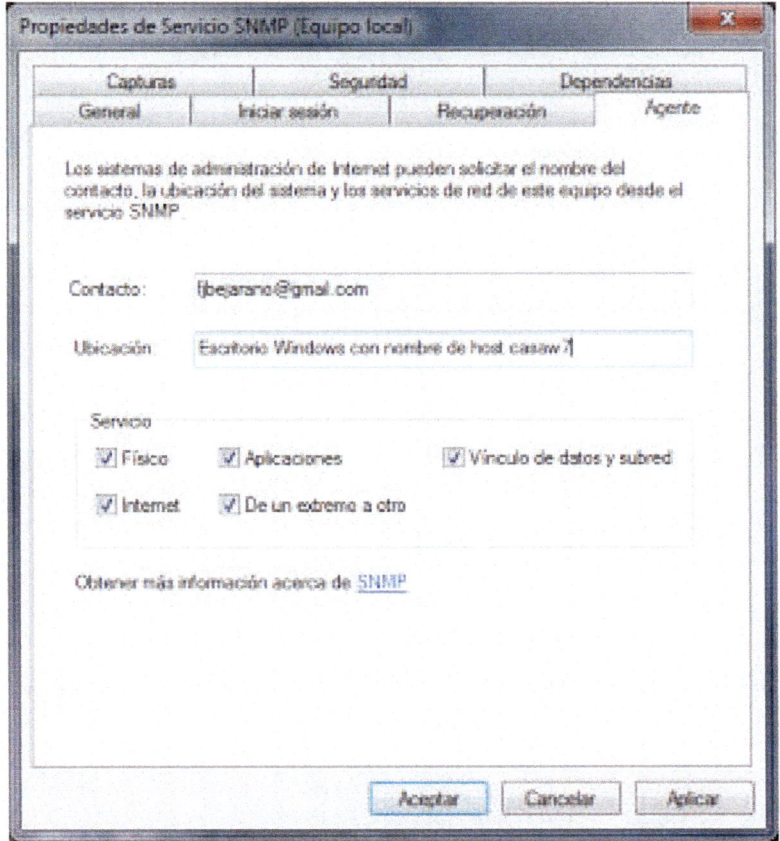

Propiedades Servicio SNMP 2

Por último, configuramos la Seguridad, en la pestaña correspondiente, para proporcionar la Community (contraseña).

Le decimos que acepte paquetes de cualquier host aunque podemos restringir los hosts en Aceptar paquetes SNMP de estos hosts.

Finalmente en la pestaña de capturas, le indicamos que envíe los traps a una ip(por ejemplo donde tengamos instalado algún software de monitorización, como Nagios, para recoja las capturas.

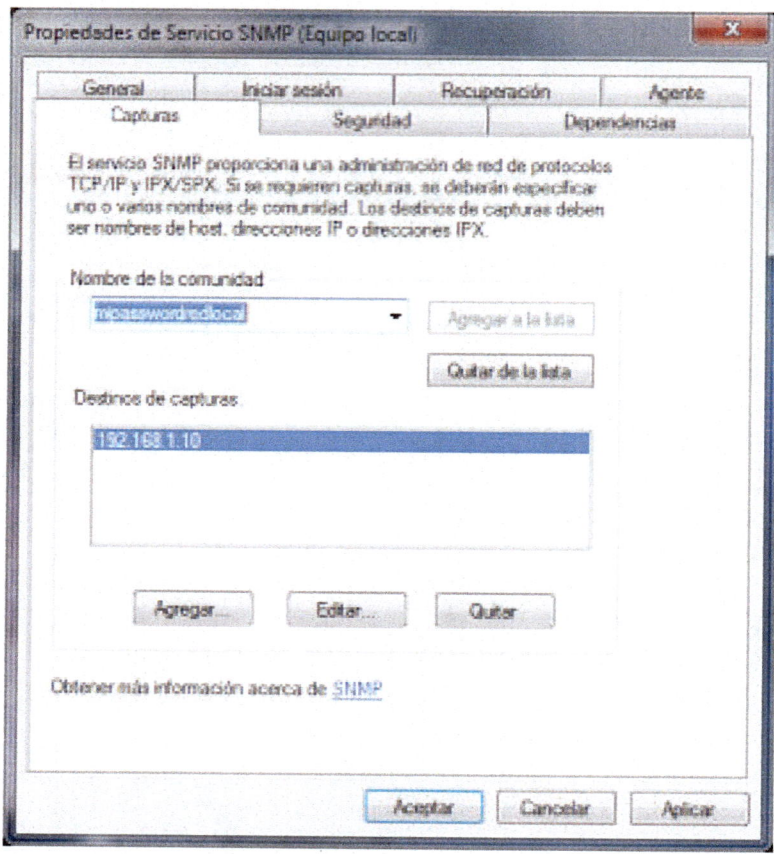

Propiedades Servicio SNMP 3

Debemos aplicar y aceptar para después reiniciar el servicio.

Para ejecutar este procedimiento, debe ser miembro del grupo Usuarios avanzados o del grupo Administradores en el equipo local, o debe haberle sido delegada la autoridad correspondiente en el equipo local. Si el equipo está unido a un dominio, los miembros del grupo Administradores de dominio podrían llevar a cabo este procedimiento. Como práctica recomendada de seguridad, considere la posibilidad de utilizar la opción Ejecutar como para llevar a cabo este procedimiento.

Para configurar capturas:

– Abra Administración de equipos.

– En el árbol de la consola, haga clic en Servicios.

¿Dónde?

– Servicios y aplicaciones/Servicios

  · En el panel de detalles, haga clic en Servicio SNMP.

  · En el menú Acción, haga clic en Propiedades.

  · En la ficha Capturas, en Nombre de comunidad, escriba el nombre de comunidad (se distinguen mayúsculas y minúsculas) a la que el equipo enviará los mensajes de captura y, a continuación, haga clic en Agregar a la lista.

  · En Destinos de capturas, haga clic en Agregar.

  · En Nombre, dirección IP o IPX del host, escriba la información del host y haga clic en Agregar.

  · Repita los pasos del 5 al 7 hasta que haya agregado todas las comunidades y destinos de captura necesarios.

NetFlow

NetFlow es un protocolo desarrollado por Cisco basado en UDP o SCTP, que actualmente se usa como principal tecnología de registro del tráfico de red, ya no sólo lo usa CISCO sino otros fabricantes como Juniper, así como diversos sistemas operativos.

En el caso del uso de NetFlow por otros fabricantes, son diseños similares a NetFlow, cuyo propósito es parecido, pero cambian los nombres:

– Jflow o cflowd de Juniper Networks

– NetStream de 3Com/H3C|HP

– NetStream de HuaweiTechnology

– Cflowd de Alcatel-Lucent

– Rflow de Ericsson

– AppFlow de Citrix

– SFlow compatible con muchos fabricantes como Alcatel,Dell, Fortinet, HP Procurve, Juniper, etc.

Cuando se habilita la característica Netflow en un dispositivo éste genera "registros NetFlow", es decir , información que se envía a un servidor NetFlow, también llamado colector, que recibe la información de las sondas NetFlow, las almacena y después las procesa.

El flujo de red, es una secuencia unidireccional de paquetes que comparten :

– Dirección IP origen

– Dirección Ip destino

– Puerto UDP o TCP origen

– Puerto UDP o TCP destino

– Protocolo IP

– Interfaz SNMP

– Servicio IP

NetFlow responde cuestiones como "quién, qué, cuándo y cómo" a cerca del monitoreo del ancho de banda y el análisis del tráfico de red.

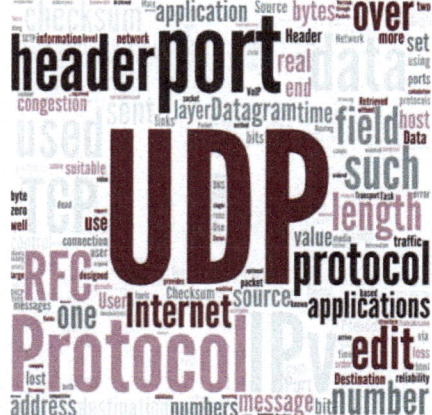

UDP

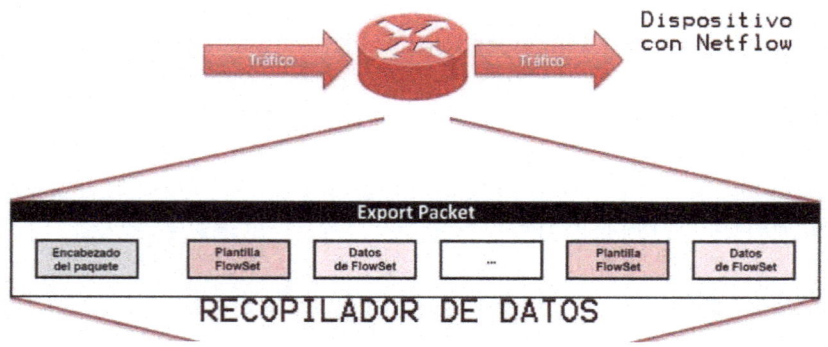

Dispositivo red habilitado para Netflow

Con NetFlow podemos resolver diverso problemas de red, como por ejemplo la lentitud de las aplicaciones o la degradación del rendimiento o desempeño.

NetFlow es útil para los administradores ya que permite saber el tráfico que pasa a través de la red y recopilar información sobre el uso del ancho de banda, el tipo de tráfico, el volumen de tráfico, cuellos de botella, información por protocolo, etc…

Resolución de problemas de red con NetFlow	
IP origen IP destino Interfaz I/O	Permite identificar los host de origen/destino que participan en el tráfico de red y determinar su ruta en la red
Puertos origen/destino Protocolo	Permite conocer qué aplicación consume el ancho de banda
Hora Inicio/Fin del flujo Conteo de paquetes y octetos	Saber cuando ocurrió el incidente y el volumen de tráfico generado
ToS Marcas TCP Protocolo	Nos permite saber la prioridad de las aplicaciones en la red, estado de las conversaciones TCP y distribución del protocolo
AS origen de información AS como destino de información	Ruta del flujo del tráfico

NetFlow es un protocolo que genera y recoge esta información, pero también se necesita software que permita realizar la clasificación, almacenamiento y análisis de toda esta información de tráfico. Hay muchas aplicaciones que usan Net-Flow, como NetFlowAnalyzer, NetFlowConfiguration de Solarwinds, etc.

Qué necesitamos para configurar NetFlow

Lo primero que hay que hacer es configurar el router para que la interfaz de red pueda enviar registros de estadísticas al colector NetFlow.

Tras ello, debemos configurar el recolector de Netflow

Y por último usar una aplicación que analice NetFlow para poder obtener las estadísticas.

¿Qué podemos hacer con Netflow?

— Generación de registros NetFlow.

    Información que es enviada a un equipo central que recibe la información de las sondas o dispositivos.

— Transmitir información mediante NetFlow, basada en UDP o SCTP.

— Trabajar con los registros NetFlow, por ejemplo para realizar auditorías de la información que necesitamos.

— Guardar y procesar la información que se recibe a través de las sondas.

— Creación de filtros que permitan definir características concretas como:

    · Nombre del filtro

    · Grupo de pertenencia

    · Tipo de filtro (básico o avanzado)

    · Criterios para ordenar el tráfico

    · Formato de salida de los datos

¿Quién usa NetFlow?

— Dispositivos CISCO

— Otros fabricantes, ya que ahora es un protocolo estándar como Juniper

— Administradores de sistemas

— Áreas TIC relacionadas

Ejemplos de programas que usan NetFlow

PRTG Network Monitor

Desde su página oficial podemos descargar una versión de prueba de 30 días sin límite o la versión Free que dispone de 30 sensores.

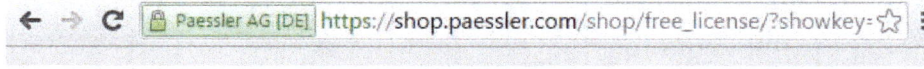

http://www.es.paessler.com/prtg

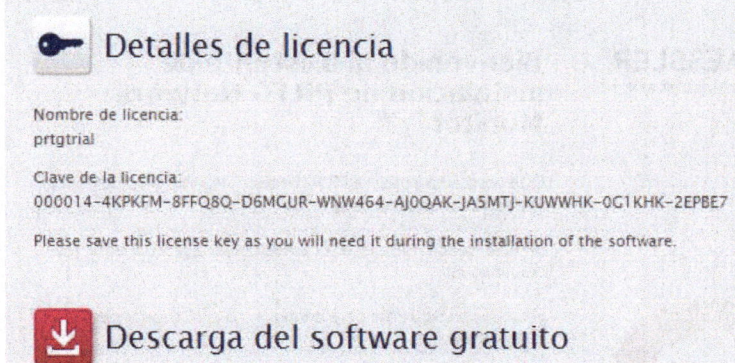

Dispositivo red habilitado para Netflow

Instalación:

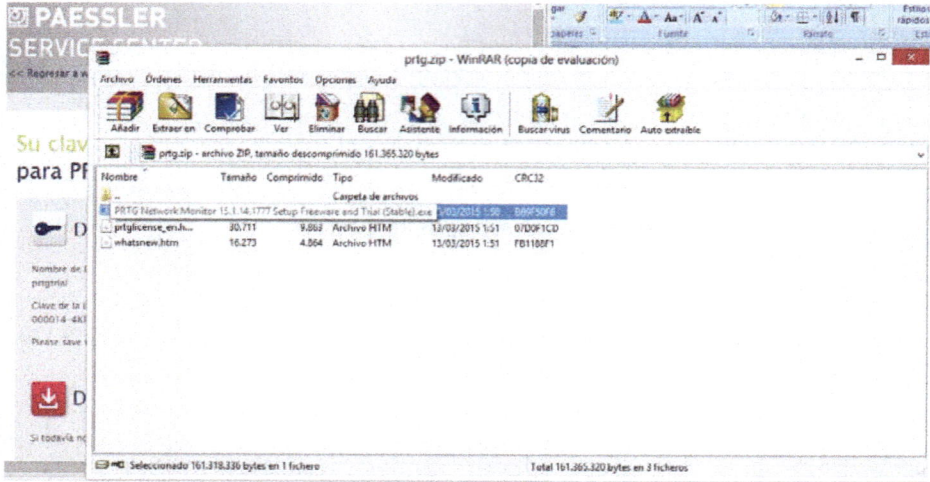

prtg.zip

prtg Comienzo instalación

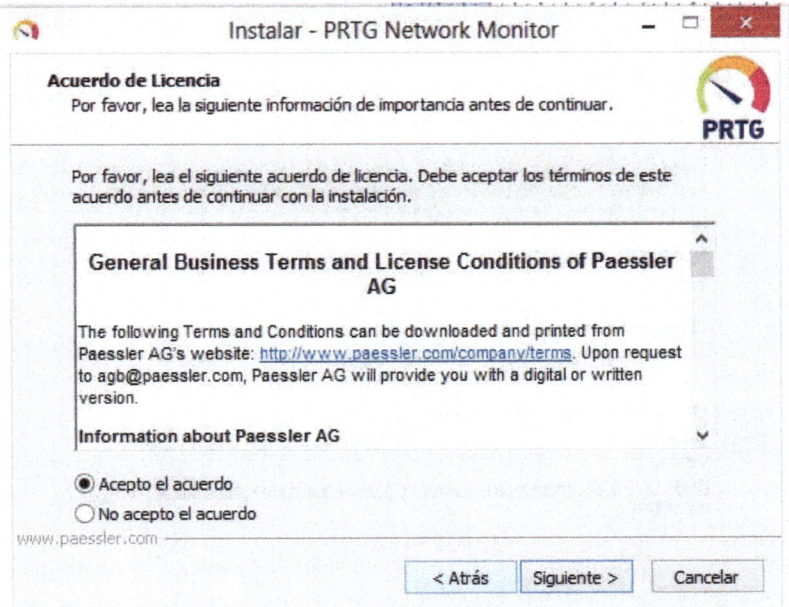

prtg Comienzo instalación 2

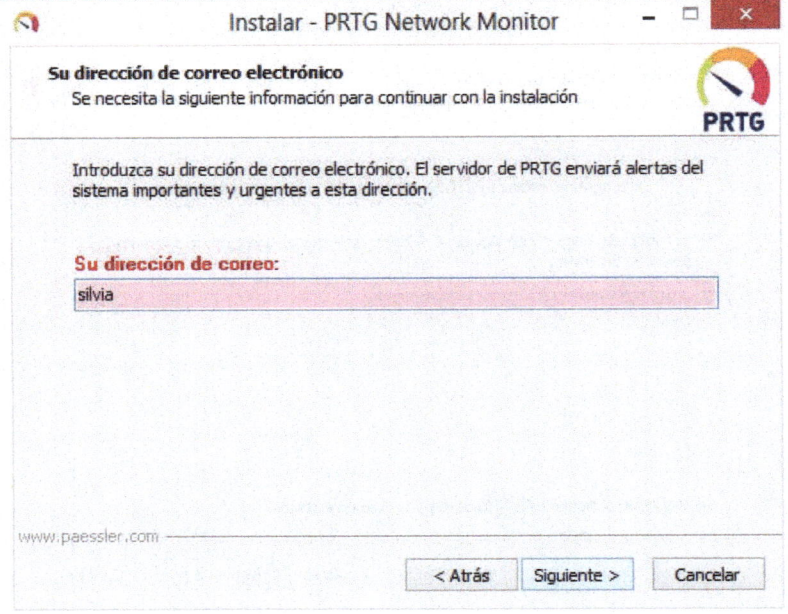

prtg Comienzo instalación 3 Insertar correo

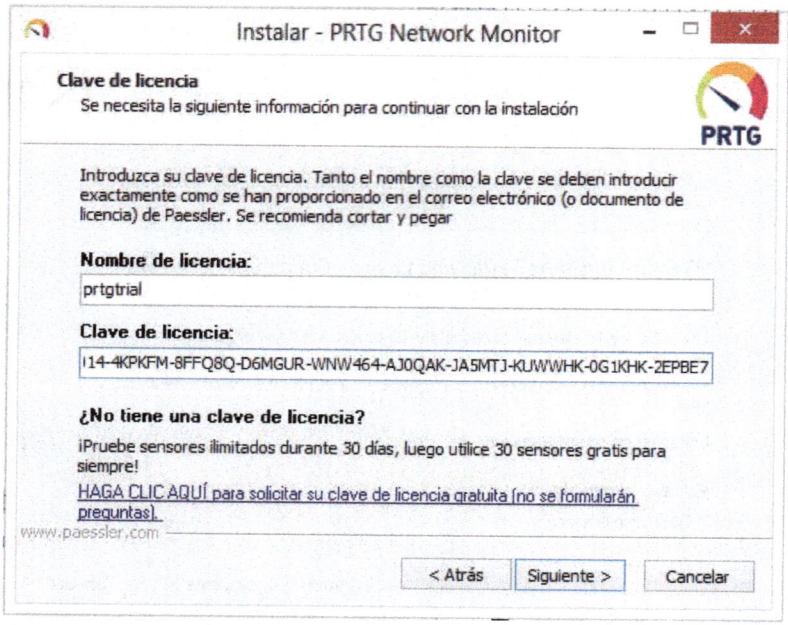

prtg Comienzo instalación 4 Nombre y clave licencia

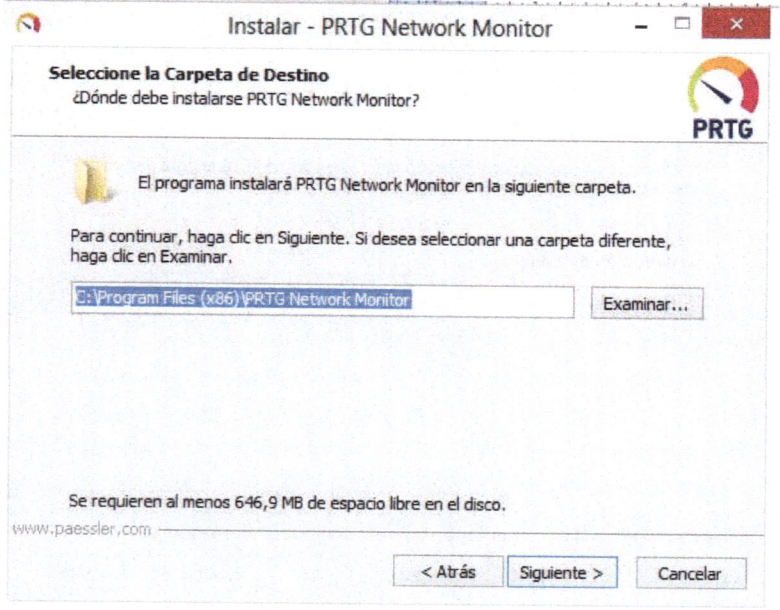

prtg Comienzo instalación 5 Nombre carpeta

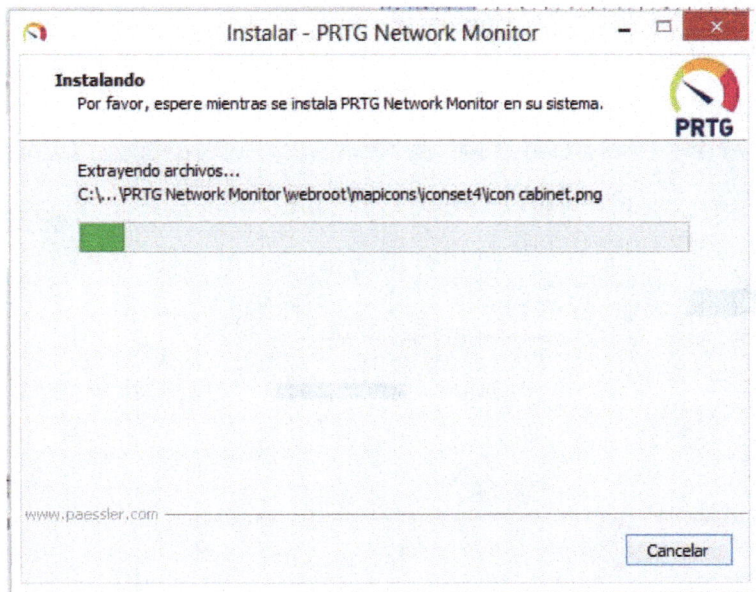

prtg Comienzo instalación 6 Instalando

Aparece este asistente que nos facilitará la configuración, para ello podemos escoger la opción GURU, que va a analizar y generar una configuración de supervisión básica.

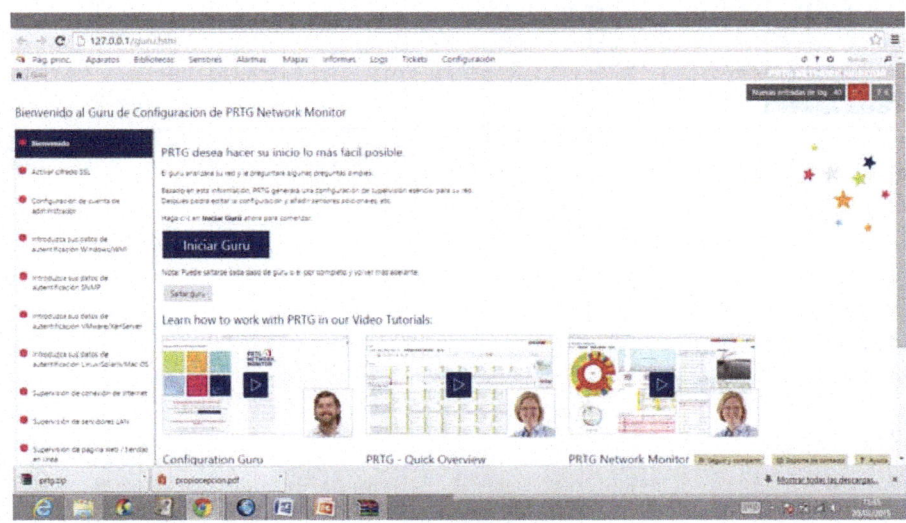

prtg. Pantalla Gurú

Al pinchar en "iniciar GURU", nos realizará una serie de preguntas para completar la configuración:

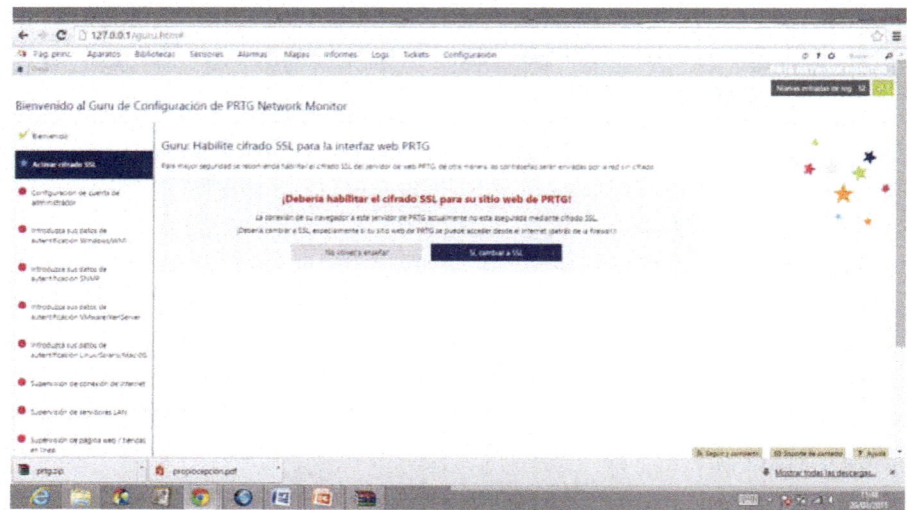

prtg Pasos asistente Gurú 1

6.1.3. Monitorización pasiva de la disponibilidad: NetFlow y Nagios

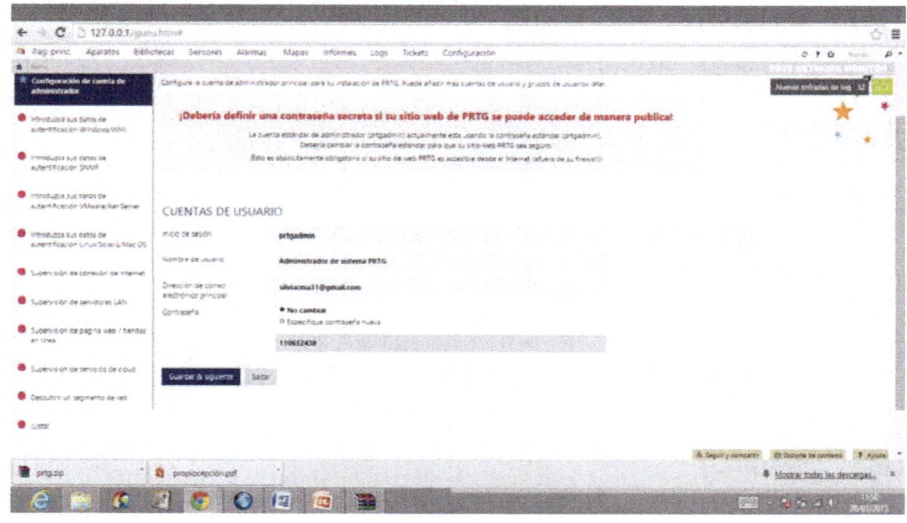

prtg Pasos asistente Gurú 2. Config. Remota

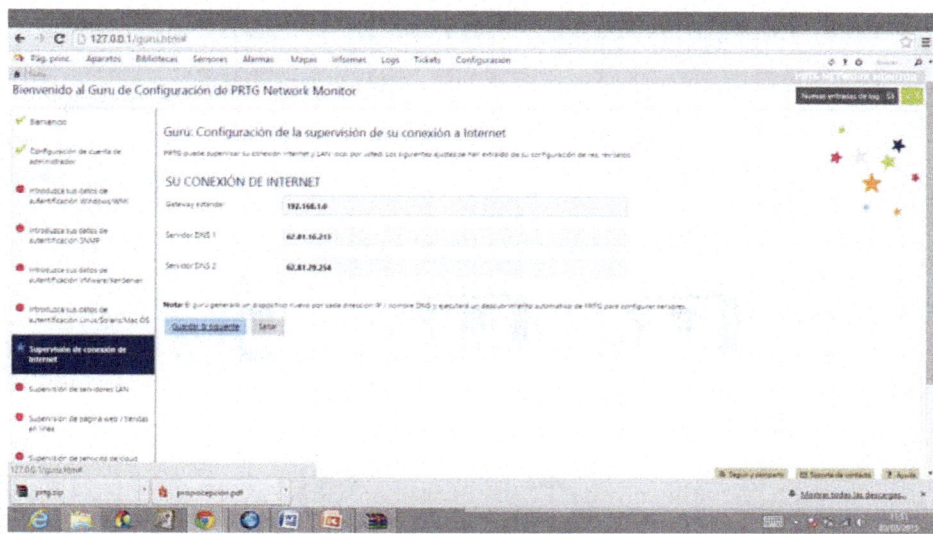

prtg Pasos asistente Gurú 3. Configuración Conexión a Internet

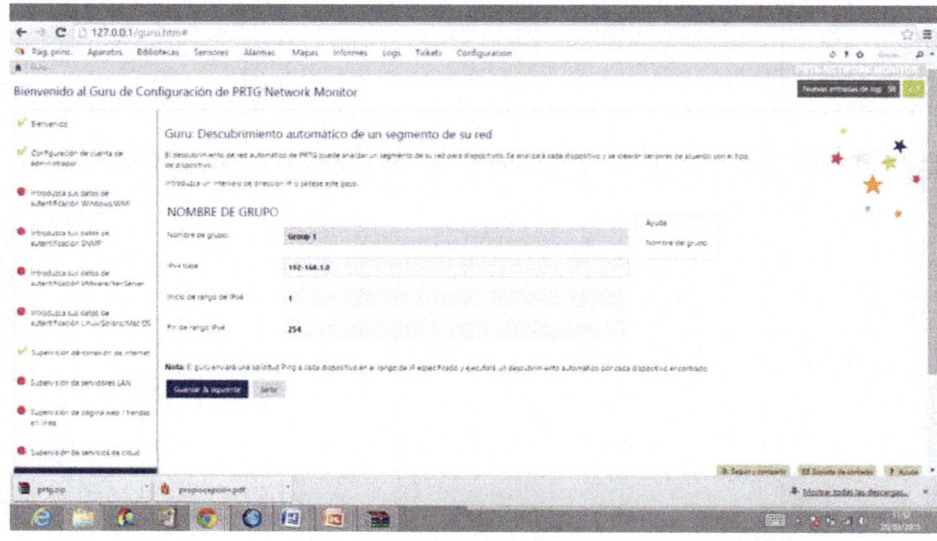

prtg Pasos asistente Gurú 4. Descubrimiento segmento de red

Una vez finalizado podemos ver el nuevo sensor pinchando en el botón correspondiente.

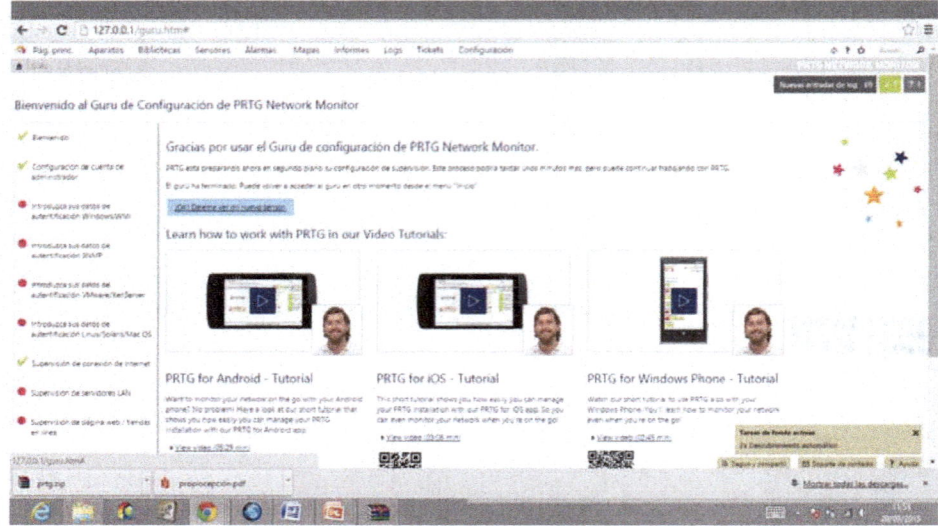

prtg Pasos asistente Gurú 5. Configuración fin

Estas son algunas de las cosas que podemos monitorear.

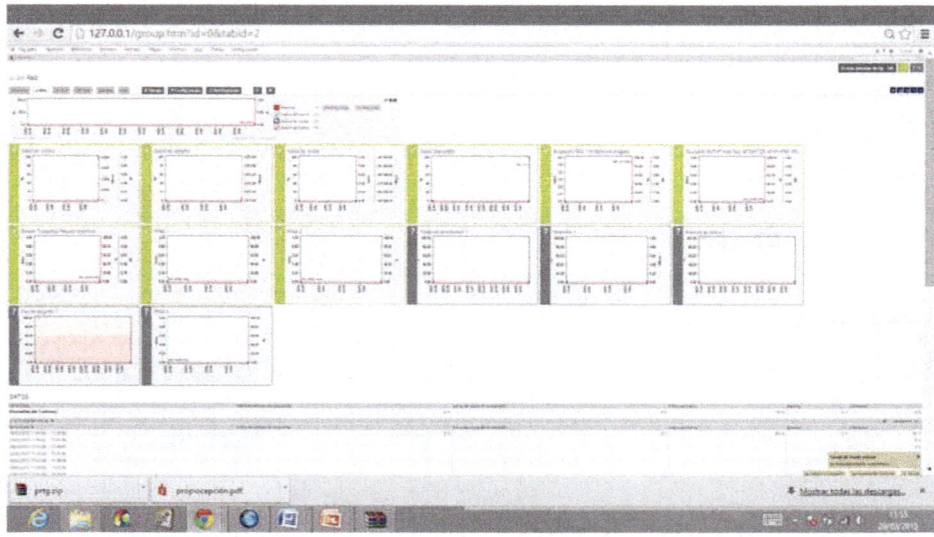

prtg. Monitoreos 1

Si pinchamos en cualquiera de ellas nos da información más detallada:

En esta ventana analizamos la salud del sistema, donde nos informa de la carga del procesador,estado, memoria, porcentaje de memoria disponible,etc.

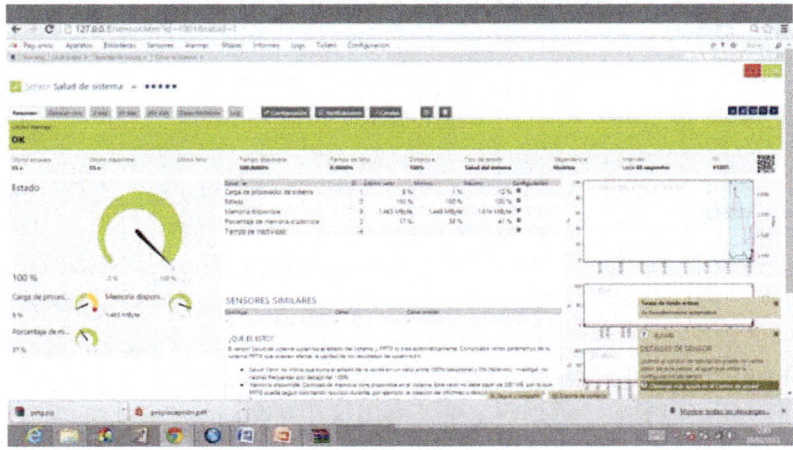

prtg. Monitoreos 2

Pinchando en los gráficos que aparecen a la izquierda, podemos configurar mensajes a mostrar, umbrales, etc.

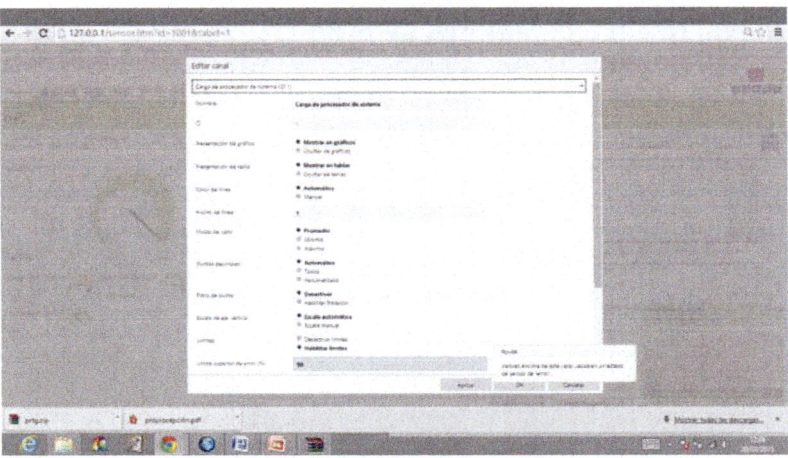

prtg. Monitoreos 3

En los menús superiores podemos ver muchísima más información a cerca de los aparatos, sensores, alarmas, mapas, informes.

Ver los aparatos:

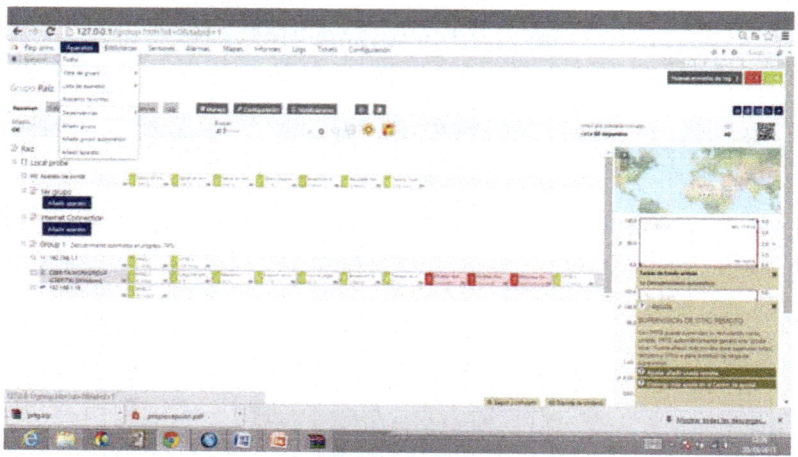

prtg. Monitoreos 4. Menú aparatos

Ver los sensores disponibles y sus estado:

En la pestaña sensores, podemos añadir un sensor, ver los favoritos,ver por valor actual, por disponibilidad, por estado actual, por grupo. Comparar sensores, etc.

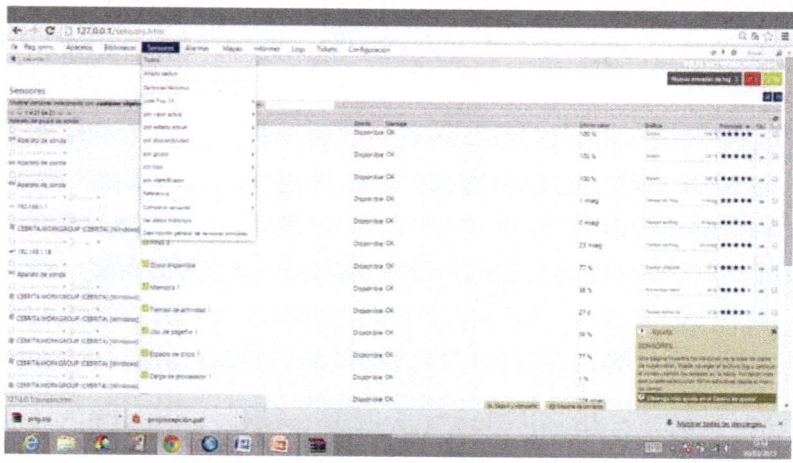

prtg. Monitoreos. Menú sensores

Además si pinchamos en los diferentes sensores obtenemos más información adicional de ese sensor en concreto:

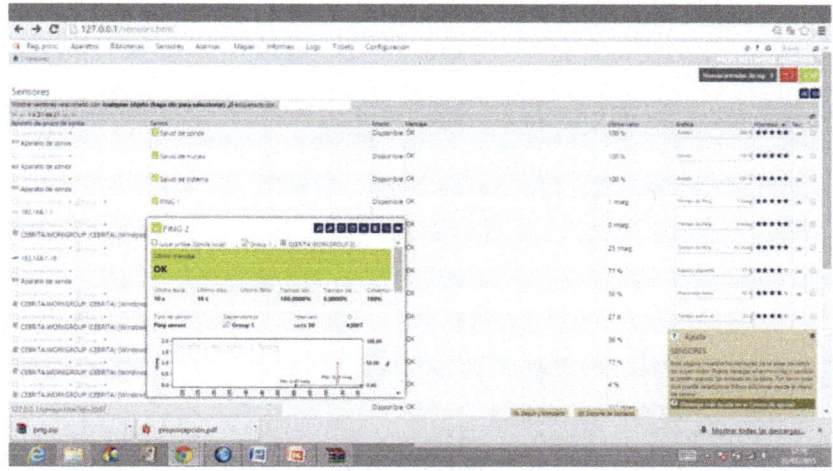

prtg. Monitoreos. Menú sensores 2

En el menú informes podemos ver los diferentes informes generados.

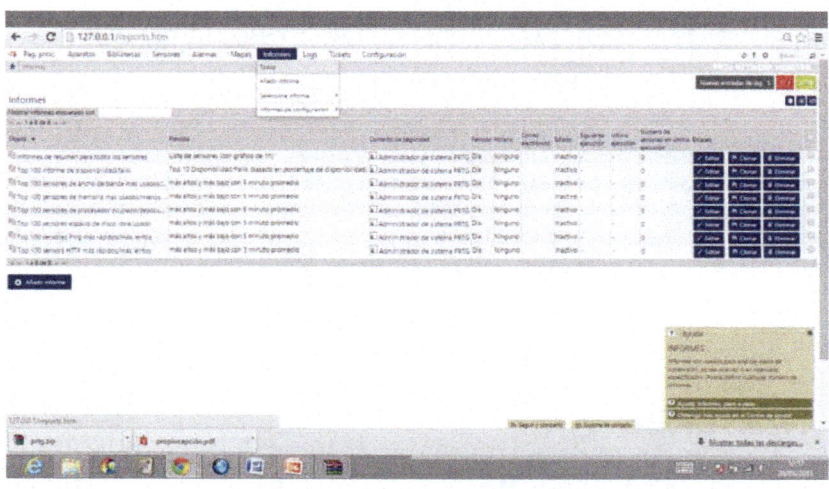

prtg. Monitoreos. Menú Informes

Si pinchamos en los informes y los ejecutamos podemos verlos en HTML.

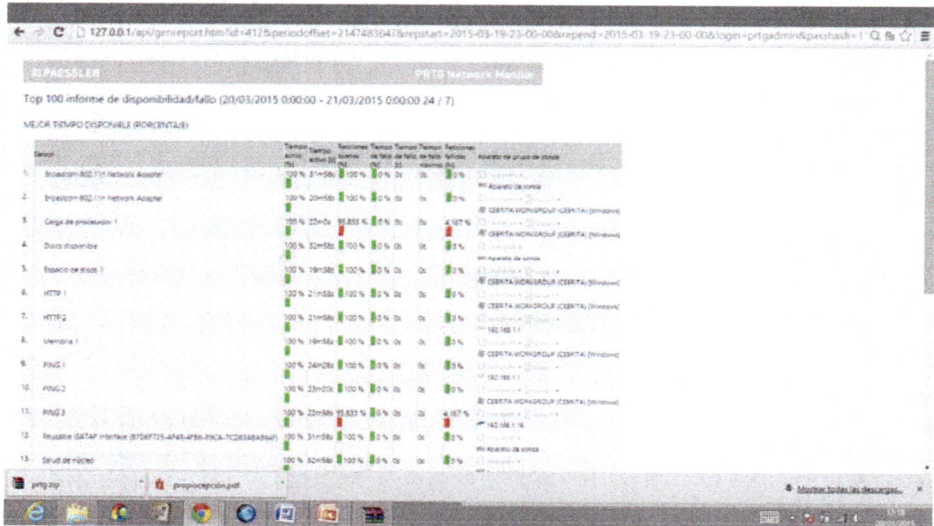

prtg. Monitoreos. Menú Informes html

Inmediatamente nos informa de las alarmas, ver el botón rojo:

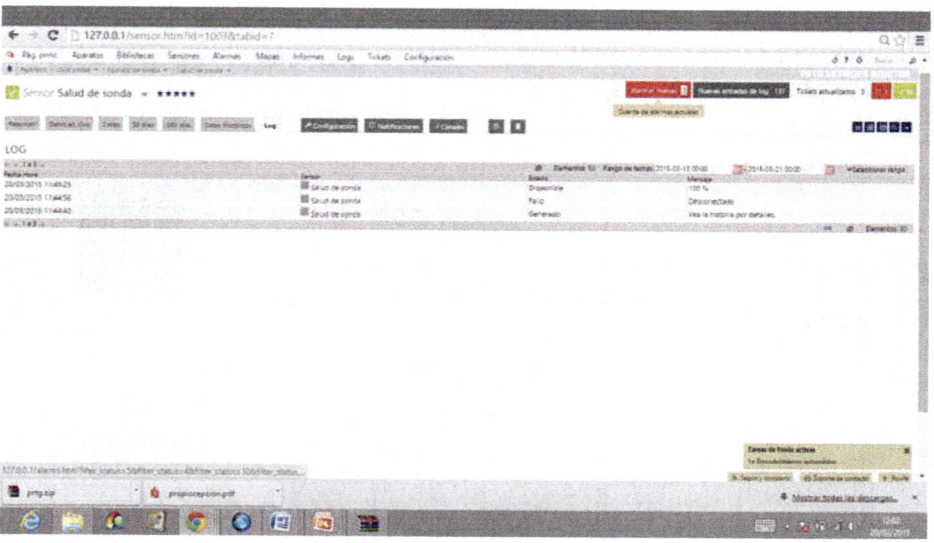

prtg. Monitoreos. Alarmas

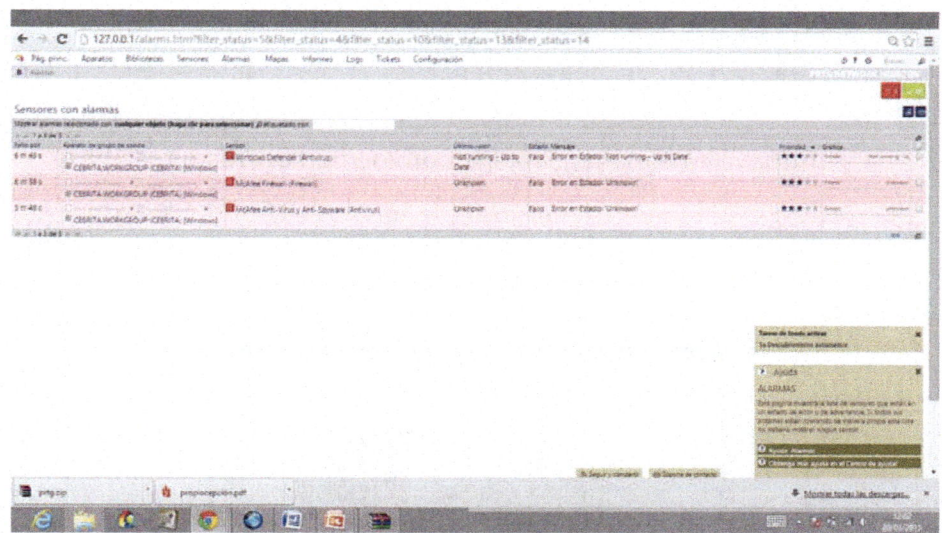

prtg. Monitoreos. Alarmas 2

En esta página dispones de un manual completo acerca de esta aplicación:

http://www.paessler.com/manuals/prtg

Otros programas que usan NetFlow

— **NetFlow Analizer** nos ofrece:

· Informes de tráfico en tiempo real

· Alertas basadas en umbrales

· Planificación de la capacidad

· Facturación

· Módulos avanzados de seguridad

· Etcétera…

Disponible en dos versiones Essential edition hasta 250 interfaces y distributed edition para más de 250 interfaces.

Puedes descargarlo de la siguiente web:

https://www.manageengine.com/es/netflow/resources.html

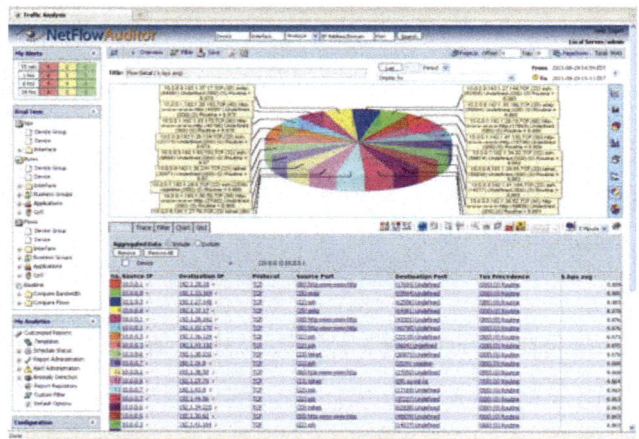

Netflow pantalla1

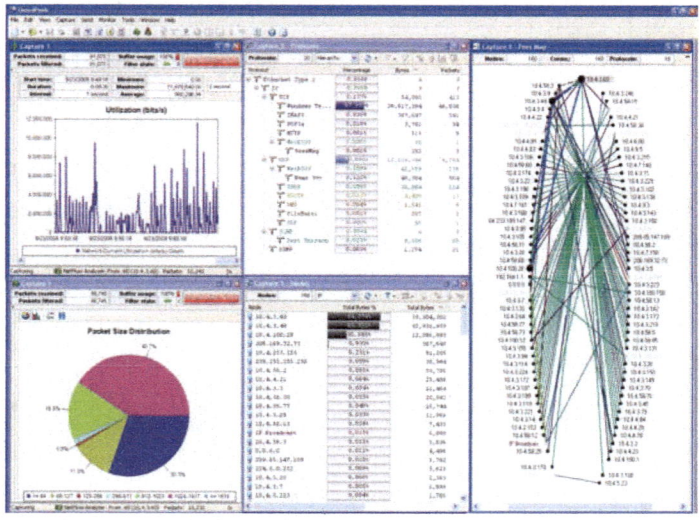

Netflow pantalla2 oMNIpEEK

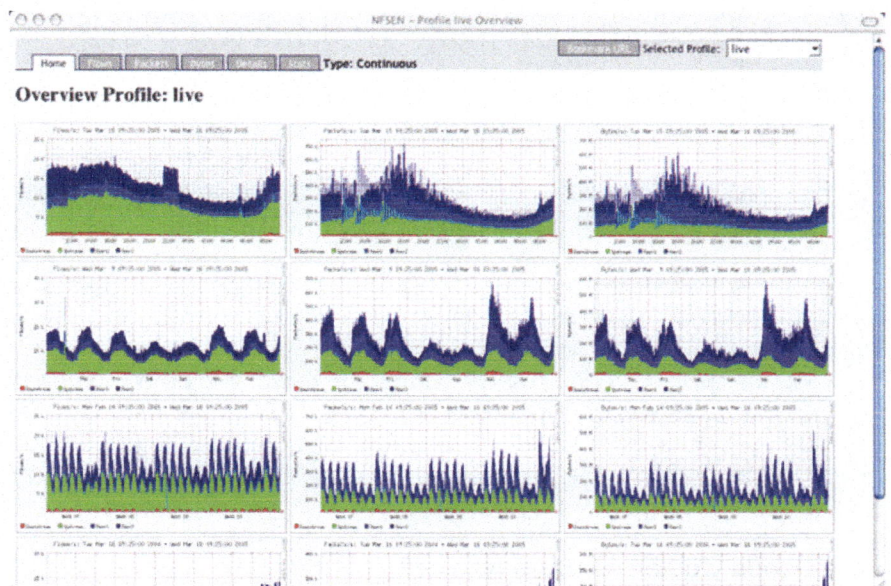

Netflow pantalla3. NFSEN

— **Nagios**

Nagios es una herramienta GPL. Mediante diversos comandos supervisa montones de detalles e informa al administrador de red ante cualquier problema.

Las redes de hoy día son cada vez más complejas, y la disponibilidad una máxima a cumplir, por lo que se hace muy necesario el uso de aplicaciones de monitoreo y análisis de redes, siendo esta, una de las labores más importantes dentro de una red y de carácter proactivo con el fin de evitar incidencias o problemas de disponibilidad de los servicios aplicaciones.

Para prevenir las posibles incidencias usaremos aplicaciones que controlen y observen lo que ocurre en la red, su funcionamiento y rendimiento. Con Nagios podemos monitorizar diferentes servicios de red, también los recursos de los host como son los logs de sistema, carga de cpu y memoria, etc. Nagios chequea los clientes y servicios que le hemos especificado previamente y nos alerta de diversos problemas como por ejemplo la caída de un servicio o su restauración.

Permite tener el control a los administradores de red de todo lo que está ocurriendo y poder determinar los problemas que puedan surgir antes de que los usuarios de la red puedan notar algún problema, al menos eso se intenta…Así podrán tomar la iniciativa y asumir mejor sus responsabilidades.

Nagios permite realizar monitorización remota mediante túneles SSL o SSH.

Chequea los servicios que no están funcionando, pudiendo definir la jerarquía de la red y distinguir entre los host caídos e inaccesibles.

Este programa realizará notificaciones cuando hay eventos que generen alarmas, bien vía mail, SMS, etc.

Es un software de monitorización muy potente donde podemos definir manejadores de eventos, manejar host de monitores redundantes, etc.

Dispone de varias herramientas para poder explotar la obtención de datos, como son visores de reportes donde podemos ver los históricos de actividad y funcionamiento de los servicios, o visores de diagramas que nos muestran gráficamente y a golpe de mirada el estado actual de los equipos.

¿Dónde y quién se usará Nagios?

· Administradores de red

· Operadores de red

· Equipos de desarrollo

· Helpdesk

· Otras áreas relacionadas.

¿Qué más cosas podemos realizar con Nagios?

· Monitorizar diversos servicios y protocolos de red

 › HTTP

 › ICMP

 › SNMP

 › POP3

 › NTTP

 › Otros

- Monitorizar los diferentes recursos asociados a un host

  › Uso CPU

  › Uso memoria

  › Uso de los discos duros

  › Logs

  › Etcétera

- Detectar el uso de recursos así como los flujos de datos

- Determinar cuál es la información crítica del sistema

- Analizar el rendimiento del sistema

- Verificar el cumplimiento de normativas

- Revisar la gestión de los recursos

- Monitorización de equipos remota

- Diseñar plugins propios en diferentes lenguajes de programación:

  › Bash+

  › C++

  › Perl

  › Ruby

  › Phyton

  › Otros

- Posibilidad de chequear los servicios que están parados

- Definir la jerarquía de red

- Definir que host están en funcionamiento y cuáles caídos o inaccesibles.

- Notificar las incidencias a los contactos seleccionados mediante diferentes métodos:

  › Mail

  › Pager

  › Jabber

  › SMS

  › Otros

- Definición de manejadores de eventos, que permiten su ejecución cuando ocurre algún problema para así poder ofrecer resoluciones proactivas.

- Rotación del archivo de registro de forma automática

- Permite poder implementar host de monitoreo redundante

- Interfaz web (opcional)

- Reportes y estadísticas con su cronología de disponibilidad de los servicios y equipos de la red.

¿Quién usará Nagios?

- Administradores de red

- Operadores de red

- Equipos de desarrollo de programas

- Coordinadores Helpdesk

- Otras áreas en relación con las TIC

Descarga de Nagios

Es un software Open Source que podemos descargar de su página oficial:

http://www.nagios.org/download

La versión core dispone de 4 versiones, una gratuita, y tres más de pago

- Core DIY Source Free

- CoreStudent VM

- Core Pro VM

- Bussiness

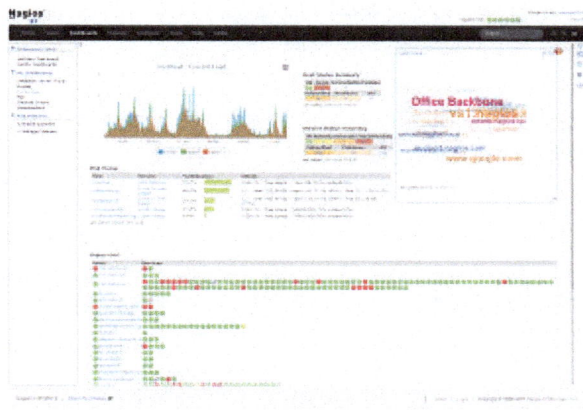

Nagios

Impacto del uso de Nagios

- Mayor productividad

- Previsión de los problemas

- Reportes y alarmas

- Aviso de incidentes

- Agilidad del tratamiento de los datos

- Mejor integración de sectores

Instalación de Nagios

En Linux es algo tan sencillo como ejecutar el comando "apt-get install nagios3", tras esto nos pedirá la contraseña del administrador y ya estaría funcionando.

Ver el panel de administración de Nagios

Para ver el panel de navegación de Nagios abriremos el explorador y en la barra de direcciones escribimos http://127.0.0.1/nagios3, podemos el nombre de usuario nagiosadmin, y la contraseña del administrador.. En este caso lo abrimos como localhost

Modos de extracción de datos

Para los servicios SSH o HTTP no requiere ningún tipo de privilegio

Para el resto de servicios ejecutaremos el plugin nrpe que nos deja ejecutar comandos remotamente.

También podemos usar SNMP, diciéndole a Nagios que compruebe sus parámetros, podemos crear comandos, aunque hay algunos por defecto como snmp_procname o snmp_disk.

Ficheros de configuración

Nagios crea unos ficheros de configuración en una carpeta donde tendremos los archivos pertenecientes a los host.

Por defecto se configura el archivo para localhost que es "localhost_nagios3.cfg", si queremos realizar la auditoría de otro host copiaremos este archivo y le ponemos otro nombre, como por ejemplo "miEquipo.cfg" y después lo editamos con los datos correspondientes para ese equipo.

Es posible quitar, añadir y personalizar todos los servicios que queramos

Un ejemplo para monitorizar el nº de usuarios sería escribir lo siguiente:

```
Define service
{
Use generic-service
Host_neme       ubuntu-vbox
Service_description     Current users
Check_command       check_users!30!50!
}
```

En este caso hemos ejecutado nrpe, 30 es el nºde usuarios a partir de los cuales se generará una advertencia y 50 cuando el estado sea crítico.

Otro ejemplo:

```
Define service
{
Use generic-service; name of the service template to use
Host_name       ubuntu-vbox
Service_description     snmp: usuarios de la máquina
Check_command       snmp_users!public!30!50
}
```

En este caso. Realizamos la consulta mediante SNMP.

Como ves, lo más complicado es la configuración de Nagios, pero una vez realizada su interfaz web es de lo más intuitivo.

¿Cómo se realiza la configuración de nrpe?

En el equipo donde tenemos Nagios ejecutamos el siguiente comando"apt-get install nagios-nrpe-plugin", con lo que queda ya instalado y configurado.

En el equipo que vamos a auditar ejecutamos "apt-get-install nagios-nrpe-server" y editamos el fichero "/etc/nagios/nrpe.cfg" añadiendo la siguiente línea "allowed_host=IP servidor nagios (la ip del servidor).

Notificaciones en Nagios

Los servicios o recursos pueden estar en 4 estados diferentes:

- OK

- Critical

- Warning

- Unknown

Un cambio de estado hará que se genere una alarma que es capaz de crear una notificación al administrador o responsable.

Tipos de notificaciones:

- Sonora

- Visual

- E-mail

- SMS

Estas notificaciones se elegirán en función de cuál sea el estado del servicio, por ejemplo nos notificará con un SMS los estado críticos del sistema.

Las notificaciones y alarmas permiten resolver el problema rápidamente, a veces se pueden ejecutar de forma automática manejadores (handlers) o pequeños scripts que por ejemplo pueden reiniciar el servidor si detectan un estado crítico. Estas opciones las tendremos que configurar.

En el caso de tener que realizar tareas de mantenimiento como por ejemplo backups se notifican en función de la hora y días programados.

¿Qué podemos ver en su interfaz web?

La interfaz web es muy sencilla e intuitiva, en ella podemos observar el estado de los servicios de una forma general o más concreta, dependiendo de su estado, veremos remarcados varios colores, rojo para el estado crítico, amarillo para los warnings y verde para el estado OK.

Conclusiones

·   Herramienta intuitiva y muy útil

·   Libre y gratuita

·   Configuración compleja

·   Monitoriza múltiples variables

6.1.4. Monitorización del rendimiento: Cricket, MRTG, Cacti

Cricket

Cricket monitorea tendencias de datos en el tiempo.

Se compone de un colector y de una interfaz.

–   Colector

Se lanza mediante el crono cada 5 minutos y almacena datos usando RDTool, para ser vistos por el usuario posteriormente.

–   Interfaz

Muestra los datos gráficamente para una fácil interpretación de los mismos.

Para su funcionamiento lee los archivos que están en el árbol de comunicación que es que tiene los datos que el programa necesita a cerca de qué datos tiene que recolectar y cómo hacerlo además de saber cuál es la fuente de los mismos.

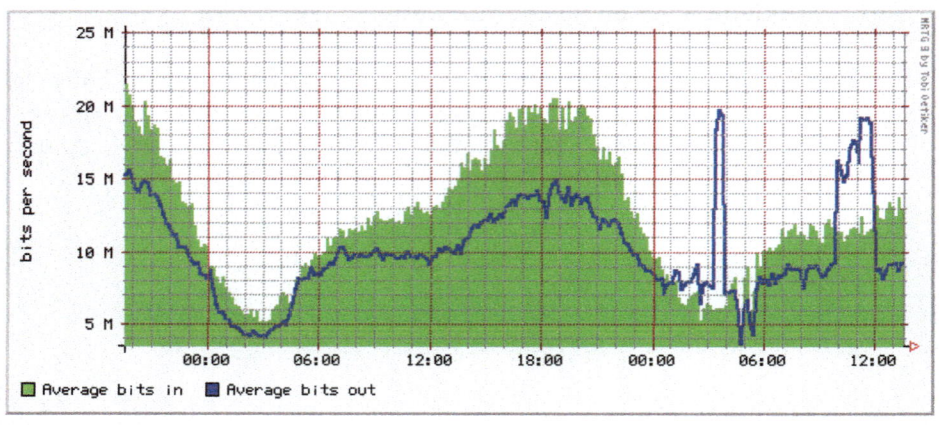

Cricket

Puedes descargar su versión 1.0.5 desde su web:

http://cricket.sourceforge.net/download/

Y acceder a su información de soporte en la página:

http://cricket.sourceforge.net/support/doc/

MRTG

MRTG (Multi router traffic grapher) permite monitorizar diferentes parámetros de la red, generando páginas HTML donde se representan en tiempo real los datos que se obtienen del protocolo SNMP.

Entre sus características destacan:

– Multiplataforma

  · UNIX

  · Windows

– Escrito en Perl Fácil identificación de interfaces de red mediante su descripción, ip, etc.

– Mantiene constante el tamaño de los logs.

– Mayor rendimiento con la incorporación de rutinas escritas en C.

– Gráficos generados en formato PNG.

– Muy configurable.

Su comportamiento en ejecución está basado en unos archivos de configuración que se generan automáticamente.

MRTG Index Page

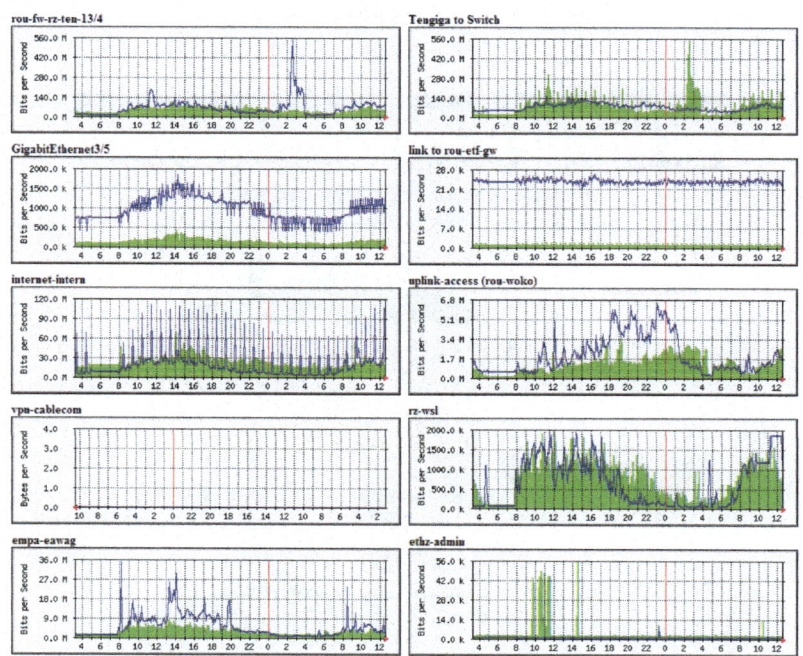

MRTG

Puedes descargar el programa de su web oficial:

http://oss.oetiker.ch/mrtg/download.en.html

Y acceder a la documentación de instalación y configuración desde:

http://oss.oetiker.ch/mrtg/download.en.html

Cacti

Es una herramienta que permite monitorizar y visualizar gráficas y estadísticas de dispositivos conectados a una red y que tengan habilitado el protocolo SNMP.

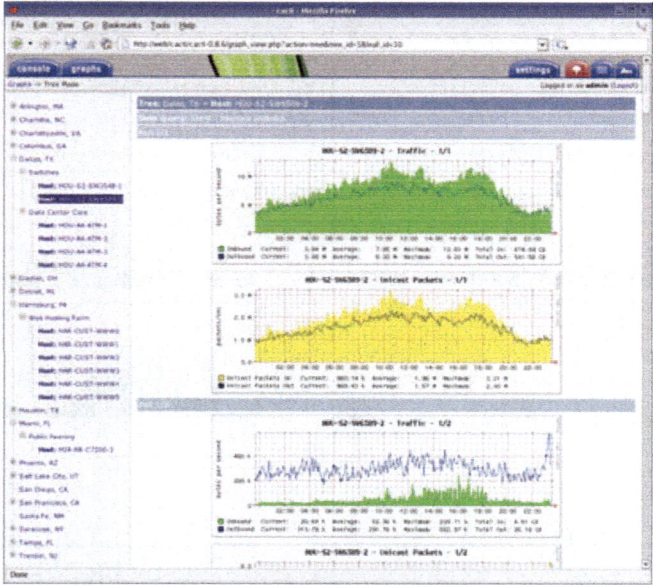

Cacti

Es posible monitorizar cualquier equipo de red que soporte el protocolo SNMP,siempre que tengan activado el protocolo SNMP y conozcamos las MIBs con los distintos OIDs (identificadores de objeto) a monitorizar y visualizar.

Funciona bajo entornos Apache + PHP + MySQL, permitiendo la visualización y gestión de la herramienta a través del navegador web.

La instalación y el funcionamiento de Cacti son sencillos.

Para su instalación en Windows se requiere instalar también el siguiente software:

Web server

– PHP

– MySQL

– RRDTool

– Net-SNMP

– Cacti

– CactiPatches

– Configure systemsecurity

Podemos descargarla de la web oficial:

http://www.cacti.net/

Y obtener documentación y manuales de la web:

http://www.cacti.net/documentation.php

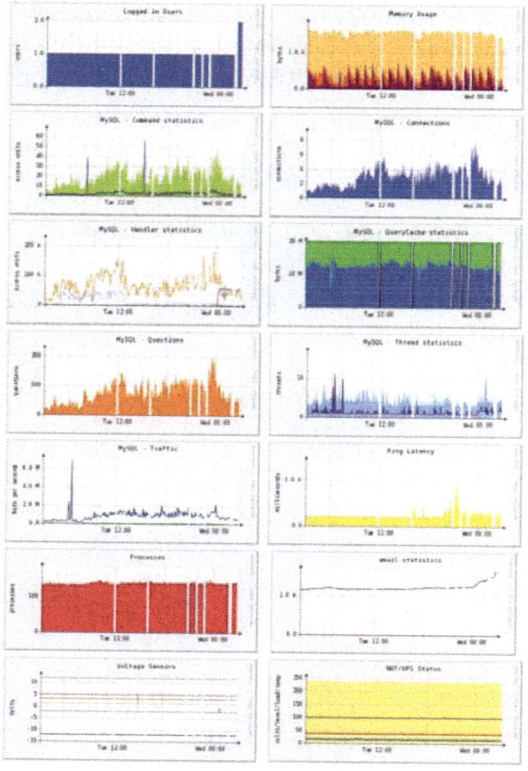

Cacti Monitor

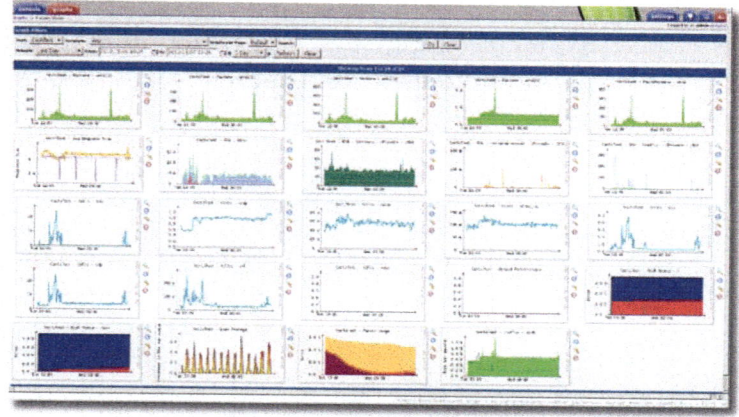

Cacti Monitor filters

6.2. Criterios de identificación de los servicios a monitorizar

En cada red las necesidades pueden ser muy diferentes por lo que los servicios a monitorizar pueden variar.

Se pueden monitorizar servicio internos y externos

– Internos: Equipos, aplicaciones, servicios, caída de un servidor

– Externos: Detección de intrusos, accesos no autorizados, etc.

La monitorización de los servicios de red puede ser muy variada:

– Correo

  · SMTP: protocolo para la transferencia simple de correo electrónico, basado en texto que se usa para intercambiar mensajes. Se emplea para gestionar el correo saliente, ya que tiene algunas limitaciones a la hora de procesar las colas de mensajes recibidos en el servidor de destino.

  · POP3: Protocolo de oficina postal versión 3, permite que nos descarguemos los correos a nuestro equipo, donde quedarán almacenados usando programas gestores de correo como por ejemplo Outlook de Microsoft.

  · IMAP: Protocolo de acceso a mensajes de internet, este protocolo no deja que los mensajes se descarguen al ordenador, por lo tanto permanecen en el servidor, interesante opción en el sentido de que podemos leer nuestro correo desde diversos dispositivos y siempre estarán en el servidor, además también ayuda a preservar nuestra privacidad cuando leemos los correos desde lugares públicos o compartidos, ya que la información no se guarda en la máquina local. Su inconveniente es que requerimos siempre de conexión a Internet. La cuestión aquí es que una vez descargados y almacenado en nuestra máquina, en el servidor desaparecen

– Resolución de nombres

  DNS: servidor de nombres de dominio, que permite asociar determinada información a un nombre de dominio, por ejemplo asocia la dirección IP de una máquina con su nombre de dominio correspondiente, de esta forma traduce o resuelve nombres de dominio que para nosotros sería imposible recordar como 80.34.56.78. Para ello usa una base de datos distribuida y jerárquica que almacena la información. Así también cuando nuestro router no sabe cuál es la dirección IP donde tiene que llevar la información consulta estas bases de datos DNS.

– Servidores

- WWW (HTTP): o servidor web, permite realizar conexiones de varios tipos, bidireccionales o unidireccionales, de forma síncrona o asíncrona entre el cliente y el servidor ofreciendo una respuesta por ejemplo en el navegador del cliente, como puede ser ver una determinada página web. Usa el protocolo HTTP del modelo OSI, que pertenece a la capa de aplicación.

- FTP: Es el protocolo de transferencia de archivos entre sistemas que se conectan a través de una red TCP, y está basado en la arquitectura cliente-servidor. Este protocolo nos permite conectarnos a un servidor y subir o descargar archivos del mismo

- Proxies: Son programas que hacen de intermediarios en las peticiones de recursos entre cliente y servidor. Puede cumplir con diversas funciones, como por ejemplo, controlar determinados accesos, registrar el tráfico de red, denegar el acceso a determinadas aplicaciones, webs, etc, mantener el anonimato o proporcionarnos una Web cache que almacena las páginas web que visitamos para mostrarlas más rápidamente en sucesivos accesos.

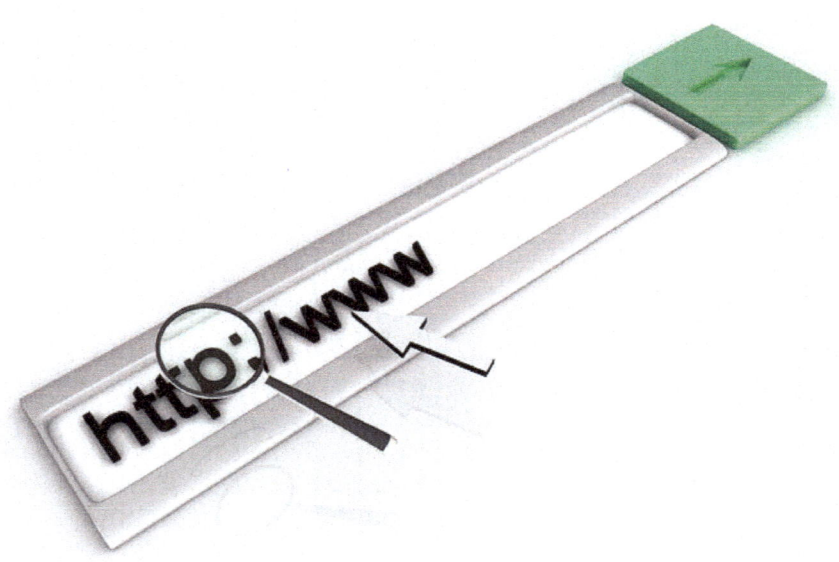

http

– Puertos

· TCP: protocolo de control de transmisión, permite crear conexiones entre diversos equipos para el envío de información, garantizando que los datos son entregados a su destino, en el mismo orden y sin errores. También permite saber que aplicaciones usan un determinado puerto.

· UDP: User datagrama protocol, protocolo ubicado en la capa de transporte del modelo OSI, que envía datagramas en la red sin un conexión previa, no asegura que los paquetes lleguen a su destino, y no hay un control del flujo ni confirmación de llegada del paquete. Se usa especialmente en la transmisión de audio y video.

· Tráfico de red: Es el tráfico saliente o entrante de datos en la red.

– Monitorización de recursos locales

· Espacio en disco duro

· Carga CPU

· Uso RAM

RAM

- Hora del sistema

- Procesos

  › Nº proceso, todos los procesos que se ejecutan en la máquina llevan asociado un nº de proceso o PID

  › Nombre

  › Existencia

- Ficheros

  › Fecha

  › Hora

  › Tamaño...

– Otros recursos a monitorizar:

- Bases de datos: Una base de datos es un banco de información que contiene diversos datos relacionados con un tema y que están categorizados y relacionados entre sí Por ejemplo la MIB.

- Clusters: Conjunto de ordenadores unidos en red que se comportan como si fuesen uno sólo. Podemos tener también clusters de discos duros, de servidores, etc. Se usan para mejorar el rendimiento y la disponibilidad de los equipos de red.

- Servidores RAID, el significado de RAID es Redundantarray of independent disk, que no es más que una matriz de discos duros interconectados entre sí que se comportan como uno sólo.

– Parámetros físicos

- Temperatura

- Humedad

- Carga eléctrica...

Debemos controlar aspectos como la temperatura y la humedad en las salas de servidores, la temperatura debe ser de 20 a 22 grados centígrados y la humedad estar en torno a valores del 40 al 50%.

Aunque los servidores son capaces de aguantar temperaturas entre los 10 y 38 grados no conviene forzarlos.

En el caso de un Data center la temperatura debe oscilar entre 17 y 21 grados centígrados, esto no es inamovible pero sí muy recomendable, aunque hay un margen de operación entre los 15 y 25 grados, por encima de esta temperatura debemos corregir la situación de inmediato.

Según la "Ley de Arrhenius" la vida de un componente electrónico se reduce a la mitad por cada 10 grados que aumentemos la temperatura, y si aplicamos esta ley de forma inversa, se mejorará la vida útil por cada 10 grados que bajemos la temperatura.

La norma EIA/TIA 942 recomienda unos valores entre 20 y 25 grados

Algunos fabricantes hacen sus recomendaciones específicas:

·   IBM recomienda 22°C

·   Dell recomienda 23°C

·   HP recomienda 22°C

Esto hace que los equipos no se sobrecalienten en exceso, sobre todo cuando hablamos de equipos que funcionan los 365 días al año. Y evita la creación de cargas estáticas que son muy perjudiciales para los equipos electrónicos.

6.3. Criterios de planificar los procedimientos de monitorización para que tengan la menor incidencia en el funcionamiento de la red

Para garantizar que los procedimientos de negocio sean fáciles, todos los procesos de monitoreo deberán desarrollarse sin complicaciones y generando el menor impacto posible sobre la red; incluyendo la comunicación interna y externa entre las distintas localidades de la empresa, así como con los clientes y socios de negocios

Cada empresa, por supuesto, posee distintas necesidades sobre una solución de monitoreo de red, como el mercado ofrece una gran variedad de herramientas y soluciones, es conveniente efectuar una minuciosa selección de la adecuada solución.

Los criterios a la hora de planificar el monitoreo de redes para que tengan el menor impacto posible en la red se basan en diversos criterios que debemos establecer.

Horarios de monitoreo

Cuando se hacen monitoreos activos de la red que generan tráfico de red y provocan un impacto en la misma, es importante tener en cuenta los horarios de trabajo de los usuarios para realizar la monitorización en el momento que menor impacto tenga sobre la red y sobre el trabajo del usuario.

Es por ello, que se suelen realizar por las noches los fines de semana.

En cualquier caso habrá servicios que deban ser monitoreados continuamente, esto es si son servicio críticos.

Horario

Protocolos

NO todos los protocolos son igual de importantes, ni a veces es necesario usarlos todos o monitorizar todos.

Protocolo WIFI

Simplificación

La aplicación debe dar tiempo al administrador para que realice otras tareas, y que no tenga que estar pendiente de la monitorización constantemente.

Servicios

Igualmente los servicios pueden estar o no activados, monitorizamos los que necesitemos y no todos.

Necesidades especificas del cliente

Dependiendo del tamaño de la red y los diferentes escenarios a controlar.

Cliente

Coordinación con otras redes remotas

Definir una franja horaria de monitoreo de la red similar en las distintas sedes que comparten datos a monitorear.

Tipo de red a monitorear (medios de transmisión)

No será igual monitorear una red por cable que una inalámbrica.

En una red de fibra óptica además de todo lo visto anteriormente será necesario medir y monitorizar cosas como el nivel de potencia de las señales, atenuación, longitud de onda, etc. En sí este medio es el más seguro de todos en lo que se refiere a la transmisión de datos, por lo que se monitorean aspectos más bien físicos del mismo.

Las redes inalámbricas entrañan más peligros, ya que la información viaja por el aire, y puede ser fácilmente interceptada. Hay que tener en cuenta que este medio comparte el ancho de banda por lo que hacer un escaneo activo puede degradar su rendimiento.

6.4. Protocolos de administración de red

El Protocolo simple de administración de redes (SNMP) es un estándar de administración de redes ampliamente usado en las redes TCP/IP.

Permite administrar hosts de red, como estaciones de trabajo o equipos servidores, enrutadores, puentes y concentradores, desde un equipo ubicado centralmente que ejecuta software de administración de red.

SNMP realiza servicios de administración usando una arquitectura distribuida de sistemas y agentes de administración.

Debido a que la administración de red es crucial para la auditoría y la administración de recursos, SNMP se puede usar para:

— Configurar dispositivos remotos. La información de configuración se puede enviar a cada host en red desde el sistema de administración.

— Supervisar el rendimiento de la red.

   · Velocidad de procesamiento

   · Rendimiento de la red.

   · Recopilar información sobre la correcta realización de las transmisiones de datos.

— Detectar errores de red o accesos inapropiados.

   Alarmas de desencadenadores en dispositivos de red cuando se producen determinados eventos.

— Auditar el uso de la red.

   Puede supervisar el uso general de la red para identificar el acceso de un usuario o un grupo, y los tipos de uso por dispositivos y servicios de red.

Otros protocolos de administración de red son:

— CMIP

   Protocolo de administración de información común, define un estándar de administración de redes, siendo más complejo que SNMP.

– NETFLOW

Protocolo definido por CISCO, que funciona mediante UDP, permite recolectar el tráfico de red y nos ofrece información detallada de cómo se comporta la red monitoreando aplicaciones que usan puertos dinámicos. Es una de las principales tecnologías de monitoreo de redes que se usan en la actualidad.

– RMON

Importante

TCP/IP es un conjunto de protocolos que permiten la transmisión de datos entre equipos de una red. En realidad está formado por TCP, que es el protocolo de transmisión y que garantiza la entrega de los datos en el mismo orden en que se enviaron. Por otra parte está el protocolo IP, o protocolo de internet que usa direcciones que en formato binario son 4 grupos de octetos o bytes (0 y 1), que es lo que conocemos como dirección IP, de este tipo por ejemplo: 192.168.0.1

6.5. Ejemplificación y comparación de herramientas comerciales y de código abierto

Tenemos muchas herramientas de monitorización de redes,algunas tienen su versión free y de pago y otras son absolutamente free. Entre ellas :

– Nagios

– Zabbix

– Cacti

– Zenoss

– Pandora FMS

– Munin

– Orion

– Centreon

- SolarWinds

- Netflowanalyzer

- PRGT Network Monitor…

La mayoría de las empresas solicitan conocimientos en Software comercial como:

- IBM Tivoli

- Netview

- OpenView

- CiscoWorks

- NetFlow

También podemos contar con una herramienta proporcionada por Windows como:

- Microsoft Network Monitor

    · Permite monitorizar redes y obtener datos de ellas como por ejemplo conexiones entrantes y salientes.

    · Proporciona historiales completos.

Otras herramientas interesantes son:

- Net Supervisor

- Pandora FMS

- OSmius

- Hyperic HQ

- Network Eagle Monitor

- Advance hosts monitor

- Bandwidtch monitor pro

- Axence NEtTools

- Antamedia HotSpot Software

UD6
Lo más importante

- La detección de fallos en la red a tiempo es crucial para poder ofrecer un buen servicio a los usuarios de la red, por ello es de vital importancia contar con mecanismos que nos notifiquen los fallos y nos muestren el comportamiento de la red mediante análisis de la misma y recolección del tráfico.

- En relación a las métricas es importante definirlas para poder establecer patrones de comportamiento de los dispositivos a monitorear, se asignará un valor o umbral que nos guiará acerca del patrón de comportamiento que deben seguir esos dispositivos, y nos alertará en caso de que esos umbrales se sobrepasen, como por ejemplo si hemos asignado una cuota de disco a un usuario y este está llegando a su límite.

- **Monitoreo Activo:** En este tipo de monitorización de la red, se introducen paquetes de prueba y se envían a diversas aplicaciones midiendo sus tiempos de respuesta. Este tipo de monitoreo agrega tráfico a la red para medir su rendimiento.

- **Monitoreo pasivo.** Desde este enfoque no se trata de agregar tráfico de red, sino más bien de recolectarlo y analizar el tráfico que circula por la red, para ello usaremos herramientas como los Sniffers, Caín &Abel, TCPdump, etc.

- El comando ipconfig nos da información acerca de la configuración TCP/IP y nos permite también modificarla.

- Muestra el estado de la pila TCP/IP en el equipo local.

- La monitorización de redes es constante, y busca componentes lentos, con errores, exceso de consumo de recursos, etc., Notifica al administrador de la red de los eventos o alarmas producidos en la red.

- NetFlow es un protocolo desarrollado por Cisco basado en UDP o SCTP, que actualmente se usa como principal tecnología de registro del tráfico de red, ya no sólo lo usa CISCO sino otros fabricantes como Juniper, así como diversos sistemas operativos.

- Con Nagios podemos monitorizar diferentes servicios de red, también los recursos de los host como son los logs de sistema, carga de cpu y memoria, etc.

- MRTG (Multiroutertrafficgrapher) permite monitorizar diferentes parámetros de la red, generando páginas HTML donde se representan en tiempo real los datos que se obtienen del protocolo SNMP.

- Cuando se hacen monitoreos activos de la red que generan tráfico de red y provocan un impacto en la misma, es importante tener en cuenta los horarios de trabajo de los usuarios para realizar la monitorización en el momento que menor impacto tenga sobre la red y sobre el trabajo del usuario. Es por ello, que se suelen realizar por la noche.

UD6
Autoevaluación

1. **Elementos a monitorear son:**
   a. Routers
   b. Bases de datos
   c. Consumo CPU
   d. Todas son ciertas

2. **Herramientas para monitorear redes son:**
   a. Cacti
   b. Nagios
   c. Mrtg
   d. Todas son ciertas

3. **En el monitoreo pasivo:**
   a. No se usa SNMP
   b. No se captura el tráfico
   c. A y B son ciertas
   d. Ninguna es verdadera

4. **El comando ping:**

   a. Permite comprobar conectividad entre dos máquinas

   b. No se usa

   c. A es verdadera

   d. Todas son falsas

5. **Netflow:**

   a. Es u protocolo de CISCO

   b. Se basa en udp

   c. Lo usan otros fabricantes con nombres parecidos

   d. Todas son ciertas

6. **NetflowAnalizer:**

   a. Es un protocolo de CISCO

   b. Ofrece informes en tiempo real

   c. Es un programa

   d. B y c son ciertas

7. **Nagios:**

   a. Es un programa para monitorizar redes

   b. Permite monitorización remota

   c. Es muy potente

   d. Todas son ciertas

8. **Cricket y MRTG:**

   a. Ambos son programas monitoreo de red

   b. Ambos funcionan parecido

   c. Ambos tienen interfaz gráfica

   d. Todas son ciertas

9. A la hora de monitorear la red es importante:

    a. Considerar la hora de monitoreo

    b. Saber qué protocolos vamos analizar

    c. Simplificación.

    d. Todas son ciertas

10. **Responde cuál es la falsa. Herramientas software de monitorización son:**

    a. Excelent

    b. Nagios

    c. Cacti

    d. PRGT

Área: informática y comunicaciones

UD7

Análisis del rendimiento de redes

7.1. Planificación del análisis del rendimiento

El análisis del rendimiento de la red nos permite conocer la información sobre el estado, saber lo que debemos esperar de la red y poder tomar acciones proactivas y obrar en consecuencia a determinados eventos o alarmas.

La planificación del rendimiento se puede realizar a medio y largo plazo, y siempre está sujeto a modificaciones, ya que se pueden generar cambios en la red constantemente.

Debemos planificar el tipo de monitoreo según el enfoque activo o pasivo, pero aunque son diferentes, se complementan, en el monitoreo activo se inyectan paquetes de prueba para medir sus tiempos de respuesta, etc. El monitoreo pasivo se encarga de recolectar datos y analizar el tráfico que circula por la red.

Se hace necesario planificar los horarios del análisis de rendimiento, para no perjudicar a los usuarios de la red.

El Análisis de tráfico se usa para caracterizar el tráfico de la red, es decir, para identificar el tipo de aplicaciones que son más utilizadas.

Se puede implementar haciendo uso de dispositivos intermedios con una aplicación capaz de clasificar el tráfico por aplicación, direcciones IP origen y destino, puertos origen y destino, entre otros

Antes de implementar un esquema de monitoreo, se deben tomar en cuenta los elementos que se van a monitorear, y las herramientas que se van a utilizar para esta tarea.

Existen muchos aspectos que pueden ser monitoreados, los más comunes son los siguientes:

— Utilización de ancho de banda

— Consumo de CPU

- Consumo de memoria

  - Memoria disponible

  - Memoria usada

  - Total de memoria

  - Memoria virtual

- Estado físico de las conexiones

- Tipo de tráfico

- Alarmas

- Servicios (Web, correo, base de datos)

Alarma

Es importante definir el alcance de los dispositivos que van a ser monitoreados, puede ser muy amplio y se puede dividir de la siguiente forma:

–   Dispositivos de interconexión

   ·   Routers

      Dispositivos de enrutamiento

   ·   Switches

      Conmutadores de red

   ·   Hubs

      Concentrador

   ·   Firewalls

      Cortafuegos, permite o deniega conexiones de entrada o de salida,
      se encarga de regular el tráfico de red.

–   Servidores

   ·   Web

   ·   Mail

   ·   DB (bases de datos)

–   Red de administración

   ·   Monitoreo

   ·   Log

   ·   Configuración

Importante

Log se refiere a un registro de eventos que ocurre en un tiempo determinado. Los logs se usan para registrar datos como por ejemplo qué aplicación se abrió, quién la abrió, cuánto tiempo, operaciones de lectura y escritura de un usuario, accesos servidor fallido y correcto, etc. Con toda esta información podemos comprobar posibles accesos no autorizados o diversos datos que nos permiten conocer los riesgos y tomar soluciones frente a ellos.

Así mismo se deben planificar métricas que nos permiten conocer los patrones de comportamiento de la red de los dispositivos que estamos monitoreando.

Estas métricas también dependen del tipo de red, y de las necesidades particulares que se requieran en cada caso.

Firewall

Algunas métricas son:

–   Métricas de tráfico de entrada y salida

–   Métricas de uso de procesador

–   Métricas de uso de memoria RAM

–   Métricas para la capacidad del disco duro

–   Etcétera

7.1.1. Propósito

Los propósitos de los análisis de red son crear una línea de base, resolver problemas y planificar el crecimiento de la red. Además nos permite defendernos de diferentes acusaciones, pudiendo presentar documentación que acredite el buen funcionamiento de los servicios que se ofrecen

El hecho de analizar la red cumple con varios propósitos.

– Detección de falos

Es importante monitorear la red para detectar fallos en el hardware, por ejemplo si un servidor se ha caído, o un router no funciona. También podemos detectar fallos en el Software.

– Detección de intrusos

Con el uso de aplicaciones de monitoreo y NIDS (sistemas de detección de intrusos) podemos averiguar si hay algún uso anómalo de la red. O si un intruso intenta acceder a ella y evitar males como el robo de información, o el exceso de tráfico en la red.

– Comparación

Como tenemos una línea de base (baseline) de cómo está configurada nuestra red, y cómo funciona normalmente, podremos detectar cambios comparando los datos actuales de la red con los que teníamos en un principio.

– Resolución de incidencias

Detectar fallos en la red a tiempo nos permitirá resolver rápidamente las incidencias que surgen o las que puedan surgir, permitiendo que seamos proactivos en la detección de errores.

– Detección de nuevas necesidades

Monitorear la red nos permite también detectar nuevas necesidades, por ejemplo si un usuario necesita más cuota de disco, o la red tiene que crecer.

– Ahorro de tiempo

Las aplicaciones de monitoreo nos avisan mediante alarmas de errores, mal funcionamiento, límites superados, con lo que podemos intervenir rápidamente. No es necesario que el personal de IT esté constantemente vigilando la red, con lo que se puede dedicar a otras tareas.

– Optimización de la red empresarial

Con los datos obtenidos de la red, y los análisis de tendencias tendremos una visión muy completa de nuestra red, lo que nos permitirá optimizarla adecuadamente.

– Detección vulnerabilidades

Mediante aplicaciones como Nessus, podemos detectar vulnerabilidades en puertos y aplicaciones, y así poder solucionar rápidamente cosas como instalar parches de seguridad del sistema operativo y de las aplicaciones.

Vulnerabilidades

– Ahorro

· Estas soluciones de monitoreo de la red suponen un coste para el departamento de IT, pero es un coste mínimo si pensamos en todo lo que nos ofrecen estas soluciones, y el ahorro que supone detectar los fallos a tiempo.

· Imagina por ejemplo que el servidor de un ISP dejase de funcionar, sería algo terrorífico, muchas empresas online estarían sin conexión mientras durase el incidente, y esto supondría pérdidas económicas muy grandes.

Ahorro

– **Elección de métricas de servicios**

Nuestro propósito es elegir las métricas que sean más importantes de cada servicio, para ello nos debemos realizar varias preguntas, como ¿de qué manera se percibe la degradación del servicio?, ¿cuál debe ser el tiempo de espera?. ¿cuál será la disponibilidad? ¿cómo justificamos el mantener un servicio?¿Cuáles son los costes?, etc.

Importante

No confundas el concepto de métrica con las métricas de los protocolos de enrutamiento, que son valores o aspectos que tiene en cuenta el router para establecer cuál es la mejor ruta que pueden tomar los paquetes de datos hasta el destino, teniendo en cuenta aspectos como la calidad de los servicios, los coste, la menor distancia, la ruta más sencilla o la que mejor ancho de banda tiene, todo esto dependiendo de los protocolos de enrutamiento que se estén usando(RIP, OSPF, etc), ya que cada uno usa métricas diferentes. Como ves nada que ver con el concepto de métrica que estamos tratando aquí.

– Mantener segura la red

- Nuestros programas de monitoreo nos pueden informar de aspectos como el uso excesivo de la CPU, o si el tráfico de red es significativamente mayor, en función de nuestra línea base, lo cual es una clara advertencia de que algo no funciona bien, y de posibles ataques malware.

- Las soluciones de monitoreo, en general se integran muy bien con otras aplicaciones de seguridad como el antivirus, cortafuegos, etc, lo que nos dará una seguridad adicional.

- Nos permite reconocer ataques en la red como:

  › ARP SPoof

    Envenenamiento de las tablas ARP, lo que permite que un atacante se infiltre en la red y pueda tener acceso a los paquetes de datos que circulan por la LAN

› MFlooding

Técnica que compromete la seguridad del equipo mediante el acceso a través de puertos.

› DDosAtack

- DDos es el acrónimo de Distributeddenial of service, ataque de denegación de servicios, que hace que se interrumpan los servicios por ejemplo de un servidor, por lo que incide directamente en su disponibilidad. Actúa saturando los puertos del servidor haciendo que se sobrecargue debido a la cantidad de solicitudes que recibe y no puede atender, esto provoca la caída del servidor.

- Es la técnica de ciberataque más común.

› DHCP Spoof

Ataques que afectan al servicio DHCP suplantando este servicio.

› VLAN Hopping

Virtual local área networkHopping, es un método que explota la seguridad del ordenador, atacando a los recursos en una VLAN.

› Análisis de malware

Malware es todo tipo de software malintencionado, esto incluye virus, gusanos, troyanos, rootkits, spyware, adware, scareware, crimewire, etc.

· Determinar el tipo de ataque

› Interno

Aunque no lo parezca, la mayoría de los ataques proceden de dentro de la empresa, usuarios curiosos, ávidos de probar, empleados enfadados que quieren fastidiar a la empresa, robos de información, espionaje industrial, etc.

› Externo

Usuario y password

Privacidad

7.1.2. Destinatarios de la información

Y ¿quiénes son los destinatarios de la información que genera un programa de monitoreo de redes?

Pues bien, pueden ser diferentes destinatarios, en función de cómo hayamos configurado las alertas, y a quién hayamos puesto de destinatario de las mismas.

Estas alertas pueden ir dirigidas a:

– Administradores

   · Por supuesto, el primero que ha de tener la información y conocer lo que está pasando en la red, es el administrador.

   · Con la información obtenida debe hacer un análisis pormenorizado de la situación y establecer las causas que causaron el fallo o la incidencia para así tomar las soluciones pertinentes.

– NOC

   Un NOC (centro de control de redes), es un equipo que se encarga de interpretar los datos obtenidos de la red, supervisarlos y también cumple otras funciones como el mantenimiento y reparación.

– Usuarios helpdesk

   · El centro de Helpdesk también puede ser el destinatario de la información, si ellos pueden resolver el problema lo hacen, sino lo escalan a un nivel superior.

   · Los clientes también pueden ser destinatarios de una parte de los datos de la monitorización, en concreto de la parte que les concierne, para saber si se les está ofreciendo el servicio contratado, o si tienen que hacer mejoras, así cómo saber si se están produciendo ataques o vulnerabilidades que pongan en peligro la integridad y privacidad de sus datos.

Helpdesk

Alcance

La planificación de la red es muy importante, aunque no podemos medirlo todo, nos podemos hacer una idea fehaciente de lo que está ocurriendo en la red mediante el análisis de los hechos pormenorizado.

Debemos tener en cuenta que hay que establecer un equilibrio entre la cantidad de información que queremos obtener y el tiempo que nos va a llevar obtenerla, por lo que hay que tomar decisiones del tipo de qué información medir, cuánta, cuál es la más crítica, etc

Cualquier planificación de las medidas de rendimiento puede estar sujeta a variaciones.

Planificación

Las actividades que forman parte del alcance de un sistema de monitoreo de red dependen de las necesidades concretas de la red a monitorear, entre ellas destacamos:

– Análisis inicial de la red

Para saber en qué estado se encuentra

– Monitoreo del estado de la red

Nos permite saber cuáles son las condiciones, vulnerabilidades y estado de la red.

– Monitoreo del desempeño de los equipos

Nos permite maximizar el tiempo de actividad

– Gestión remota

Gestión de cambios y actualizaciones

– Administración de la configuración y copias de seguridad.

Planificación de las copias de seguridad

– Monitoreo y análisis de amenazas

- Vulnerabilidades de las aplicaciones

  › Falta de actualizaciones de seguridad

  › Bugs

  Error de software que puede ser una vulnerabilidad que afecte a la seguridad de nuestros equipos. Es normal que los programas tengan fallos en su programación, por eso cuando se detectan salen actualizaciones o parches que solucionan este inconveniente y ayudan a protegernos.

- Puertos y servicios innecesarios

Mantener sólo abiertos los puertos que son imprescindibles para la operación de la aplicación. Los puertos, nunca mejor dicho, son puertas de entrada a nuestro sistema, si dejamos las puertas abiertas los cacos entran y nos roban.

Puerto USB

- Análisis de falsos positivos

  A veces las aplicaciones antivirus, NIDS, Firewall o de monitoreo generan falsas alarmas que hay que comprobar.

- Análisis de falsos negativos

- Ajuste de filtros y alarmas

  Configuración de los mismos según necesidades.

- Diagnósticos proactivos

  Poder resolver los problemas rápidamente antes de que afecten al rendimiento de la red.

- Análisis de tendencias de la red

  Análisis de futuras necesidades en función de los datos obtenidos.

- Actualizaciones del sistema operativo y aplicaciones

  - Importante para evitar vulnerabilidades

  - Sólo en aplicaciones originales (no piratas)

- Notificación e informes de las amenazas, especialmente las críticas

  - Al administrador

  - NOC

  - Usuarios o clientes

  - Helpdesk

- Realización de informes de operaciones semanales

  - Estadísticas

  - Informes de incidentes, etc.

- Análisis del ancho de banda.

  Saber cómo se usa el ancho de banda, a qué horas está más saturado, por qué, etc.

- Monitoreo para saber si se cumplen los SLAs (niveles de contratos de servicio)

- Administración de los incidentes

7.2. Indicadores y métricas

A la hora de monitorear hay que tener en cuenta ciertos indicadores y métricas, esto es, debemos establecer patrones de comportamiento de los dispositivos que vamos a monitorear.

Las métricas son muy variadas y dependen de las necesidades de la red. Incluso podemos definir nuestras propias métricas en función de las necesidades de la red.

Así mismo estas métricas deben ser congruentes con los objetos que vamos a monitorear.

Es importante saber interpretar los datos obtenidos para saber aplicar las métricas y que realmente nos sean útiles.

A cada métrica le vamos a dar un valor de base promedio que identificará cuál debe de ser su patrón de comportamiento.

Algunas de estas métricas son:

− Métricas de tráfico de entrada

   Bytes de entrada

− Métricas de salida de tráfico

   Bytes de salida

− Métricas de uso de CPU

   · % uso CPU

   · % uso de los diferentes núcleos

− Métricas de memoria

   · Memoria libre

   · Memoria usada

   · Memoria Total

- Métricas de estado de las interfaces

- Métricas de conexiones lógicas

- Métricas referentes al uso del disco duro

  - Cuota de disco asignada

  - Superación de la cuota

  - Cercanía al límite de la cuota

Las alarmas, muestran el comportamiento inusual de la red, basadas algunas de ellas en los patrones que hemos definido previamente en las métricas. Así cuando se sobrepasa un valor umbral o de línea base se activa una alerta, ya que el suceso sobrepasa el umbral y el comportamiento se sale del patrón habitual.

Métricas

7.2.1. Explicación de los conceptos

Métrica

Las métricas son medidas cuantitativas que nos ayudan a conocer una característica determinada, usadas para la planificación de procesos o para la realización de comparativas.

Permiten establecer patrones de comportamiento a cerca de los dispositivos que estamos monitoreando, lo cual es útil para comprobar su correcto funcionamiento, o poderlo comparar con registros de rendimiento anteriores que tengamos, y así poder sacar conclusiones y tomar decisiones de las cosas que ocurren en la red.

Además con las métricas establecidas podemos generar alarmas que nos informan de comportamientos inusuales, o de fallos en el sistema.

Podemos distinguir tipos de métricas atendiendo a lo que miden:

— Métricas de rendimiento de red:

   · Ancho de Banda (Bandwidth)

      Cantidad de datos que se pueden transmitir en un segundo

   · Capacidad del canal nominal y efectiva

      Capacidad total y real, datos que se pueden transmitir en la unidad de tiempo expresados en bps. Esto también depende de:

      - Medio físico de transmisión

      - Capacidad de procesamiento de los equipos

      - Algoritmos eficaces

      - Codificación del canal

      - Uso de compresión de datos.

   · Utilización del canal

      Quienes usan el canal

   · Retardo y jitter

   · Pérdida de paquetes y errores

- Métricas de rendimiento de sistemas

  - Disponibilidad

    Servidores o equipos caídos y en funcionamiento

  - Uso Memoria

    › Libre

    › Usada

    › Disponible

    › Total

  - Uso CPU

  - Carga (load), etc.

- Otras métricas comunes

  - Retardo(Delay), también se llama latencia.

  - Retardo de extremo a extremo

    › Tiempo que pasa desde que se envía un paquete hasta que se recibe.

    › Tipos:

      - Procesamiento: tiempo necesario para hacer un análisis del encabezado y decidir dónde se envían los paquetes

      - Colas: Tiempo en que un paquete espera en un buffer hasta que se transmite.

      - Transmisión: El tiempo que tardan los paquetes en pasar por el medio de transmisión.

      - Propagación: Cuando un bit entra en un medio físico, es el tiempo que este tarda desde que entra hasta que sale.

  - Throughput (Caudal)

  - Tiempo de Respuesta

  - Tasa de llegada (Arrivalrate)

- Utilización

- Pérdidas o Paquetes perdidos (Loss)

  Ocurre porque la cola de los buffers no son infinitos, cuando el buffer está lleno y entra un paquete este es descartado.

- Confiabilidad

– Métricas concernientes al tráfico de red:

- Bits por segundo (Bps)

- Paquetes por segundo

- Paquetes unicast vs. paquetes no-unicast

- Errores

- Paquetes descartados

- Flujos por segundo

- Tiempo de ida y vuelta (RTT)

- Dispersión del retardo (Jitter)

Transmisión datos

Importante

Es importante que sepamos diferenciar los términos Broadcast, multicast y unicast.

– Unicast, es el envío de información de un emisor a un receptor concretos.

– Multicast, también conocido como multidifusión, es cuando enviamos información a múltiples receptores.

– Broadcast, cuando se envía información a todos los nodos de la red.

Alarmas

Las alarmas son eventos que nos informan de un comportamiento inusual. Lo normal es que nos informen acerca de cambios en los dispositivos o servicios de red.

Existen alarmas que están basadas en las métricas, es decir en patrones que se han definido previamente, que tienen un umbral, línea base o también llamado threshold. Cuando estos valores promedio se superan se genera una alarma, ya que cambia el comportamiento normal de la red.

En los programas de monitoreo de redes estas alarmas se muestran de diversas formas:

– SMS

– E-mail

– Sonidos en el monitor

– Alarmas gráficas por colores.

  · Rojo: Crítico

  · Amarillo: Debidas a servicios lentos

  · Verde: Todo está correcto

- Naranja: Cuando los valores son muy diferentes a los de históricos anteriores

– Otras formas de comunicación.

Algunas de estas alarmas son:

- Alarmas de procesamiento (consumo de recursos de la CPU)

- Alarmas de conectividad

- Alarmas de temperatura

- Alarmas de humedad

- Alarmas que evidencian uso anómalo de la memoria

- Alarmas de alta carga de CPU

- Alarmas de cuota de disco duro

- Alarmas de uso del ancho de banda

- Alarmas de disponibilidad.

- Alertas de estado

- Alertas de límites por encima o por debajo del umbral.

- Alertas con múltiples condiciones

- Alertas reconocidas (no se mandan más notificaciones para esta alarma)

Indicador

Un indicador es un método de estimación acerca de un concepto medible con respecto a la necesidad de información.

Son métricas o conjuntos de métricas que nos ofrecen una visión de los procesos de red.

Permite establecer criterios de decisión, métodos de cálculo y escalas de valores.

7.3. Identificación de indicadores de rendimiento de la red

Los indicadores de rendimiento de una red nos indican la forma en que los usuarios, aplicaciones y dispositivos de red cumplen con los requerimientos de rendimiento que se establecieron cuando se planificó la red.

El rendimiento de la red se compone de varios aspectos como la capacidad de transferencia de datos, el retardo, es decir el tiempo que se tarda en transferir los datos de origen a destino y el RMA (reliability, maintainability y availability), es decir, confiabilidad, mantenibilidad y disponibilidad de la red.

Es muy importante mantener todos estos aspectos correctamente, ya que cualquier error puede impactar gravemente en las actividades de los usuarios de la organización.

La capacidad está unida a términos como el ancho de banda, que es la capacidad que tiene la red para transmitir datos, medido en bits/s. Imagina una carretera de dos carriles y otra de cuatro, el ancho de banda sería la cantidad de coches que pueden pasar por esa carretera en un segundo.

Los indicadores de rendimiento de la red más comunes son:

– Capacidad nominal y efectiva del canal

  · Nominal: es la máxima cantidad de bits que se transmiten en un segundo

  · Efectiva: Es una fracción de la capacidad nominal

– Uso del canal

  · Indica qué parte de la capacidad nominal del canal se usa realmente

  · Es un buen indicador para poder planear el crecimiento de la red

  · Permite resolver problemas como por ejemplo saber donde se encuentran los cuellos de botella de nuestra red

– Retardo

  · De procesamiento

- · De colas

- · De transmisión

- · De propagación

- Jitter

- Ancho de banda

- Caudal

- Velocidad medida en bits por segundo (bps)

- Tiempo total de transmisión

- Tiempo de propagación

- Retardo de extremo a extremo

  - · Tiempo que pasa desde la transmisión de un paquete en todo su trayecto.

  - · Importante sobre todo en aplicaciones que usan voz y video, donde se espera que el retardo sea el mínimo posible.

- Dispersión del retardo (jitter)

- Pérdida de paquetes y errores

7.3.1. Capacidad nominal y efectiva del canal

Capacidad nominal

La capacidad nominal es la cantidad máxima de bits que se transmiten por segundo (bps).

Depende de varios factores

- Ancho de banda del medio físico

  - · En función del medio en el que se transmitan los datos, así no es lo mismo hacerlo por cable que a través del aire mediante ondas electromagnéticas.

- El ancho de banda de un cable será mayor que el que ofrecen los medios no guiados (información viaja por el aire).

- Así mismo el ancho de banda de un medio físico como el cable es diferente dependiendo del tipo de cable, no es lo mismo transmitir datos mediante un cable coaxial, que a través de uno de fibra óptica.

Sabías que

— Velocidad transmisión de un cable UTP: 100Mbit/s

— Velocidad transmisión de un cable coaxial: 10Mbit/s

— Velocidad de transmisión de un cable óptico: 10 Gb/s

— Velocidad transmisión de datos WIFI 802.11g: 54Mbit/s

— Capacidad de procesamiento de los elementos transmisores.

Se refiere a l nivel de procesamiento de los dispositivos que intervienen en la transmisión de los datos, por ejemplo lo rápido o lento que es un router a la hora de procesar los datos.

— Eficiencia de algoritmos de acceso al medio.

Estos algoritmos deciden la prioridad de acceso al medio, y el número de veces que se intenta realizar el envío de los datos.

— Mecanismos de codificación del canal

Mecanismos de control de errores que reducen la cantidad de paquetes perdidos.

— Compresión de datos

La información se transmite en un menor espacio, y por tanto más rápido.

Sabías que

Intenta subir información a internet comprimida y sin comprimir verás como comprimida se sube rápidamente. Por ejemplo este libro subido a MegaUpload sin comprimir tardaría horas, en cambio comprimido tarda pocos minutos.

Capacidad efectiva del canal

La capacidad efectiva del canal es una fracción de la capacidad nominal.

En términos más normales es la capacidad real del canal

También depende de otros aspectos como:

— Overhead (carga adicional) de los protocolos en diferentes capas

— Limitaciones de los dispositivos que se hallan en los extremos dependen de aspectos como:

- · Limites procesamiento

- · Limites por el buffer

- · Algoritmos de control de flujo

- · Métodos de codificación del canal

- · Métodos de compresión del canal

Podemos calcularla de la siguiente manera:

Capacidad efectiva = N * capacidad nominal

Donde N debe ser menor que 1.

Cuanto más cercano sea el valor a 1 significa que nuestra red estará más cerca de saturarse.

En la mayoría de los casos se supone que la capacidad efectiva viene a ser un 40% de la nominal en redes del tipo LAN/WAN.

Así si nuestra red LAN es del tipo 100BaseT, es decir con cable de par trenzado UTP a 100Mbps, realmente estimaremos una capacidad del 40% por tanto de 40Mbps. Con estos datos podemos estimar cuál es la carga que podemos tener en esta red, así si tenemos dispositivos en la red que requieren 4Mbps solamente podré tener un máximo de 40Mbps/4Mbps, es decir 10 dispositivos conectados.

7.3.2. Utilización del canal

El uso del canal es la fracción de la capacidad nominal de un canal que es realmente usada

Es importante para:

– Planificar la red a medio /largo plazo.

- Permite planificar la tasa de crecimiento que tiene la demanda

- Cuándo necesito más capacidad

- Cuándo invertir en actualizar la red

- ¿Dónde invertir?

- ¿Qué equipos debo actualizar?

– Resolver problemas

- Permite detectar puntos débiles de la red

- Detectamos cuellos de botella

Canal

Definición

Cuello de botella, básicamente es tener una transmisión de datos desbalanceada, una disminución del ancho de banda abrupta o de la velocidad. Imagina una carretera de 4 carriles donde el tráfico fluye con normalidad y de pronto se convierte en una carretera de dos carriles, y entonces es cuando empieza el atascazo y tenemos que reducir la velocidad a la que íbamos, esto es un cuello de botella.

La capacidad del canal es algo así como la cantidad de datos máxima que se pueden transmitir, medida en bits por segundo, abreviado como bps. La capacidad está relacionada con dos factores, el ancho de banda y la relación señal/ruido (S/N).

La cantidad de información que se puede transmitir es limitada por el canal.

La capacidad máxima del canal se expresa mediante la siguiente fórmula:

$$C = B \log_2 (1 + S / R) \text{ (bps)}$$

LA capacidad del canal y su límite, dependerá del medio de transmisión y de su naturaleza, cobre, fibra óptica, etc.

UN ejemplo de los límites del canal es la transmisión de señales digitales por canales analógicos.

La eficiencia de un canal se relaciona con su capacidad y ancho de banda, nos muestra los bps que se transmiten por cada hertzio de su ancho de banda.

7.3.3. Retardo de extremo a extremo

El retardo extremo a extremo es el tiempo que se tarda en transmitir un paquete de datos desde el origen al destino.

Se suele medir mediante RTT (Round trip time), tiempo de ida y vuelta.

Podemos comprobarlo haciendo un ping a una IP, cuando ejecutamos el comando ping desde la consola de comandos nos ofrece la información del tiempo de ida y vuelta, por ejemplo si hago un ping a google (C:/ ping www. google,com) enviamos 4 paquetes y si la comunicación es correcta debemos recibir 4 y nos indicará los tiempos (TTL)

Ejemplo

Microsoft Windows [Versión 6.0.6001]

Copyright (c) 2006 Microsoft Corporation. Reservados todos los derecho

C:\Users\silvia>ping www.google.es

Haciendo ping a www.google.es [216.58.211.195] con 32 bytes de datos:

Respuesta desde 216.58.211.195: bytes=32 tiempo=11ms TTL=55

Respuesta desde 216.58.211.195: bytes=32 tiempo=10ms TTL=55

Respuesta desde 216.58.211.195: bytes=32 tiempo=9ms TTL=56

Respuesta desde 216.58.211.195: bytes=32 tiempo=10ms TTL=56

Estadísticas de ping para 216.58.211.195:

Paquetes: enviados = 4, recibidos = 4, perdidos = 0 (0% perdidos),

Tiempos aproximados de ida y vuelta en milisegundos:

Mínimo = 9ms, Máximo = 11ms, Media = 10ms

TTL hace referencia al tiempo de vida del paquete, cada vez que el paquete atraviesa un router se decrementa 1, en nuestro ejemplo anterior al hacer ping a google, uno de los valores que hemos obtenidos TTL=55, esto significa que si el valor inicial de TTL era de 65, hemos atravesado 10 routers hasta llegar al destino, si el valor llega a cero, entonces se descarta el paquete, de esta forma se consigue que el paquete no ande pululando infinitamente en la red y que no sature el ancho de banda, de forma que el paquete nunca llegará a su destino.

Los valores de TTL del paquete pueden ser variables, 64, 128 o 255, en el caso de Windows se usa el valor TTL=64, y en dispositivos como por ejemplo CISCO pueden ser de 128 y 255 ms.

Los paquetes a veces tardan en enviarse, o incluso superan el tiempo de vida TTL, esto sucede por diversas razones, a veces tardan debido a la congestión de la red, otras porque toman rutas diferentes precisamente para prevenir la congestión de red.

Estos retardos son un problema especialmente en aplicaciones como juegos online, streaming de video, o transmisiones VoIP.

En general, es un gran problema para los servicios que se dan en tiempo real y multimedia

El TTL en Windows se puede modificar desde el registro, editando la variable "DefaultTTL", para ello abrimos el registro de Windows desde el cuadro de búsqueda de inicio tecleando regedit.exe, nos aparecerá la ventana del registro de Windows, abriremos las siguientes ramas:

HKEY_LOCAL_MACHINE

/ System

/ CurrentControlSet

/ Services

/ TCPip

/ Parameters

Una vez ubicados en esta rama del registro, creamos o editamos la variable REG_DWORD "DefaultTTL" y le damos el nuevo valor, por ejemplo 128. Estos cambios que hemos hecho en el registro de WIndows sólo tienen efecto cuando se reinicie el ordenador.

Importante

El TTL no mide tiempo, sólo el nº de saltos (hops), esto es por cada uno de los routers que pasa el paquete hasta llegar a su destino

El registro de Windows es algo así como el corazón de Windows, es una base de datos que almacena datos de configuración, usuarios, dispositivos, drivers, instalaciones, etc. vitales para el funcionamiento tanto de Windows como de las aplicaciones y dispositivos. Si no sabes lo que haces no lo modifiques, ya que podría tener repercusiones graves en el sistema e incluso hacer que el ordenador ya no arranque.

Como hemos dicho es el tiempo de retardo de un extremo a otro, por ejemplo:

–   Desde que una aplicación genera un dato hasta que se entrega al sistema operativo.

–   Desde la tarjeta de red al medio de transmisión físico, bien sea un cable de cobre o fibra óptica o el aire.

–   Desde que se recibe en un dispositivo de red como un router o switch hasta que se retransmite a otro.

Los componentes implicados en el retardo extremo a extremo son:

–   Retardo de transmisión.

    ·   Tiempo que tardan todos los bits de un paquete en pasar por un medio de transmisión

- Se mide usando la formula:

$$D = L / R$$

Donde R es la tasa de bits de transferencia de datos, L, la longitud del paquete y d, es el retardo. El resultado se expresa en microsegundos o milisegundos.

> **Ejemplo**
>
> Para transmitir 2048 bits a 100 Mbps (Fast Ethernet)
>
> $$D = 2048 / 1 \times 10e8$$

– Retardo de propagación

- Tiempo que tarda un bit en llegar al final del medio de propagación desde que entra en el medio físico

- Depende de la longitud del medio

- Se expresa mediante la fórmula:

$$Dp = d / s$$

Donde d, es la distancia y s la velocidad de propagación.

– Retardo de procesamiento de los datos.

· El tiempo que tarda un router en comprobar el encabezado del paquete y decidir dónde lo envía

Depende de:

› N° de entradas en la tabla de rutas

› Implementación

› Estructura de los datos

› Hardware del dispositivo

› Verificación de errores o no.

– Retardo de colas

· Tiempo que el paquete permanece esperando en un búffer hasta que se puede transmitir

· N° de paquetes en cola

· Intensidad y naturaleza del tráfico

· Algoritmos que usen los routers para adaptar los retardos

7.3.4. Dispersión del retardo (jitter)

El Jitter es la fluctuación o variablidad temporal que ocurre durante el envío de señales. Lo que es lo mismo, un cambio no deseado de una propiedad de la señal.

Es una desviación de la señal de reloj, y se considera como una señal de ruido no deseada.

Puede ser:

Variación en el tiempo que tarda en llegar un paquete, debido a la congestión de la red o a que pierde la sincronía, también se puede dar debido a las diferentes rutas que siguen los paquetes hasta que llegan a su destino.

El efecto Jitter es especialmente molesto en la transmisión multimedia por ejemplo en la transmisión de radio por internet, o en aplicaciones VoIP, ya que hace que unos paquetes lleguen antes que otros, este efecto se reduce incorporando un buffer de jitter.

Un jitter grande provoca un ratio de error de bits mayor.

Jitter

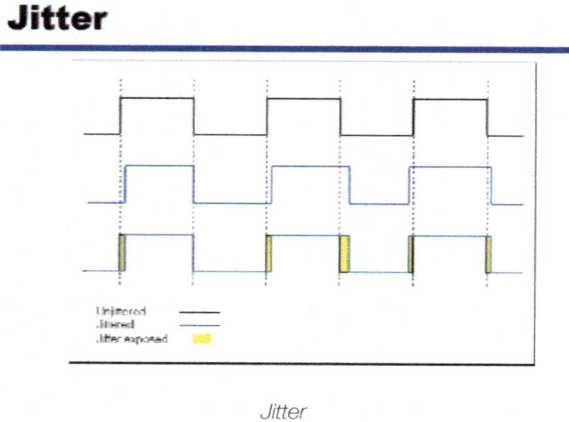

Jitter

Existen diferentes tipos de Jitter:

— Jitter determinista

Su rango de valores es limitado y no se puede describir mediante el ruido de la fase.

— RandomJitter o aleatorio

Dispone de un margen de valores ilimitado, puede surgir debido al ruido térmico, de disparo u otros similares.

Fuentes de Jitter:

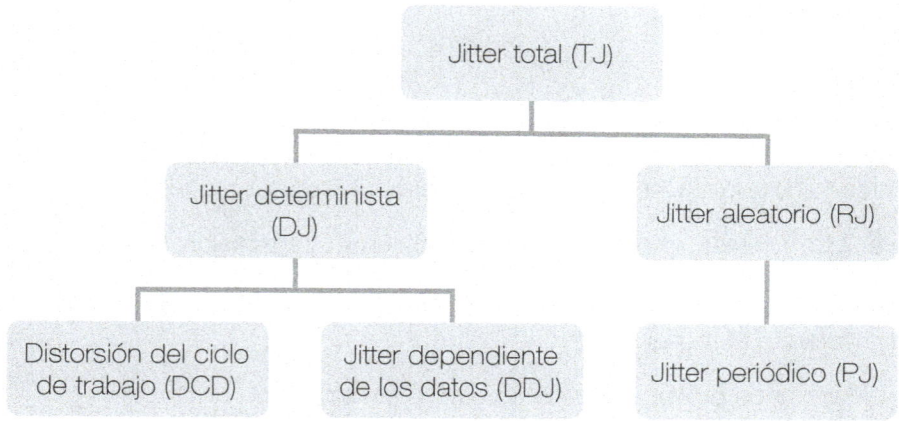

7.3.5. Pérdida de paquetes y errores

Una pérdida de paquetes sucede cuando los datos se pierden al viajar por la red, y puede ser indicador de problemas de rendimiento de la red. Generalmente son problemas debido a desconexiones y otras inconsistencias como la cola de los búffers.

La pérdida de paquetes ocurre debido a que los buffers no son infinitos

Cuando los paquetes llegan al búffer si este está lleno se descartan, si se tiene que corregir este problema se hace en capas superiores como la de transporte o aplicación.

Normalmente cuando se detecta que un paquete ha sido descartado, esto se corrige reenviando el paquete de nuevo, lo que genera más tráfico y congestión en la red que se debe controlar, bien limitando la tasa de envío porque el dispositivo de destino no es capaz de procesar los paquetes a la misma velocidad con que los recibe, o bien porque existen pérdidas y retardos.

Por ello, el protocolo TCP dispone de control de flujo y congestión.

Sin embargo, el protocolo IP implementa un servicio que no está orientado a la conexión, por lo tanto no resuelve la pérdida de los paquetes.

Mediante el comando ping, también podemos comprobar si se pierden paquetes cuando hacemos ping a un determinado equipo de red.

Recuerda

Para ejecutar el comando de red PING, debemos acceder a la consola de comandos CMD, y en ella escribir PING seguido de la dirección IP que queremos comprobar.

Ping 192.168.2.3

Perdida paquetes Ping

Podemos valernos de aplicaciones que nos permiten detectar la pérdida de paquetes en la red como por ejemplo Tshark o Wireshark

Existen aplicaciones en la web que nos permiten medir la velocidad de las conexiones, las latencias, fluctuaciones de las líneas y la pérdida de paquetes, entre ella podemos destacar la web testvelocidadmovil.es.

Las redes de voz sobre IP o VoIP que es como comúnmente se las conoce, son muy susceptibles a retrasos en la transmisión de paquetes, fluctuaciones y pérdida de paquetes, todo esto hace que una llamada de voz se degrade, por lo que es de vital importancia evaluar estos tres parámetros en la red, para poder saber si las aplicaciones de voz funcionaran correctamente. Para solucionar esto se pueden implementar routers de retardo y de agente de fluctuación.

Algunos routers son capaces de medir estos parámetros, como por ejemplo los de la serie 17xx de CISCO o superiores.

7.4. Identificación de indicadores de rendimiento de sistemas

Los indicadores de rendimiento de un sistema son:

– Disponibilidad

– Uso de memoria

– Uso de CPU

– Carga CPU

– Uso de dispositivos I/O (entrada/salida)

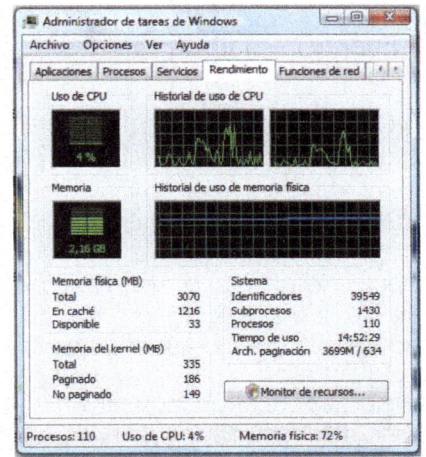

Uso CPU y RAM

Factores de rendimiento

Categoría	Impacto*
CPU	Alto
WAN Uplink	Alto
Virtualización de aplicaciones	Alto
Virtualización de hardware	Bajo
Red LAN	Medio
Velocidad de disco	Medio
Almacenamiento compartido	Bajo
Equilibrador de carga	Medio

Categoría	Impacto[*]
Servidor de aplicaciones Web	Medio
Virtualización de hardware	Medio
Sistema operativo	Medio
Fuente de datos	Medio

7.4.1. Disponibilidad

Disponibilidad es el tiempo que un sistema es capaz de realizar las funciones para las que se diseñó, medido en %. Es decir el tiempo que un servicio permanece activo y funcionando correctamente.

Las aplicaciones fundamentales para la empresa, como el correo electrónico deben estar diseñados para lograr una alta disponibilidad.

La alta disponibilidad reduce al mínimo el tiempo de inactividad de los sistemas. Además, el uso de soluciones de hardware tolerantes a errores, puede mejorar tanto la disponibilidad como la escalabilidad.

El tiempo de inactividad perjudica a las empresas, haciendo que disminuya la productividad, pierden ventas, y pierden confianza por parte de los usuarios y clientes.

Estos efectos pueden ser:

- Costes directos de reparación del sistema de información

- Horas de trabajo adicionales para el departamento de sistemas.

- Perdidas de productividad

- Horas de trabajo perdidas por los empleados que dependen del sistema.

- Pérdida de ingresos, por las ventas o servicios que se han dejado de realizar.

- Costes indirectos:

  · Satisfacción de los clientes

  · Pérdida de reputación

- · Mala publicidad

- · Desconfianza

Cálculo de la métrica

> **Percentage of availability =**
> **(total elapsed time - sum of downtime) / total elapsed time**

La disponibilidad se mide en "nueves". Si, el nivel de disponibilidad es de "tres nueves" este sistema es capaz de realizar su función prevista el 99,9 por ciento del tiempo, con un tiempo de inactividad anual de 8,76 horas por año, calculado sobre una base de 24x7x365 .

Esto no es así del todo tan fácil, pero como en muchos casos hay que ofrecer unos valores teóricos, que en realidad luego dependerán de muchos factores.

Los requisitos de disponibilidad se establecen en el contexto del servicio y de la empresa que utiliza el servicio. Así, los requisitos de disponibilidad para un servidor con datos que no son críticos o no se usan mucho pueden ser inferiores que los de los servidores por ejemplo de correo electrónico.

Los niveles de disponibilidad se calculan mediante la fórmula:

> **% disponibilidad =**
> **(tiempo total transcurrido - tiempo de pausa) / tiempo total transcurrido**

La disponibilidad se mide en "nueves" tres nueves serían una disponibilidad del 99,9% disponiendo de un tiempo de inactividad de 8,76 horas por año. La disponibilidad 100% no existe, ya que siempre surge algún percance en la red.

Niveles de disponibilidad deseados en % y tiempo de inactividad anual:

Porcentaje de disponibilidad	Día de 24 horas
90%	876 horas (36,5 días)
95%	438 horas (18,25 días)
99%	87,6 horas (3,65 días)
99.9%	8,76 horas
99.99%	52,56 minutos
99,999% ("cinco nueves")	5,256 minutos
99.9999%	31,536 segundos

Los fabricantes o proveedores de servicios suelen utilizar este porcentaje en los acuerdos de nivel de servicio (SLA), para clasificar el nivel de disponibilidad que se espera de un sistema.

El tiempo de inactividad incluye tanto las interrupciones programadas como no programadas de un servicio.

El principal objetivo para aumentar la disponibilidad de un sistema será minimizar los tiempos de inactividad.

Es más o menos sencillo diseñar un sistema con una disponibilidad del 98% del tiempo. Pero el paso del 98% al 99% y de aquí al 99,9999% es una tarea más difícil que supone un aumento exponencial del coste total del sistema.

En la práctica se intenta alcanzar un compromiso disponibilidad /coste.

Vamos a explicar un concepto muy importante hoy día en redes y sistemas, es el concepto de alta disponibilidad, que permite que nos protejamos de caídas o interrupciones y podamos restablecer el servicio rápidamente, para ello se recurre a la redundancia de dispositivos y de otros elementos de la infraestructura.

Por ejemplo:

– Redundancia de discos duros

– Redundancia de servidores, así cuando uno cae el otro entra en funcionamiento permitiendo continuar ofreciendo el servicio mientras el otro servidor es reparado.

– Redundancia de fuentes de alimentación., SAIs, sistemas eléctricos, etc.

Podemos medir la disponibilidad de redes y sistemas mediante herramientas como PRTG de monitorización de redes.

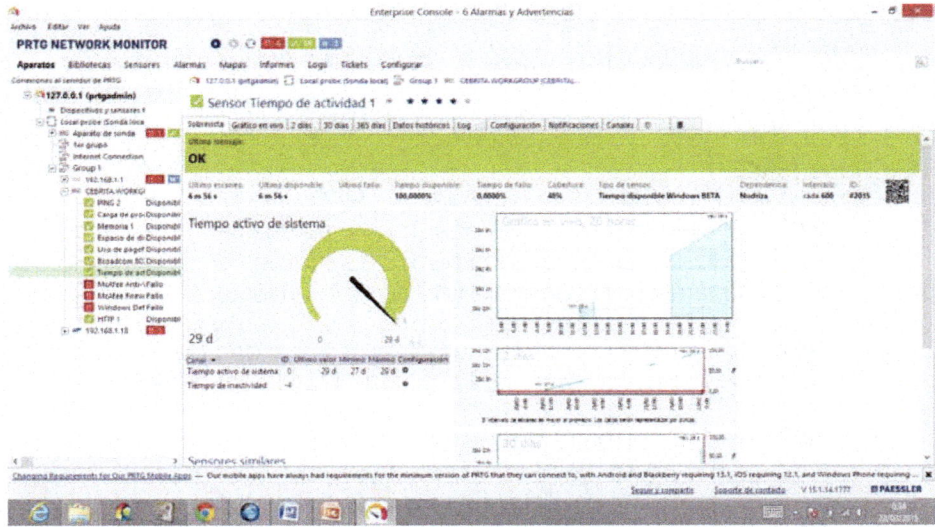

PRTG

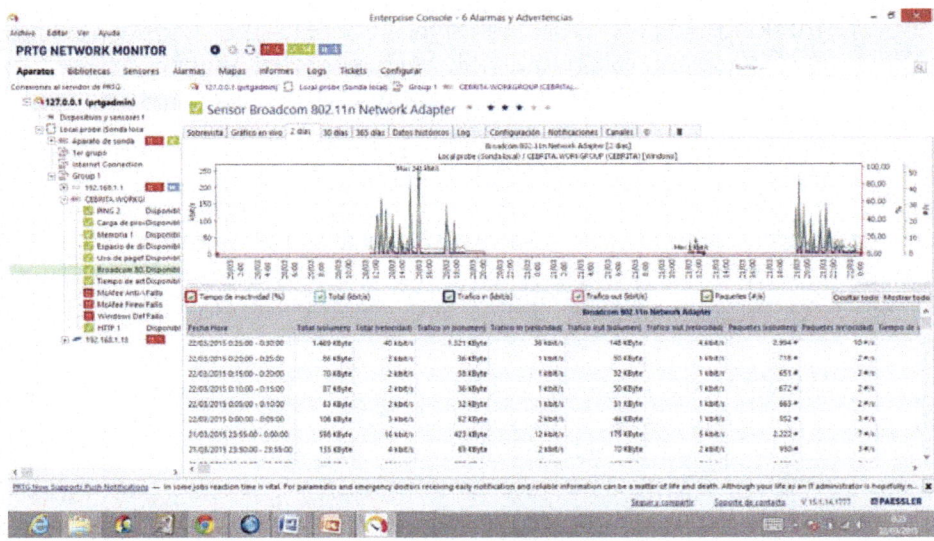

PRTG 2

Los servicios que se suelen tener redundancia y alta disponibilidad de sistemas y redes son:

– Instalación y configuración de sistemas RAID en servidores y cabinas de discos.

RAID: Matriz redundante de discos independientes.

Esta tecnología permite usar varios discos que actúan como uno solo.

Tipos RAID:

·   **RAID O:** Requiere al menos dos discos, se usa para duplicar el rendimiento fusionando todos los discos disponibles en uno solo, lo que aumenta también la capacidad de almacenamiento.

·   **RAID 1:** Se usa para poder garantizar la integridad de los datos, así si uno de los discos falla, el otro continua funcionando en su lugar.

·   **RAID 0 +1:** Requiere 4 discos como mínimo y se usa para garantizar la integridad de los datos así como mejorar el rendimiento.

·   **RAID 5:** Parecido al anterior pero aumenta la capacidad. Utiliza paridad en todos los disco y requiere al menos tres discos

– Instalación y configuración de electrónica de red redundante (trunking, spanningtree...)

·   **Trunking:** Es la función que permite conectar 2 dispositivos de red iguales, bien 2 switch, o 2 router o 2 servidores, usando dos cables en paralelo usando el método de comunicación Full-duplex.

·   **Spanningtree:** Es un protocolo que permite gestionar bucles en topologías de red que tienen conexiones redundantes.

– Instalación y configuración de firewalls en alta disponibilidad.

– Configuración de conexiones a Internet redundantes (routers, balanceo de carga, etc.)

·   **Balanceo de carga:** Es la forma en que las peticiones a un servidor son distribuidas a varios servidores de forma que liberan su carga, agilizan las peticiones y aumentan la disponibilidad. Coexisten varios métodos de balanceo de carga:

›   Round Robin: repartiendo todas las peticiones que llegan según el número de servidores que acepten ese servicio.

> › Otra forma es que los equipos que reciben las peticiones, son capaces de conocer la capacidad operativa de los otros equipos y así deciden enrutar las peticiones al servidor más adecuado.

- · Los balanceadores de carga pueden ser soluciones hardware, tales como routers y switches que incluyen software de balanceo de carga preparado para ello, y soluciones software que se instalan en el back end de los servidores.

- Instalación y configuración de servidores web y FTP redundantes con Microsoft NLB.

- Instalación y configuración de clúster en servidores de datos

- Instalación y configuración de clúster en Linux.

- Implantación de servidores virtuales en alta disponibilidad con HYPER-V o VMWARE.

  Ventajas de virtualizar los servidores:

  - · Mayor facilidad de balanceo

  - · Resistencia a caídas: cuando un servidor se cae, el otro asume inmediatamente todos los servicios

  - · Escalabilidad: fácilmente ampliable

  - · Eficiencia energética y económica

  - · Permite migrar todos los equipos en caliente a un nodo y apagar otro por ejemplo para realizar tareas de mantenimiento.

- Alta disponibilidad de Exchange Server con Microsoft Cluster o con CCR.

- Alta disponibilidad de SQL Server con Microsoft Cluster o replicación de BBDD.

- Backups y restauración con AcronisBackup, O Symantec BackupExecentre otros.

7.4.2. Memoria, utilización y carga de CPU

Muchas veces nos encontramos con servidores lentos, que consumen muchos recursos de memoria y CPU, es importante reunir datos acerca del uso de la memoria y la CPU, saber qué aplicaciones hacen uso de estos recursos y si ese uso es adecuado o no, o bien puede ser un síntoma de que algo está sucediendo, como por ejemplo un virus.

Con programas de monitoreo como PTGR o OpManager, entre otros, podemos visualizar monitores de uso de la CPU, memoria, discos duros…Mediante los gráficos podemos identificar fácilmente si el uso de los recursos es alto.

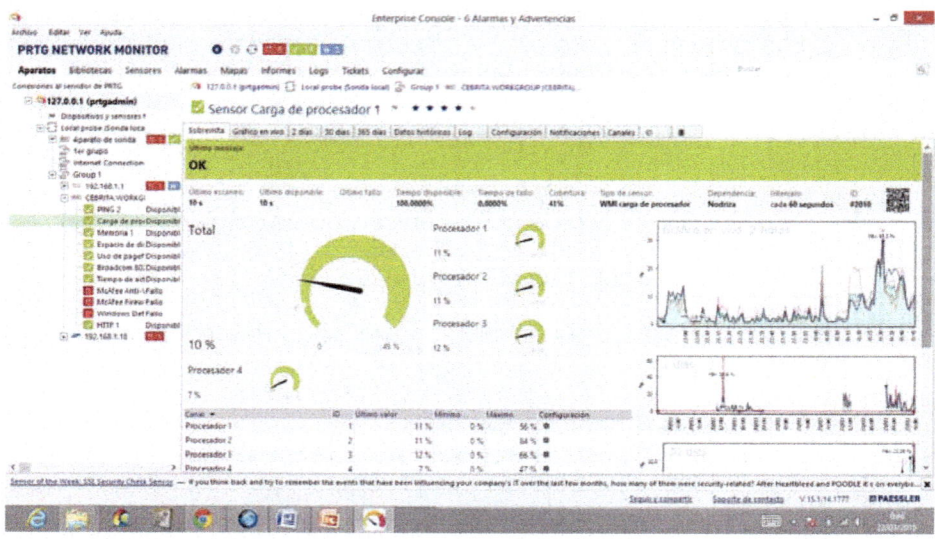

PRTG 3

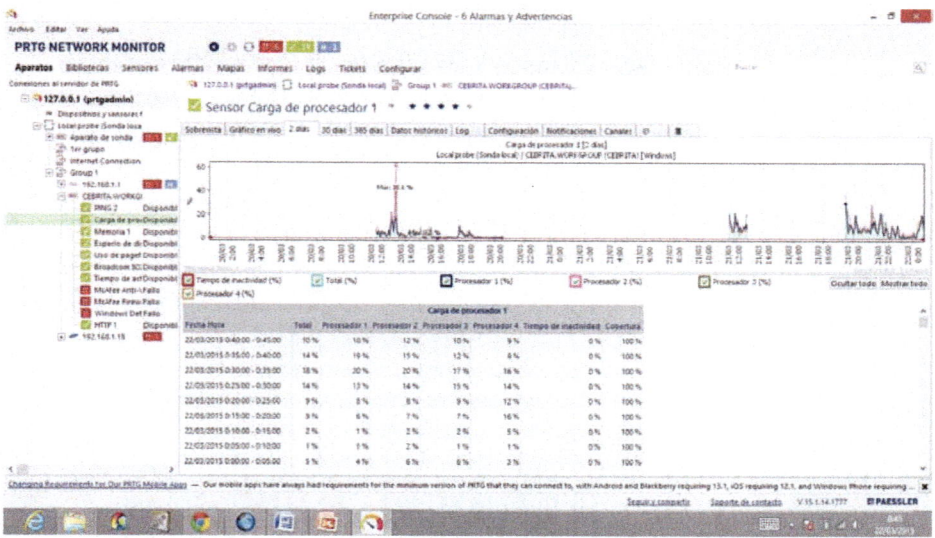

PRTG 4

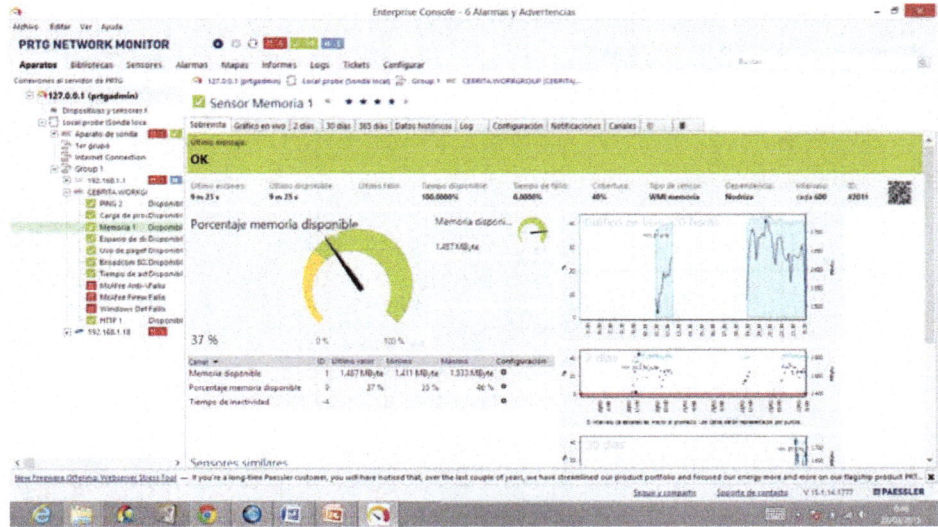

PRTG 5

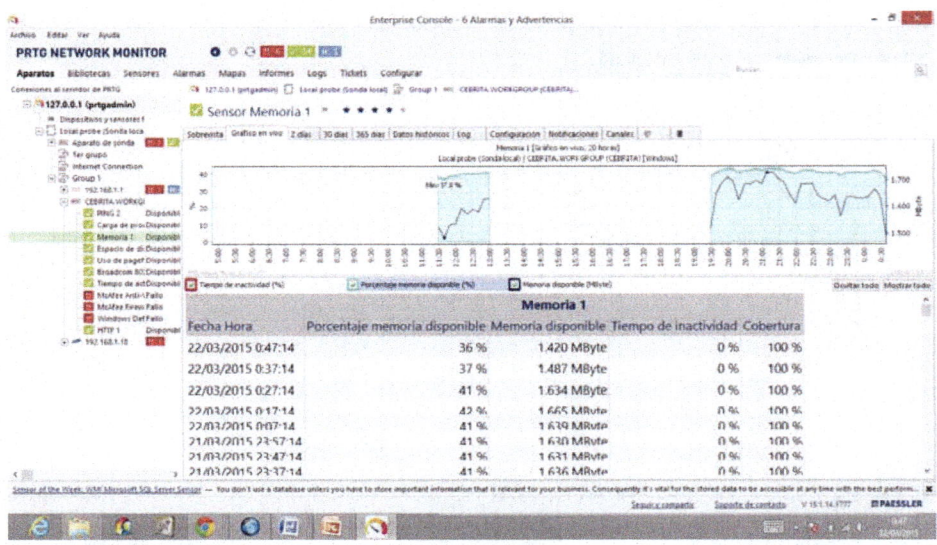

PRTG 6

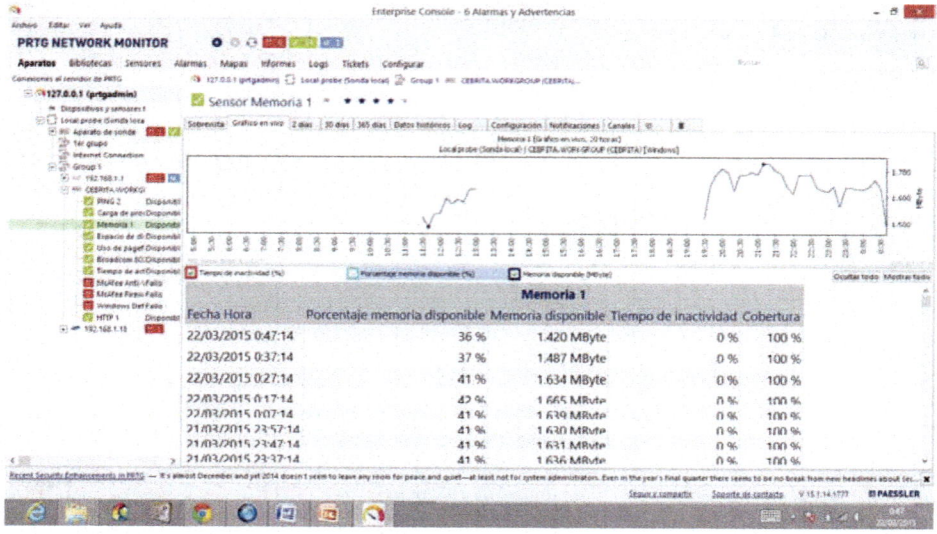

PRTG 7

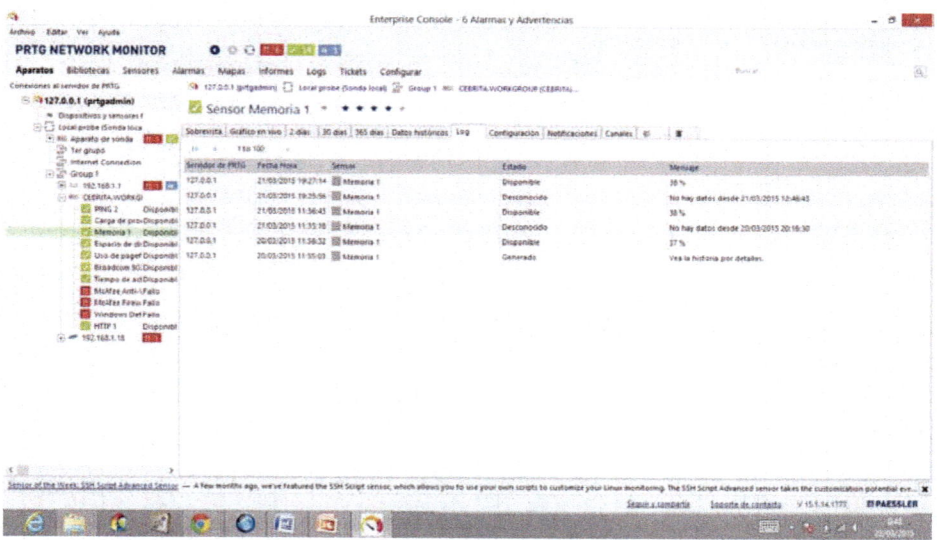

PRTG 7

Métricas de la CPU

– Utilización del CPU

- En Windows podemos ver cuál es el uso de la CPU además de otra información asociada al rendimiento, esto se hace mediante la pestaña de rendimiento en el administrador de tareas. Desde aquí podemos ver cómo se está utilizando la CPU por parte de las aplicaciones propias de Windows, como por el resto de aplicaciones. Nos muestra unos gráficos en función del n° de núcleos de nuestro procesador e indicando su uso, tanto en el momento actual como momentos atrás.

- Un porcentaje alto indica que los programas están consumiendo mucha CPU, lo que puede hacer que el equipo vaya lento.

- Si el valor es 100% indica que algún programa no responde, es decir que se ha quedado bloqueado.

- También podemos usar el Monitor de recursos de Windows para ver información aún más detallada.

- Contadores de CPU:

    › Procesador: % Tiempo privilegiado

    › Procesador: % Tiempo de usuario

    › Sistema: Longitud de la cola del procesador

    › Processor\%Processor Time\Total.

– Socket del CPU

Conector de la CPU a la placa base. Es el lugar donde se inserta la CPU, también llamado zócalo de CPU, siendo diferente para cada tipo de procesador.

– Velocidad del CPU

- Expresada actualmente en Ghz, es un factor que determina la calidad de la CPU y su rendimiento, aunque no decisiva ya que otros factores como la memoria, el bus del sistema y la memoria caché también influyen en el rendimiento.

- Actualmente los procesadores tienen varios núcleos, por lo que los sistemas de monitoreo muestran la velocidad de cada núcleo y su carga, además de cuáles están activos y cuales no.

– Tiempo inactivo

El tiempo de CPU consumido por el proceso inactivo del sistema es importante y útil para medir el tiempo de uso de la CPU. Se puede ver en el administrador de tareas

– Tiempo privilegiado

- Tiempo de procesador dedicado a la ejecución de comandos del núcleo de Microsoft Windows.

- < 20%

– Tiempo del procesador

- Tiempo en que la CPU dedica a la ejecución de un subproceso que no está inactivo.

- < 70%

– Tiempo del usuario

- Tiempo que el procesador dedica a la ejecución de procesos de usuario

- > 70%

– Cola del procesador

Tiempo en ejecutar los procesos que están en la cola.

– Tamaño del drive

– Redundancia de PSU

– Interrupts/Sec

Promedio de incidentes por segundo

– ProcessorQueueLength

- Es el número de hilos que esperaran a ser procesados.

- Debe ser <2

Métricas de la memoria

- Memoria física libre

  · Memoria RAM que queda libre.

  · Memoria: Bytes disponibles

- Fallas en las páginas

  Errores/página

- Lecturas en las páginas

- Escrituras en las páginas

- Páginas por segundo

  · Memory\pages/sec/N/A: número de veces por segundo que la memoria o bien tiene que ser escrita o leida desde el disco duro.

  · Si este valor está por encima de 150 se debe a un error de paginación.

  · Pueden ser fallos fuertes que requieren acceso al disco, denominados Hard, o fallos suaves, en los que lo que se busca está en otro sitio de la memoria, denominados Soft.

- Tamaño de la memoria de página-archivo libre

- Memoria física disponible

  Memoria disponible para su uso

- Memoria virtual disponible

  Memoria virtual disponible en el disco duro

- Memory\Pages Fault/sec (N/A)

  Se encarga de medir fallos de paginación soft y hard (ram y swap)

Dispositivos

Podemos especificar umbrales y que se nos notifique cuando por ejemplo el tiempo de procesador llegue al límite, o de la memoria, y decirle a los programas de monitoreo que nos envíen alertas cuando esto suceda.

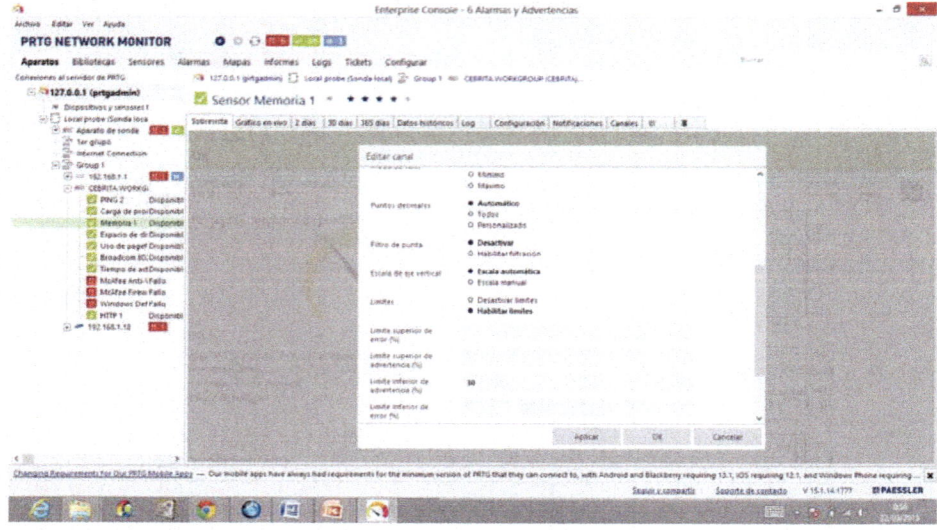

PGRT. Memoria

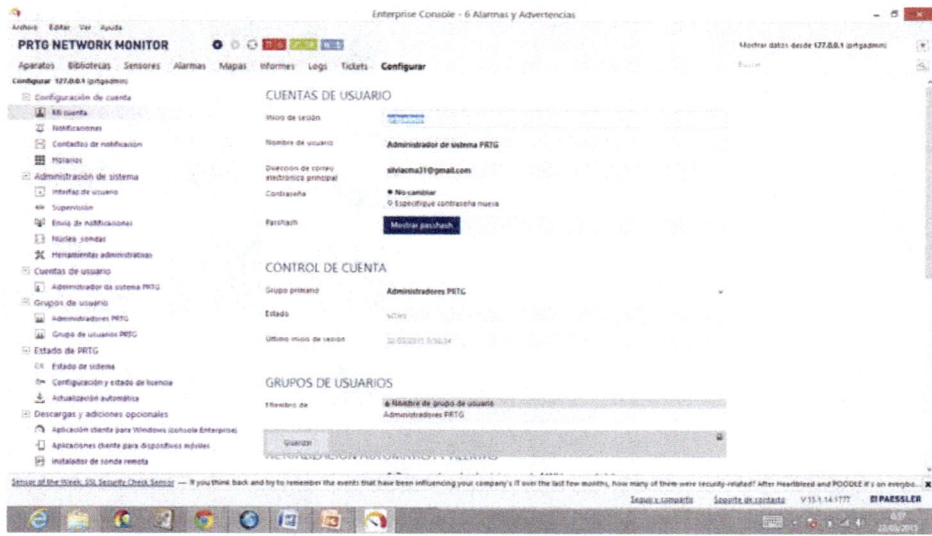

PGRT. Cuentas usuario

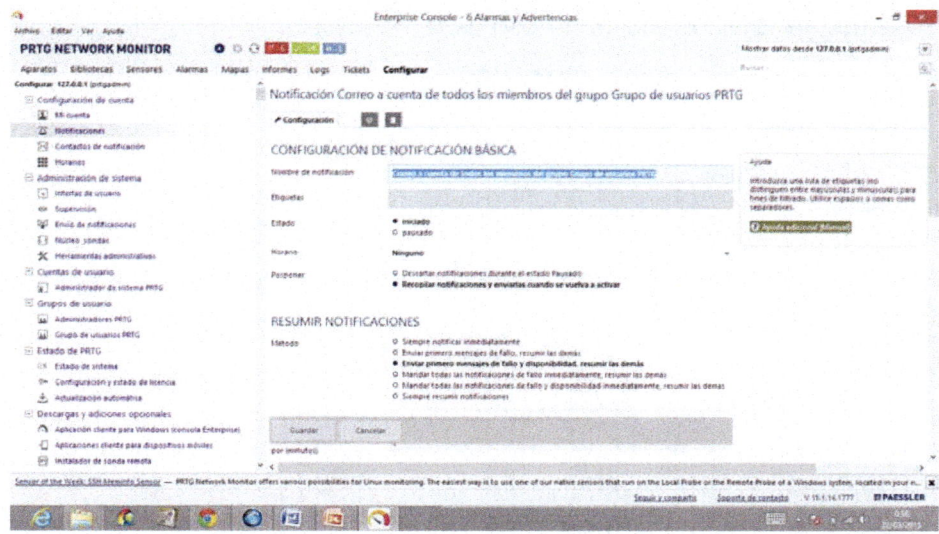

PGRT. Configuración de notificación

En Windows tenemos el administrador de tareas donde podemos ver algunos datos respecto al uso de la CPU y la memoria.

Podemos ver gráficos acerca del uso de la CPU.

PGRT. CPU

Podemos ver gráficos acerca del uso de la memoria.

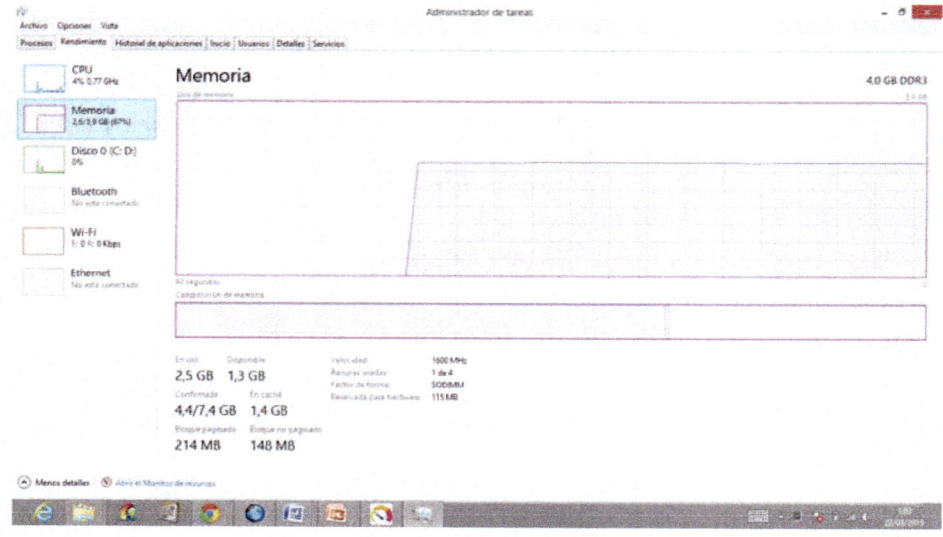

PGRT. Memoria

Desde el administrador de tareas de Windows también podemos obtener información del rendimiento de la CPU, memoria y tarjeta de red, así como los servicios y aplicaciones y el uso que estos hacen de los recursos.

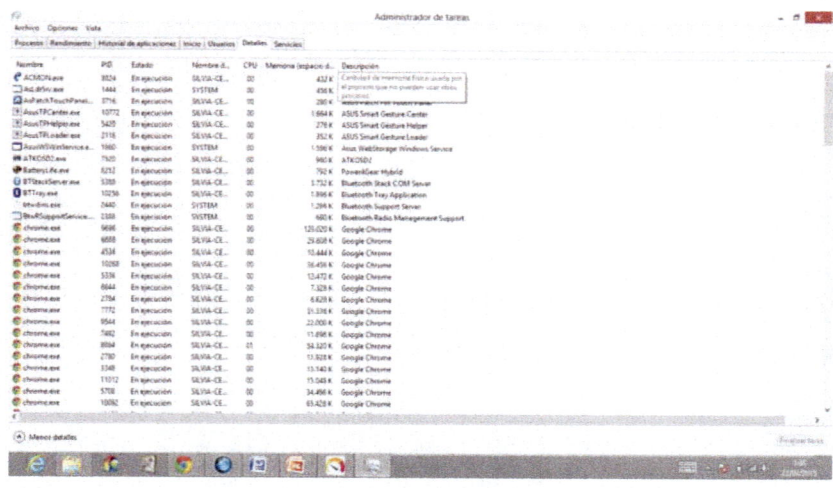

Administrador tareas

Así mismo podemos ver el monitor de recursos de Windows. Accedemos a él desde panel de control-sistema y seguridad- herramientas administrativas–monitor de recursos.

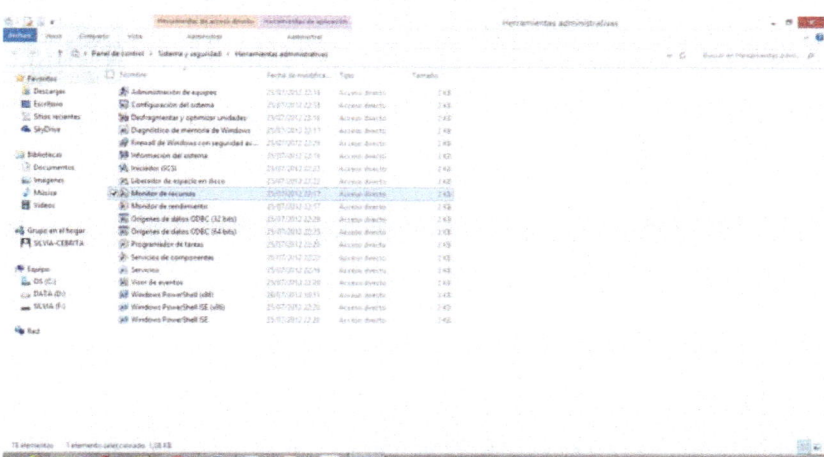

Acceso al monitor de recursos

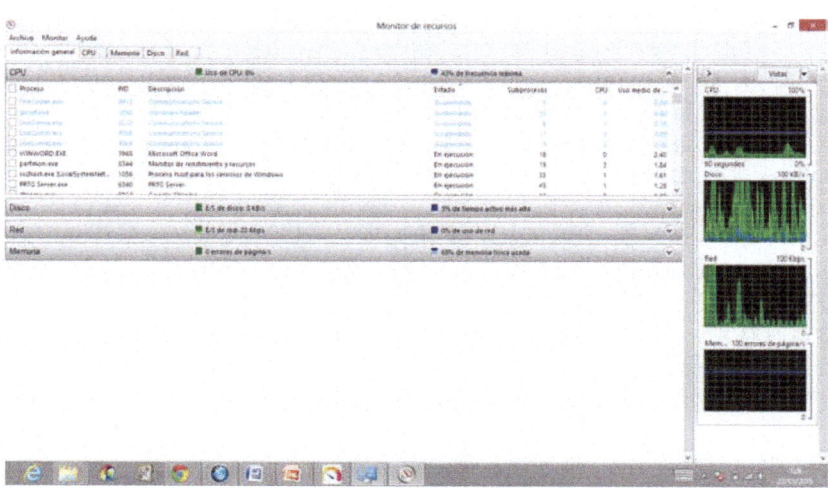

Monitor de recursos 1

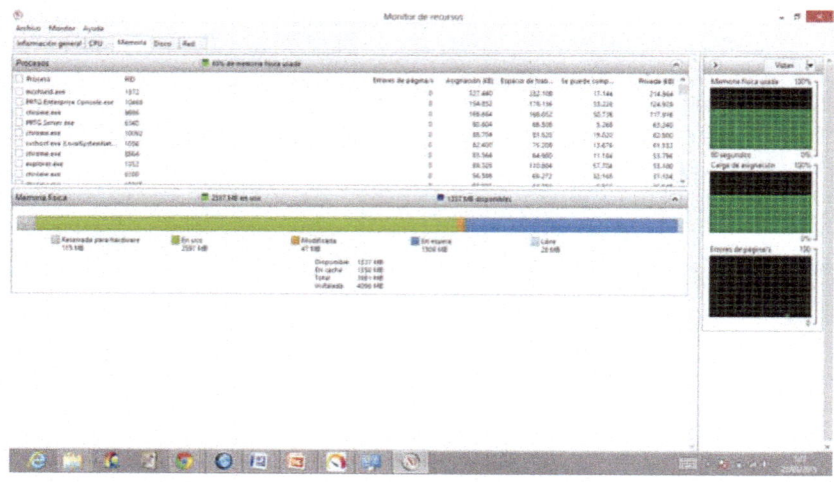

Monitor de recursos 2

El monitor de recursos permite además recopilar datos sobre el rendimiento mediante los contadores y desde la misma ventana nos permite controlar el rendimiento de aplicaciones, hardware, personalizar datos que queramos recopilar en especial, definir umbrales para la generación de alertas, etc.

El monitor de recursos también es capaz de mostrar informes con la información que ha recopilado para poderlos revisar posteriormente.

Para abrir el monitor de rendimiento, podemos buscarlo desde panel de control o más rápido, en la caja de búsqueda poner perfmon y pulsar intro. Para poder ver el último informe, expandiremos "Conjunto de recopiladores de datos" y después "Definido por usuario o sistema", hacemos click en el nombre del conjunto de recopiladores y después en el icono "ver informe más reciente" que se encuentra en la barra de herramientas.

En el administrador de tareas de Windows podemos ver la cantidad de memoria asignada a un proceso en concreto abriendo la pestaña de procesos.

También podemos ver valores avanzados de la memoria, para ello tenemos que ir al menú VER y escoger la opción seleccionar columnas, donde podemos marcar los siguientes valores que deseemos ver:

– Conjunto de trabajo

– Conjunto de trabajo máximo

- Delta del conjunto del trabajo

- Confirmar tamaño

- Grupo paginado

- Grupo no paginado

A pesar de ser una herramienta sencilla, se puede obtener mucha información a través del administrador de tareas y del monitor de recursos de Windows, y a través de ambos podemos identificar razones por las que el sistema se ralentiza.

7.4.3. Utilización de dispositivos de entrada y salida

Los dispositivos de E/S (entrada /salida) son los que permiten la comunicación entre usuario y ordenador.

Dispositivos de entrada:

- Permiten introducir datos para que después sean procesados por el ordenador.

- Estos datos se leen y se guardan en la memoria central.

- Convierten la información en señales eléctricas

- Algunos de estos dispositivos son:

  - Ratón

  - Teclado

  - CD/DVD

Dispositivos de salida:

- Permiten representar o dar salida a los resultados procesados.

- Dispositivos de salida son:

  - Impresora

  - Pantalla

  - Altavoces

Dispositivos de entrada/salida:

- Unidades de almacenamiento

  - Disco duro

  - Unidades ópticas

  - Pendrive

  - Etcétera

Existen diversos programas para evaluar su rendimiento, entre ellos el famoso AIDA o alguna de las aplicaciones que podemos encontrar en la suite de programas que incorpora HIRENS.

Contadores para discos

Tenemos contadores de rendimiento de disco tanto para discos lógicos como físicos.

- Lógicos

  - Monitorizan las particiones lógicas de las unidades físicas.

  - Permite saber qué partición es la causante de la actividad del disco

- Físicos

  Monitorizan las unidades de disco duro

Para analizar el rendimiento y capacidad del disco, usaremos los siguientes contadores:

- %Tiempo de disco.

  Tiempo en el que el disco lee o escribe y está ocupado

- Longitud de cola actual de disco.

  N° de solicitudes de E/S

- Media de transferencia Bytes.

  Nos indica la media de bytes que se transfieren hacia o desde el HDD.

- Bytes por segundo.

- %Espacio libre disco lógico.

  Espacio del disco sin usar.

7.5. Identificación de indicadores de rendimiento de servicios

Son indicadores de rendimiento de servicios entre otros:

— La disponibilidad.

  Los servicios están en funcionamiento las 24 horas los 365 días del año. Para ofrecer el máximo de calidad en estos servicios, de puede usar una infraestructura redundada en alta disponibilidad y sistemas de monitorización.

— El tiempo de respuesta

— La carga.

Las métricas usadas pare comprobar el rendimiento de los servicios deben superar los criterios SMART, si no es así es que no nos ofrecen información de utilidad o el coste de conocer esa información es excesivo:

— **S**pecific: específicas

— **M**easurable: medibles

— **A**chievable: Alcanzables

— **R**elevants: relevantes

— **T**imely: a tiempo.

Las métricas de procesos pueden ser entre otras muchas:

— Tiempo de respuesta a eventos y% de finalización.

— Tiempos de resolución de incidentes.

— Estadísticas de resolución de problemas.

— Número de incidencias escaladas.

— Número de cambios implementados y revertidos.

— Número de cambios no autorizados que se detectaron.

— Número de versiones desplegadas (total y exitosas)

— Problemas de seguridad detectados y resueltos

- Utilización real del sistema comparada con las previsiones del Plan de Capacidad.

- Seguimiento de sesiones.

7.5.1. Disponibilidad

Los servicios que se ofrecen deben funcionar las 24 horas los 365 días al año, esto permite poder ofrecer la máxima calidad en los servicios que se ofrecen al cliente. Para mejorar la disponibilidad hay que reducir los tiempos de actividad.

Una correcta Gestión de la Continuidad del Servicio requiere en primer lugar determinar el impacto que una interrupción de los servicios TI pueden tener en el negocio.

En la actualidad casi todas las empresas, grandes y pequeñas, dependen en mayor o menor medida de los servicios informáticos, por lo que un "apagón" de los servicios TI impactará muy negativamente a prácticamente todos los aspectos del negocio.

Sin embargo, es evidente que hay servicios TI estratégicos de cuya continuidad puede depender la supervivencia del negocio y otros que "simplemente" aumentan la productividad de la fuerza comercial y de trabajo.

Para asegurar la disponibilidad de los servicios se puede recurrir a infraestructuras basadas en alta disponibilidad, además de monitoreadas.

Una infraestructura de alta disponibilidad puede estar orientada a la nube o basarse en la duplicación de los puntos débiles de a red, los servidores por ejemplo.

Se pueden agrupar clústeres en los servidores, lo que aumenta la disponibilidad y escalabilidad en las aplicaciones como servicios web, bases de datos, correo electrónico, etc.

Para asegurar también la disponibilidad de los servicios, debemos evaluar si nuestros sistemas operativos y aplicaciones se encuentran correctamente instaladas y configuradas, por ejemplo, saber si disponen de las últimas actualizaciones de seguridad instaladas.

En el caso de que nuestros sistemas hayan caído a pesar de ser cuidadosos y prevenidos habrá que poner en marcha métodos y procedimientos de recuperación del servicio.

7.5.2. Tiempo de respuesta

El tiempo de respuesta es el que transcurre desde que se envía un mensaje hasta que se recibe respuesta desde el receptor, puede ser también el tiempo que tiene que esperar un usuario hasta recibir la información deseada

Se distinguen varios factores que afectan a los tiempos de respuesta, minimizar los tiempos de respuesta, consigue mejorar la experiencia del usuario.

Por ejemplo, en un servicio web, los tiempos de respuesta deben ser inferiores a 10 segundos, ya que este es el límite de tiempo que un usuario va a esperar, antes de aburrirse e irse a otra página web, para este caso, una décima de segundo sería un tiempo de respuesta óptimo para que el usuario sienta que el sistema funciona instantáneamente.

Actualmente las páginas web interactúan con el usuario y las bases de datos en tiempo real, ejemplo Facebook, por lo que los tiempos de respuesta del servidor deben ser adecuados, pero aquí también influyen otros factores relacionados, como la conexión a internet, la cantidad de información que se maneja, la conexión del usuario, velocidad del navegador, pc del usuario, etc.

Por tanto cada uno de estos, son factores que contribuyen a que los tiempos de respuesta sean peores.

Algunos de los factores implicados también son:

- Tiempo de espera en el transmisor

- Tiempo de transmisión del mensaje

- Tiempo de procesamiento

- Retrasos producidos por los protocolos

- Tiempos de propagación

- Tipo de conexión al medio

Gráfico de tiempos de respuesta

Conexión a internet

7.5.3. Carga

Podemos comprobar en Windows, y mediante otras aplicaciones destinadas a tal efecto, la carga que producen los servicios que se están ejecutando.

Por otra parte cuando nos referimos a carga del sistema, hacemos referencia al número máximo de peticiones que es capaz de recibir y procesar sin bloquearse el sistema o generar cuellos de botella, o demoras.

La carga se relaciona con el ancho de banda y la velocidad de procesamiento del sistema, influyendo CPU y memoria. Todos estos son parámetros que podemos ver y configurar con aplicaciones como PRGT Network monitor.

Es difícil establecer las causas de los problemas de la red, como el caso de aplicaciones que no responden o que funcionan lentamente, por ello hay que monitorear todos esos aspectos

Desde la consola de PGRT en el apartado sensores podemos visualizar la salud del sistema en general, informándonos de la carga del procesador, memoria disponible, usada, tiempos de inactividad, etc.

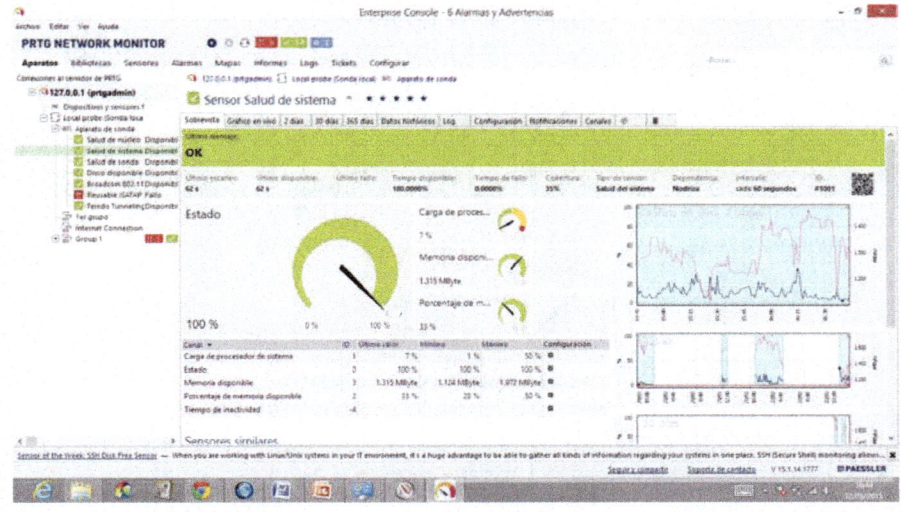

PGRT. Procesador

En la pestaña de gráfico en vivo podemos visualizar la misma información en tiempo real, y ver históricos en el tiempo.

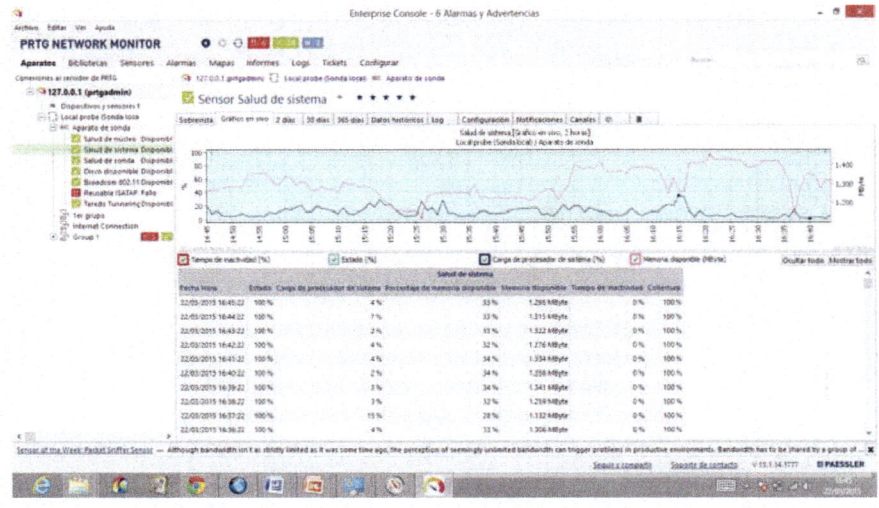

PGRT. Sensor de salud del sistema

En sensores, escogiendo núcleo del sistema podemos ver aspectos relacionados con la carga como la memoria del archivo de paginación, memoria virtual, subprocesos, etc.

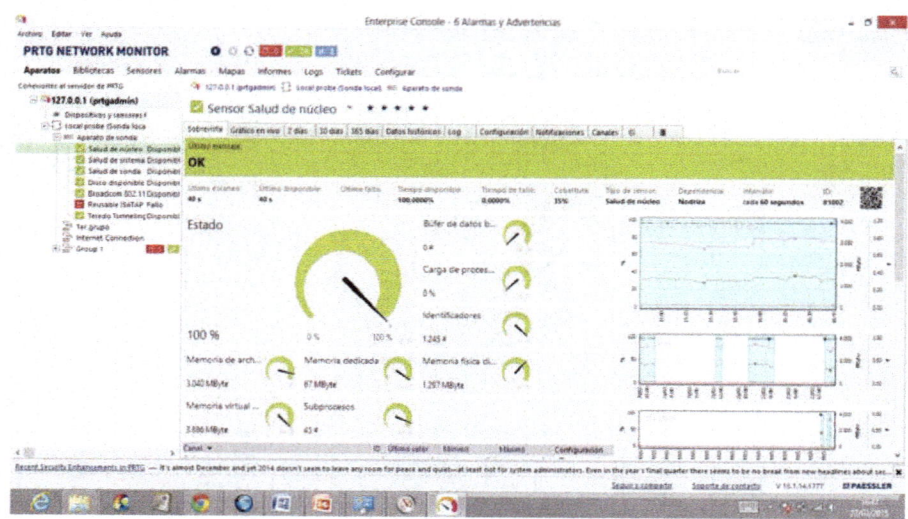

PGRT. Sensor de salud del núcleo

Así mismo tenemos opciones para ver los sensores de CPU y memoria.

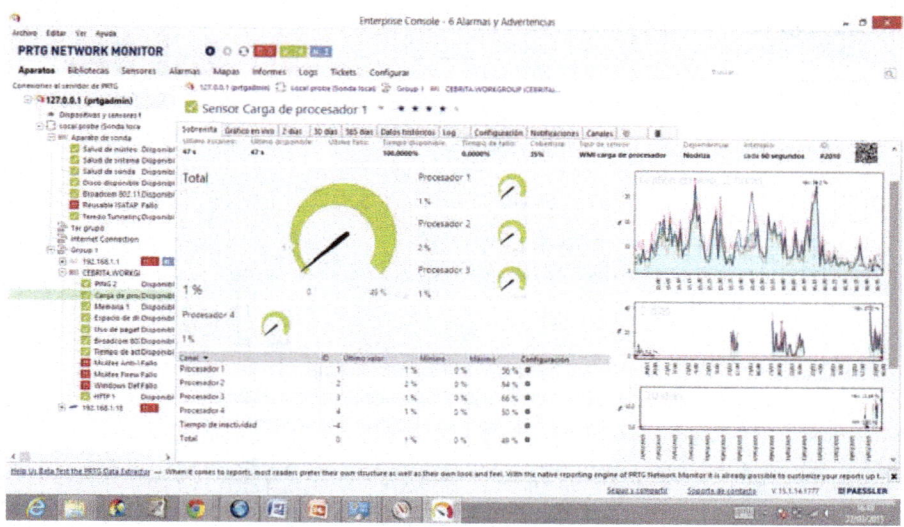

PGRT. Sensor carga CPU

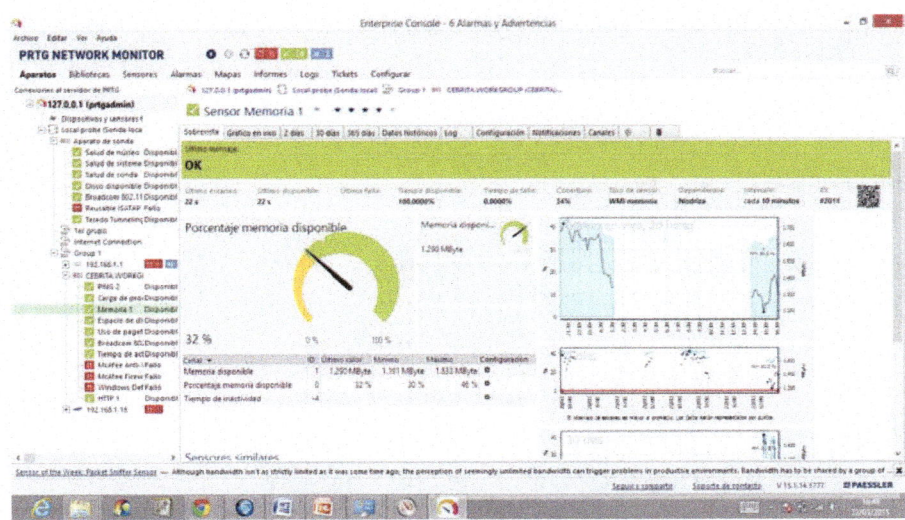

PGRT. Sensor carga memoria

Podemos realizar múltiples configuraciones para que nos avise (alertas) cuando se superan determinados umbrales, y examinando las gráficas podemos hacernos una idea más clara de lo que está ocurriendo.

Podemos medir el ancho de banda, y analizar su uso en base a varios parámetros, usando tecnologías como SNMP, análisis de paquetes y monitorización con NetFlow.

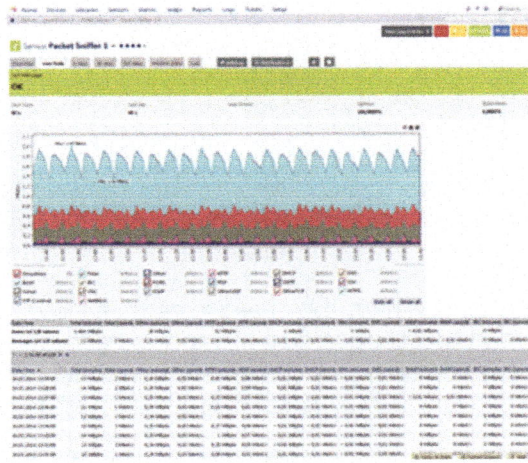

PGRT. Sensor PacketSnnifer

También es posible filtrar por resultados, advertencias, fallos, disponible, pausado, etc.:

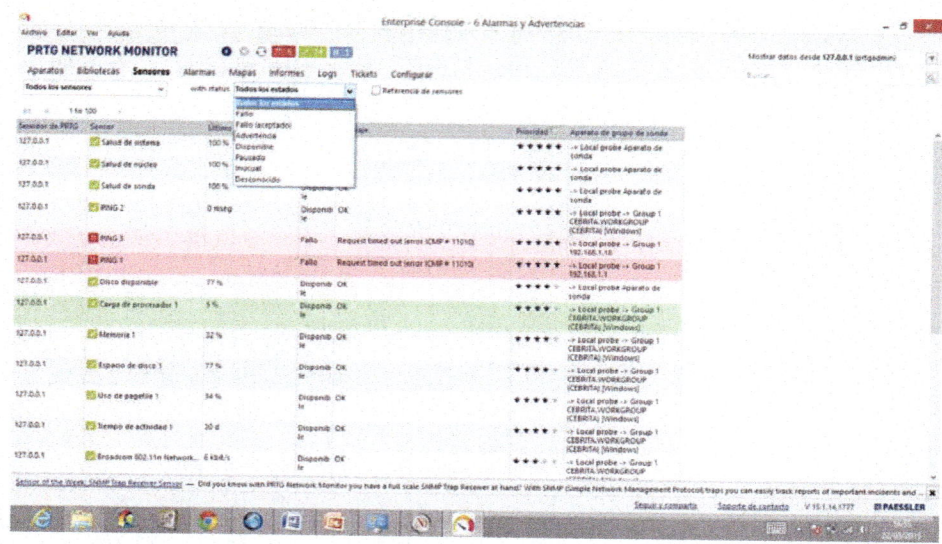

PGRT. Filtrado

También podemos medir aspectos como la carga de la memoria RAM, pero antes que nada vamos a entender un poco su funcionamiento.

La memoria RAM es una memoria temporal donde se ejecutan o almacenan las aplicaciones que estamos usando, por ejemplo si enciendes el ordenador, Windows se carga en la memoria RAM, o si abres un procesador de textos.

Una vez están cargadas las aplicaciones en la RAM, el procesador realiza accesos a memoria para cargar instrucciones o enviar y recoger datos.

Es importante reducir los tiempos de acceso para mejorar el rendimiento de la memoria, en especial con los dispositivos más lentos como los discos duros.

Cuando no hay suficiente memoria RAM se crea un espacio extra, lo que se llama memoria virtual en el disco duro. Esto precisamente hace que el acceso a los datos sea más lento ya que el disco duro es mucho menos rápido que la memoria RAM, por lo que monitorear la carga de memoria RAM y el uso que se está haciendo de la memoria virtual nos puede indicar si es necesario ampliar la RAM.

Con el monitor de rendimiento de Windows podemos supervisar el rendimiento de la memoria y ver además dónde se crean los temidos cuellos de botella.

El monitor de rendimiento lo encontramos en Panel de Control, dentro de las herramientas administrativas, y nos proporciona algunos controles interesantes como:

– **Bytes confirmados:**

Mide la demanda de la memoria virtual, muestra la cantidad de memoria en bytes que se asigna a cada proceso y al sistema operativo y que tiene que trasladarse a la memoria virtual. Cuantos más datos haya en la memoria RAM aumentará el archivo de paginación y peor será el rendimiento.

– **Proceso, conjunto de trabajo Total**

Indica la cantidad de memoria RAM que está en uso.

Es un valor múltiplo de 4096, que corresponde al tamaño de página que usa Windows

– **Archivo de paginación, archivo de % uso**

Mide la cantidad de memoria virtual usada realmente, si el contador nos muestra un valor 100 significa que el archivo de paginación está lleno.

– **Memoria, páginas /sec**

Un valor alto implica que la memoria RAM es escasa

– **Memoria salida de páginas/sec**

Mide el número de páginas de la memoria virtual que se escribieron en el archivo de paginación por segundo para poder liberar espacio en la memoria RAM.

– Otros contadores que incluye esta herramienta son:

· Bytes de caché

· Bytes de memoria no paginada

· Bytes de memoria paginable

· Bytes de código de la memoria del sistema

· Bytes disponibles

7.6. Ejemplos de mediciones

Caso práctico

En el monitor de recursos de Windows podemos medir diversa información a cerca de CPU, memoria, discos, red, servicios que están ejecución y cuál es su carga, etc.

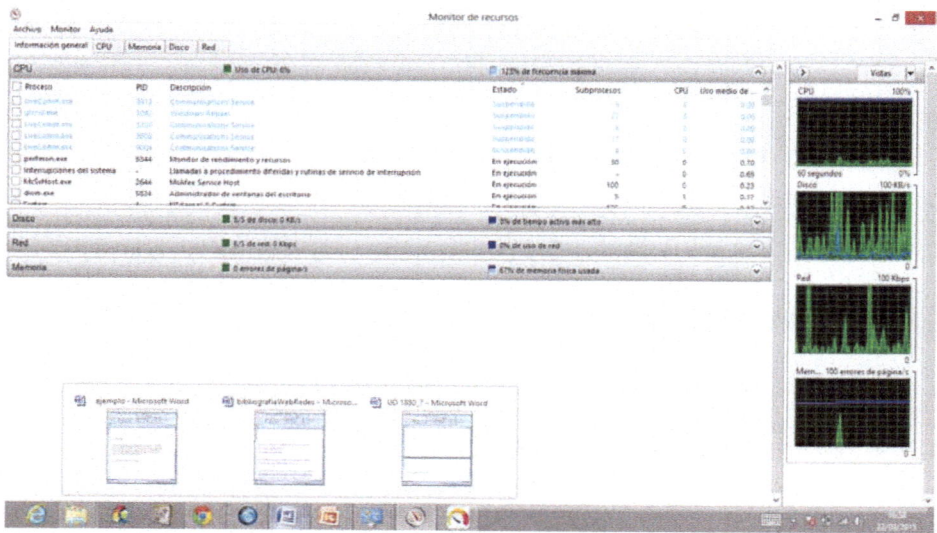

Monitor de recursos

Si hacemos botón derecho en los procesos tenemos opciones específicas del proceso en cuestión, como finalizarlo,

Podemos observar el estado de la CPU y ver sus gráficas.

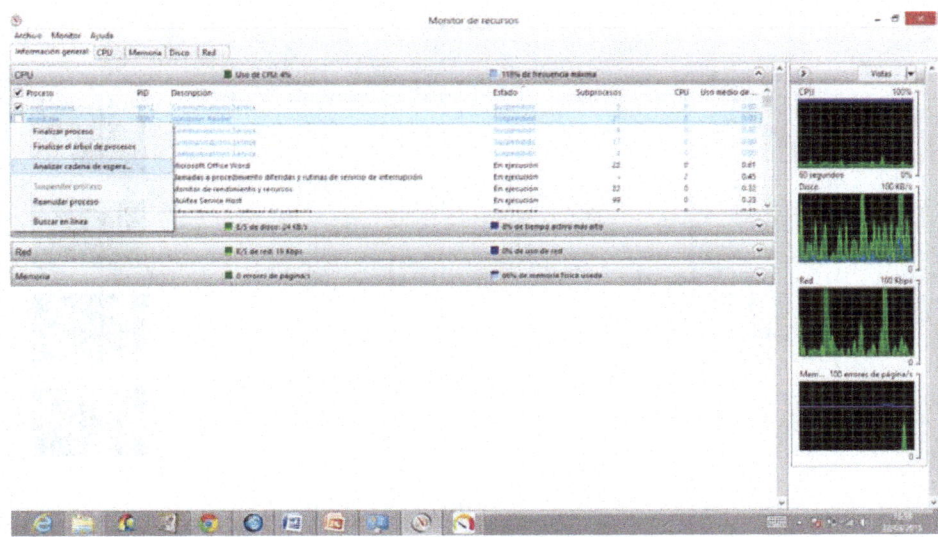

Monitor de recursos 2

Podemos analizar las cadenas de espera de los procesos.

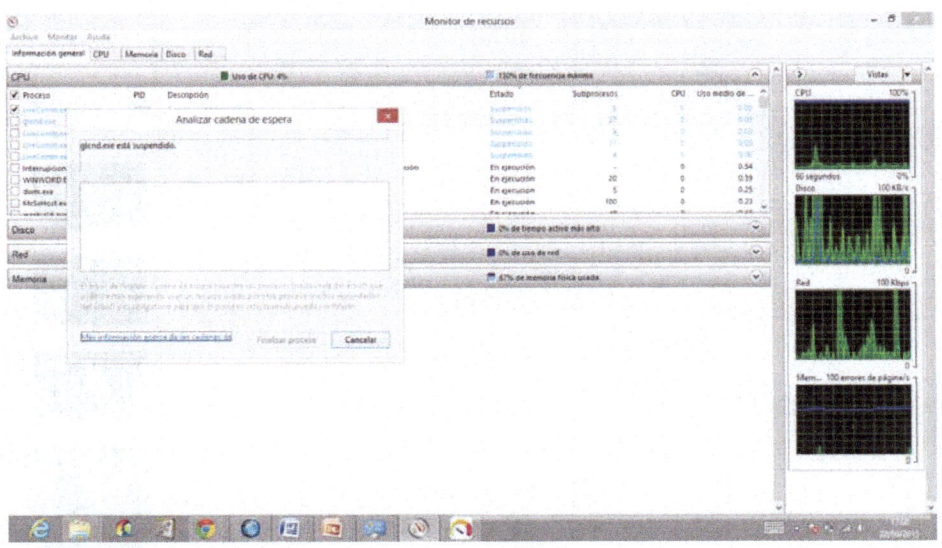

Monitor de recursos 3

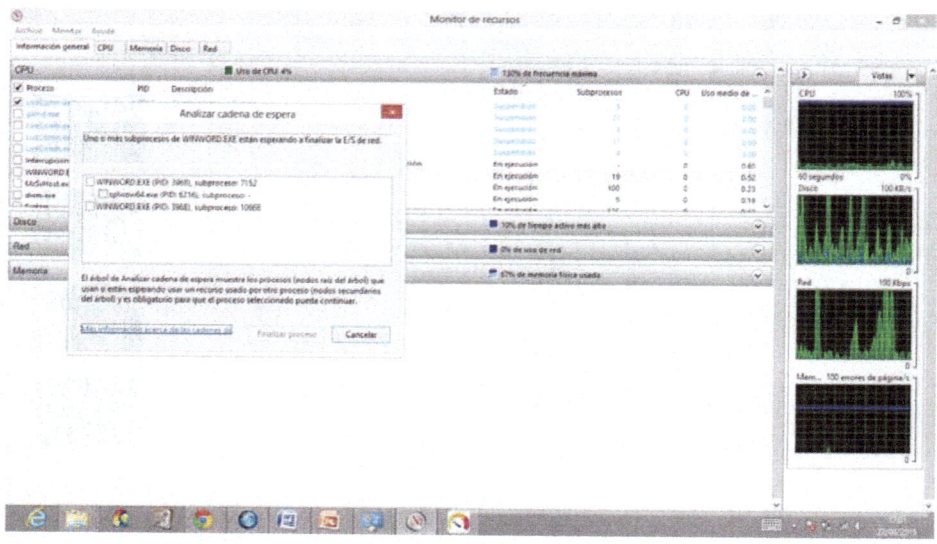

Monitor de recursos 4

A parte de estos elementos en líneas generales podemos visualizar información más detallada en las pestañas de CPU, memoria, disco y red.

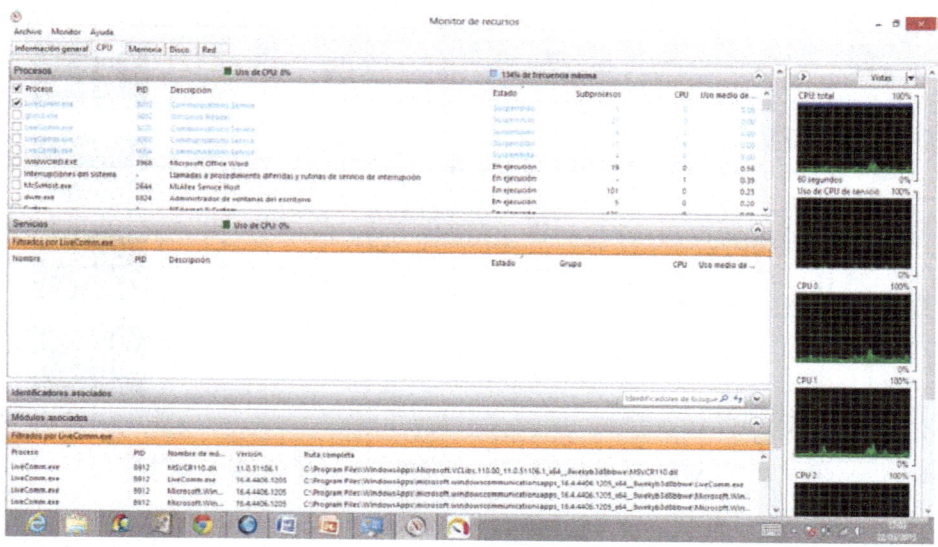

Monitor de recursos 5. Procesos

Es interesante también el apartado de Red, donde se ven los procesos, la actividad de la red, gráficas, conexiones TCP y su estado, puertos en escucha, etc.

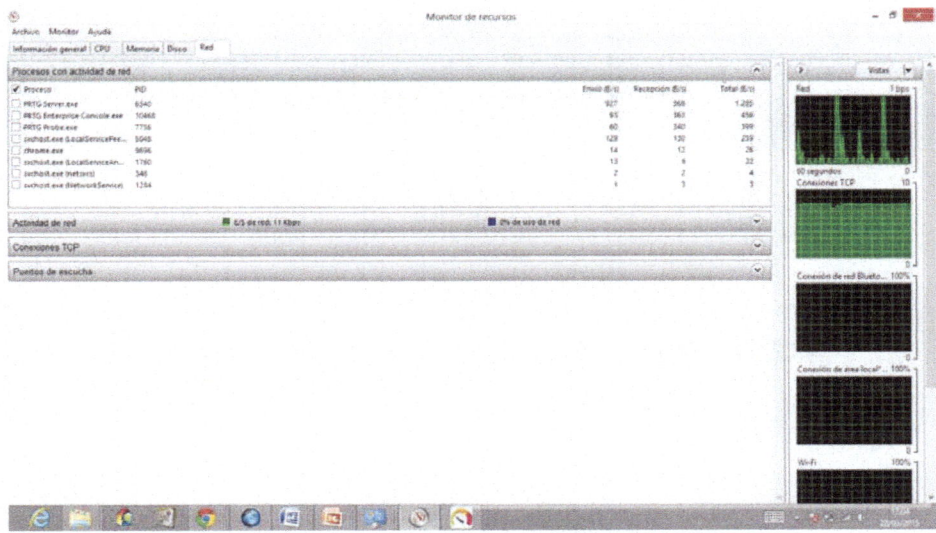

Monitor de recursos 6. Actividad de red

También podemos recurrir al administrador de tareas para recopilar información sobre procesos, uso, rendimiento, usuarios, servicios, etc.

Accedemos al administrador de tareas desde la barra de tareas del escritorio, haciendo botón derecho- administrador de tareas.

Abrir el administrador de tareas

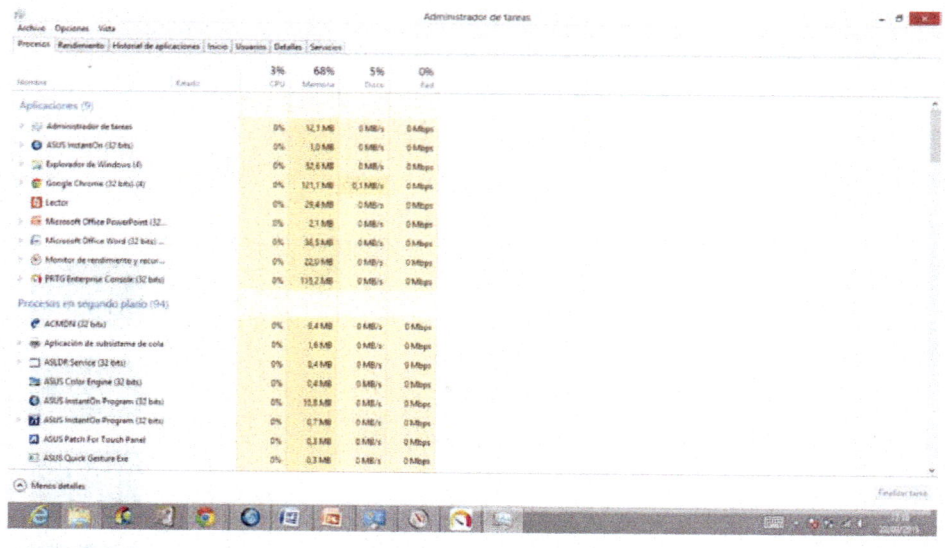

Administrador de tareas 1

Podemos ver el historial de aplicaciones, donde nos muestra tiempo de CPU de las aplicaciones, red, actualizaciones, etc.

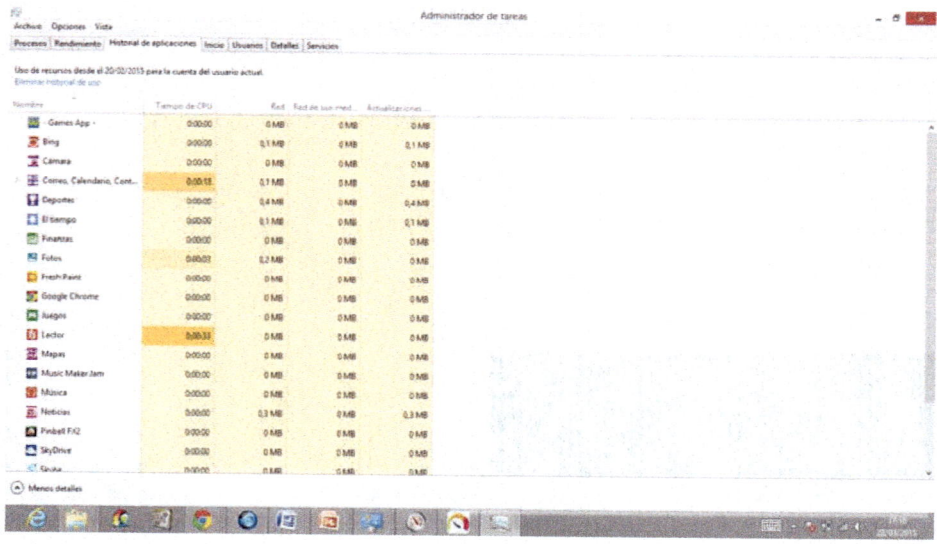

Administrador de tareas 2

En la pestaña usuarios, ves los usuarios conectados y su consumo de recursos.

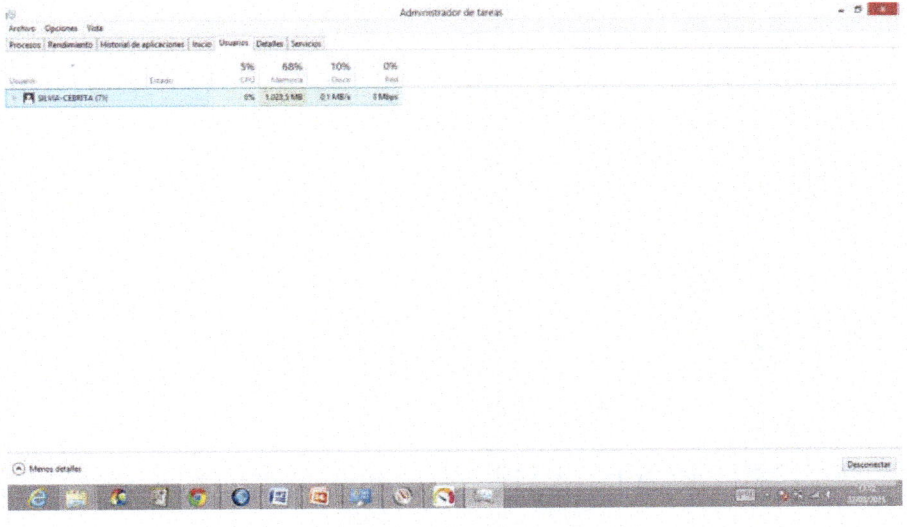

Administrador de tareas 3

Podemos configurar algunos aspectos de visualización haciendo botón derecho sobre las opciones que nos muestra.

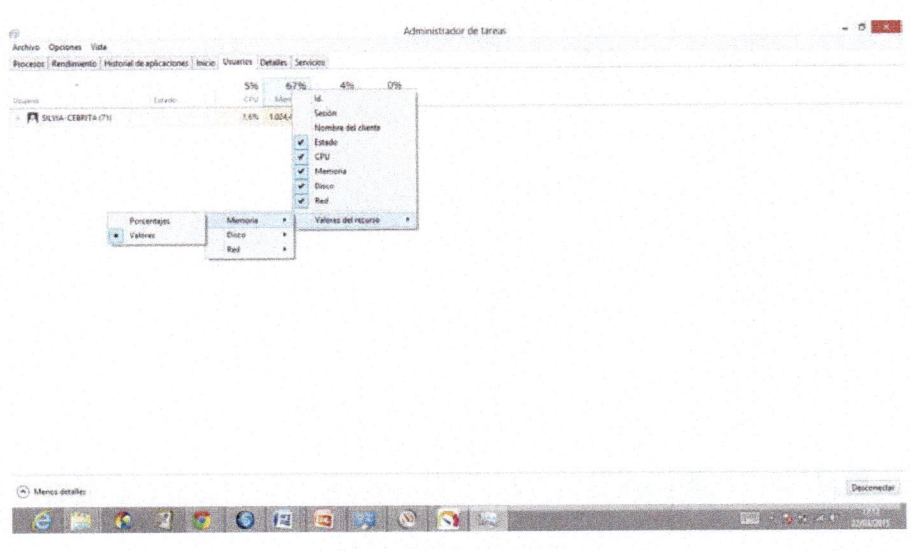

Administrador de tareas 4

En la pestaña detalles vemos aplicaciones, si están o no en ejecución, quién la ejecuta, la memoria que ocupa esa aplicación, etc.

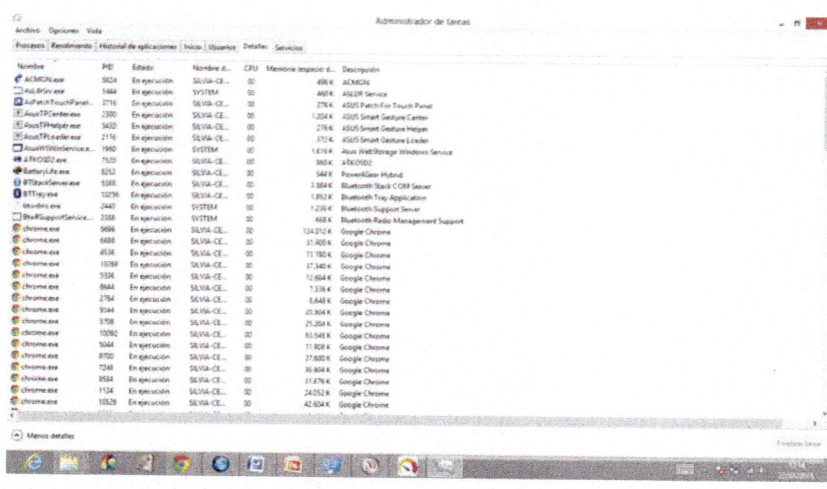

Administrador de tareas 5

Por último detalle de los servicios, que están en ejecución o detenidos y acceso para abrir los servicios y modificar su configuración en el enlace que pone Abrir servicios.

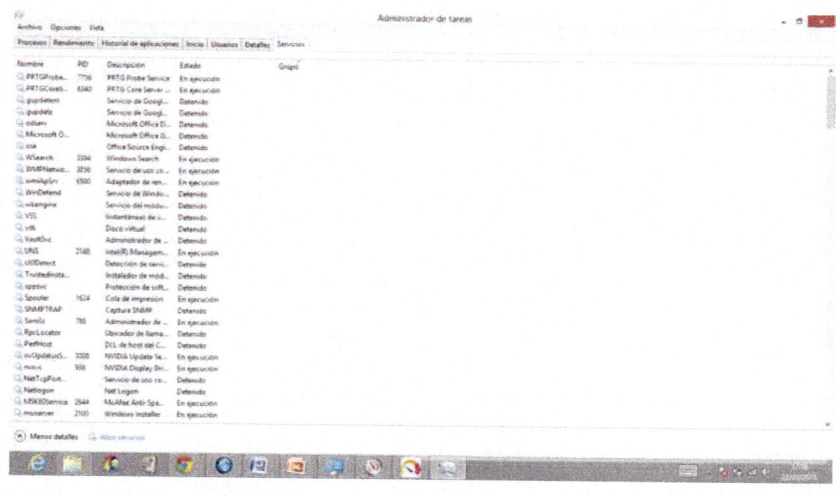

Administrador de tareas 6

7.7. Análisis de tendencias y medidas correctivas

El análisis de tendencias nos permite ver lo que ocurre en la red, las nuevas necesidades y establecer así medidas correctivas o actualizaciones. La clave es poder ser proactivos, y anticiparse a la degradación de la red.

Las herramientas de monitoreo de red ofrecen información a través de diferentes protocolos como SNMP, RMON, NetFlow, IPfix, etc. El propósito es conocer la red desde el todo, y así poder categorizar los eventos que perjudican el rendimiento de un servicio o de un proceso de negocio

Con el software de monitorización de red podemos:

– Analizar las tendencias de uso

– Detectar posibles amenazas y debilidades

– Control de los acuerdos de nivel de servicio

Así mismo con esta información generada podemos tomar decisiones a cerca de la red como la compra de nuevo hardware, software, o la incorporación de servicios.

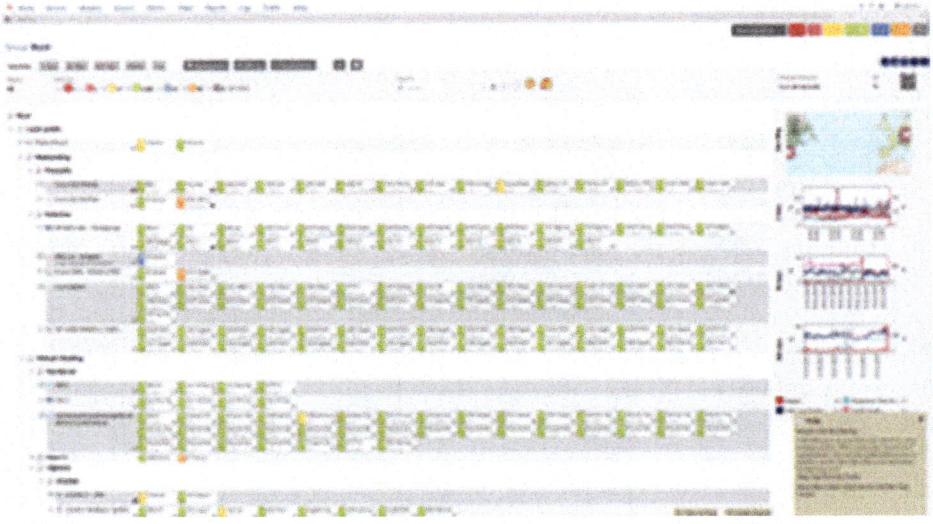

Monitoreo

Las herramientas de monitoreo, nos muestran gráficas fácilmente interpretables, además nos ofrecen notificaciones con códigos de color donde:

–   Verde: indica que todo está ok.

–   Amarillo: problema que no afecta a la disponibilidad

–   Naranja: Problema persistente que hay que solucionar pronto para evitar problemas de disponibilidad.

–   Rojo: El dispositivo se encuentra fuera de servicio.

Pero esto no es todo, además nos ofrecen una herramienta de "análisis a profundidad", donde podemos establecer parámetros concretos en un dispositivo a monitorizar para ver cuál es su comportamiento, por ejemplo, el uso de la CPU, memoria, paquetes enviados y recibidos, etc.

Disponemos así de mayor información.

Los nuevos sistemas de monitorización nos muestran latencias de dispositivos, protocolos implicados, cuellos de botella que se generan, dónde, por qué…etc. Soluciones que examinan el desempeño de las aplicaciones (APM), análisis punta a punta.

Todo esto, nos indica el uso que se hace de los recursos y nos da una idea de varias cosas, por ejemplo, a nivel de seguridad si hay procesos que no deberían estar ejecutándose, el consumo de memoria y de CPU, que nos pueden alertar de un posible virus.

En el caso de la memoria RAM, si observamos que se llena fácilmente y que las aplicaciones se ralentizan por ello, nos indica que debemos aumentar la memoria.

En el caso del uso del ancho de banda igualmente, si observamos que el tráfico es normal y que no aumenta por otras razones, como virus por ejemplo, pues nos da una idea de que tendremos que incrementar el ancho de banda, o comprobar el uso que se está haciendo de la misma de una manera más pormenorizada para ver qué es lo que está ocurriendo en la red.

7.8. Desarrollo de un supuesto práctico donde se muestren

En los siguientes puntos veremos:

—   El empleo de los perfiles de tráfico y utilización de la red para determinar cómo va a evolucionar su uso.

- Sniffers

- SNMP

- RMON

- Herramientas Fingerprinting

- Programas de monitoreo en red

—   El análisis de los resultados obtenidos por la monitorización con el fin de proponer modificaciones.

El primer caso práctico que vamos a desarrollar es el análisis del tráfico de red con la aplicación WireShark.

7.8.1. El empleo de los perfiles de tráfico y utilización de la red para determinar cómo va a evolucionar su uso

Cada vez, se introducen más tecnologías y métodos para la optimización de los procesos de red, lo que lleva a tener que replantearnos los procesos diseñados en un principio.

El uso de Software y hardware que evalúa el tráfico de red, nos permite estimar las necesidades de la red, sobredimensionamientos, cuellos de botella, etc.

Se hace necesario analizar los problemas en todas las capas del modelo OSI, pero especialmente en las 4 inferiores ya que son las que afectan al tráfico de red

El punto de partida es obtener la información desde los diferentes nodos de la red.

Las muestras se estudian para clasificar a los nodos o host (usuarios) según el segmento de pertenencia en la red, distribución de protocolos, distribución según el tipo y tamaño de paquetes, ancho de banda medio demandado, distribución horaria, pico de ráfagas de tráfico, distribución de tráfico local y externo, etc

El proceso de generar patrones, implica capturar el tráfico de red, para después analizarlo y determinar cuáles son los puntos críticos en el flujo de red, y así poder determinar futuros comportamientos.

Las herramientas que podemos usar son variadas, sniffers, programas de monitoreo de la red SNMP/RMON, etc.

La información a analizar, la capturamos mediante un sniffer (Tcpdump, Caín y Abel, etc.) durante un tiempo determinado suficiente para tener información que analizar.

Ya con las muestras en nuestro poder, podemos investigar acerca de los protocolos de red usados.

Con herramientas de Fingerprinting podemos agrupar el tipo de tráfico generado por cada equipo y sus características.

Es posible apreciar lo que parecen ser intentos fallidos de inicio de sesión, que pueden ser mejor estudiados mediante el análisis de los parámetros en los paquetes. Estos eventos pueden alertarnos de posibles ataques de fuerza bruta.

Estas herramientas permiten hacer un análisis del tráfico global de paquetes, bastante pormenorizado, y también de un detalle de cada paquete. Hay que hacer este estudio a detalle en cada segmento de la red, en distintos días de la semana, diferentes horarios durante el día, y en distintas épocas del año.

Esto nos permitirá clasificar el tráfico de acuerdo a protocolos, uso horario y prioridades:

– WEB

– FTP

– Correo electrónico

– Datos compartido

– HTTP...

Correo electrónico

Además se tendrá en cuenta tráfico ocasional que afecte notablemente el rendimiento.

En este análisis debemos tener en cuenta las consecuencias de un crecimiento de la red, nº de usuarios, tráfico generado, nuevos protocolos necesarios, etc.

Uso de Wireshark para ver el tráfico de red

Podemos descargar Wireshark de su página oficial, donde encontraremos entre otras una versión portable de la aplicación para sistemas Windows tanto de 32 como de 64 bits. (**https://www.wireshark.org/**) Funciona en diversas plataformas, Windows, Linux y OS X, es gratuito y de código libre.

Wireshak es el programa que antes se conocía como Etherreal, que permite analizar protocolos por lo que podemos hacer análisis de redes y aplicaciones en red. Es capaz de analizar unos 500 protocolos diferentes, entre ellos, los más conocidos. ICMP, DNS, TCP, UDP, HTTP, etc.

Características de WiewShark

—   Varias plataformas compatibles

—   Captura de paquetes en tiempo real

—   Información detallada del protocolo capturado

—   Permite abrir y guardar las capturas

—   Permite importar/exportar los datos de las capturas a otros programas de análisis

—   Filtra los paquetes bajo diversos criterios

—   Muestra códigos de color para identificar los paquetes de un protocolo concreto

Esta aplicación permite dejar capturando datos el tiempo que queramos y, posteriormente podemos guardar la captura para poder realizar el análisis posteriormente. Esto facilita mucho el trabajo ya que sería imposible hacerlo en tiempo real dado que son muchísimos los paquetes que viajan por la red en un solo instante.

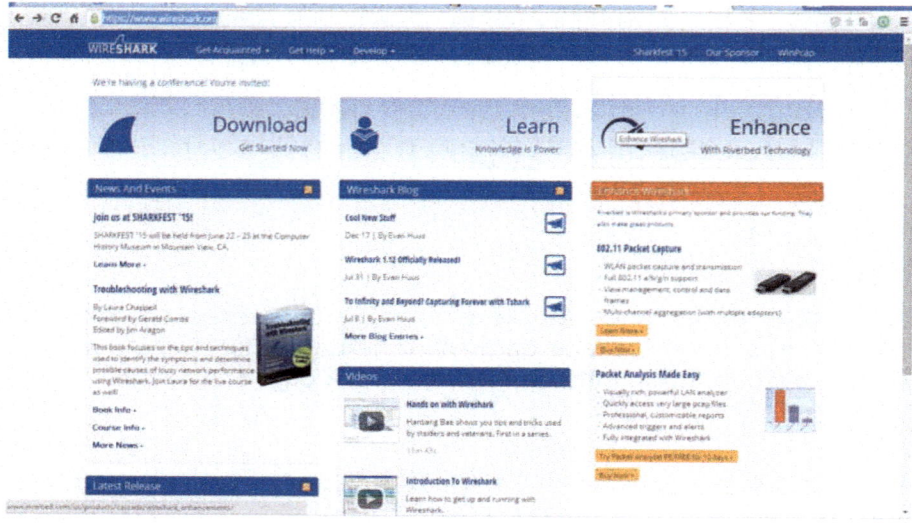

Página de descarga de Wiresahrk

Las posibilidades de WireShark son muchas, para empezar tiene una interfaz gráfica que nos va a facilitar su uso, aunque también posee la posibilidad de ver los datos en una especie de consola de texto que se llama tshark.

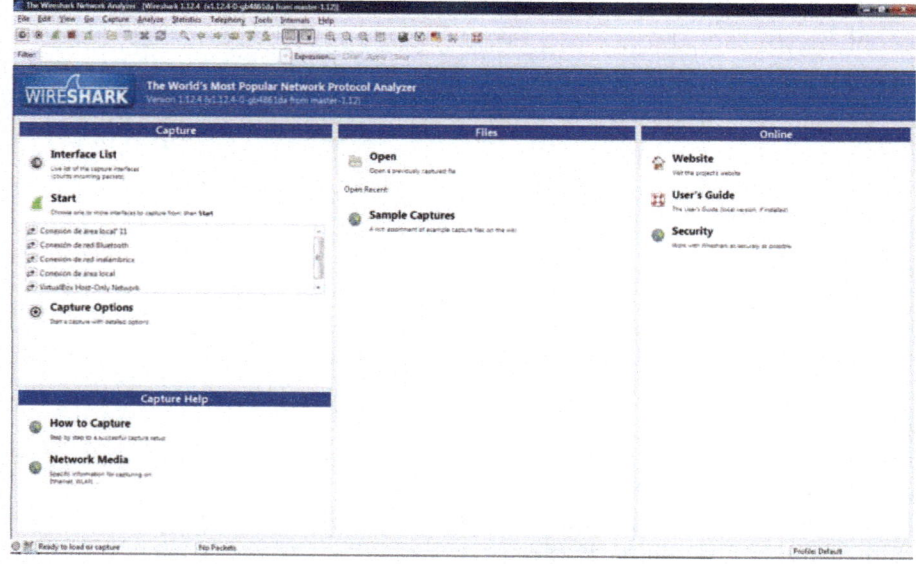

Interfaz gráfica de Wireshark

Algunos usos comunes de WireShark son:

–   Solucionar problemas de red – Administradores de red

–   Examinar los problemas de seguridad- Ingenieros de seguridad

–   Depurar implementaciones del protocolo- Desarrolladores

–   Aprender los protocolos de red y su funcionamiento.

Veamos algunas de las opciones de sus menús:

Menú File

En el menú File encontramos las funciones típicas de este menú… Abrir, cerrar….es de destacar la función Merge, que permite abrir una ventana que nos deja combinar un archivo de captura con el que se está cargando en ese momento, es decir fusiona ambos archivos.

Menú Edit

En el aparecen funciones como copiar, buscar un paquete, mostrar filtros, buscar un valor hexadecimal con Hexvalue, o una cadena en los paquetes de datos con String, entre otras funciones.

Menú View

En el menú View, encontramos:

–   Mail Toolbar, que oculta/muestra la barra de herramientas principal

–   FilterToolbar, muestra/esconde las herramientas de filtro

–   WirelessToolbar: muestra/esconde la barra de herramientas inalámbricas

–   Statusbar: muestra/oculta la barra de estado

–   PacketList: muestra/oculta el panel de la lista de paquetes

–   Packetdetails: muestra/oculta el panel de detalles de paquetes

–   Packet Bytes: muestra/oculta el panel de bytes de los paquetes

- Time DisplayFormat: visualización temporal de horas minutos y segundos

- Nameresolution/resolvename: resuelve el nombre de un elemento o de un paquete actual

- NameResolutionEnablefor MAC Layer: permite controlar si se traducen las direcciones MAC en nombres

- NameResolutionEnablefor Network Layer: permite controlar si se traducen las direcciones de red en nombres

- NameResolutionEnableforTransportLayer: controlar si se traducen las direcciones de transporte en nombres

- ColorizePacketList: permite saber al programa si debe colorear la lista de paquetes.

- Auto Scroll in Live Capture es para saber si debe desplazar el panel de lista de paquetes con los nuevos paquetes entran.

- Acercar Ctrl + + Zoom

- Alejar Ctrl + - Zoom

- Tamaño normal Ctrl + =

- Cambiar el tamaño de todas las columnas Shift + Ctrl + R

- ColorizeConversation: dar color a los paquetes en el panel de la lista de paquetes basados en las direcciones del paquete seleccionado.

- ColorizeConversationResetcoloring: esta opción borra todas las reglas para colorear temporales.

- ColorizeConversation New Coloring Rule: permite definir una nueva regla para colorear.

- Coloring Rules: permite crear reglas de colores en función de las expresiones de los filtros.

- Show Packet in New Window: muestra un paquete seleccionado en una nueva ventana.

- ReloadCtrl+R: recarga o actualiza el fichero de capturas.

Menú Go

– Back Alt+Left (Izquierda): vuelve al paquete anterior visitado

– Forward Alt+Right (Derecha): muestra el paquete siguiente visitado.

– GotoPacket... Ctrl+G: muestra una ventana que permite poner el número de paquete al que queremos ir.

– Gotothecorrespondingpacket: permite ir al paquete correspondiente del campo de protocolo seleccionado.

– PreviousPacketCtrl+Up (Arriba):va al paquete anterior en la lista

– NextPacketCtrl+Down (Abajo): pasar a la siguiente paquete en el lista.

– FirstPacketCtrl+Home (Inicio): nos dirige primer paquete del archivo de captura.

– LastPacketCtrl+End (Fin): nos dirige al último paquete del archivo de captura.

– PreviousPacket In ConversationCtrl+: va al paquete anterior en la conversación actual.

– NextPacket In ConversationCtrl+: va al siguiente paquete en la conversación actual.

Menú Capture

– Interfaces... Ctrl+I: Muestra un cuadro de diálogo que nos da detalles de las interfaces de red.

– Description: Ofrece la descripción de la interfaz del sistema operativo.

– IP: Muestra la primera dirección IP Wireshark que pudo encontrar para esta interfaz.

– Packets: Muestra el número de paquetes capturados de esta interfaz.

– Stop: Detiene una captura en ejecución.

– Start: Inicia una captura en todas las interfaces seleccionadas.

- Options: Abre las opciones de captura

- Details: Información de la interfaz más detallada.

- Help

- Start

- Stop

- Restart

- Captura Filters: Captura y edita filtros

Menú analyze

- DisplayFilters. Aquí podemos crear y editar filtros de visualización

- DisplayFilter Macros. Desde aquí podemos crear y editar macros filtro de visualización.

- Apply as Column permite agregar el protocolo seleccionado en el panel de detalles de paquetes.

- Apply as Filter: cambiará el filtro de visualización actual por otro seleccionado.

- Prepare a Filter: cambiará el filtro de presentación actual, pero no aplica el filtro cambiado.

- Enabled Protocols... Shift+Ctrl+E: activa / desactiva disectores de protocolos

  · EnableAll: Activa todos los protocolos de la lista.

  · DisableAll: Desactiva todos los protocolos listados.

  · Invert: Cambia el estado de todos los protocolos listados

  · OK: Aplicar los cambios y cierra la ventana

  · Apply: Aplicar los cambios y mantiene la ventana abierta.

  · Save: Guardar los ajustes.

- Decode As: permite forzar a Wireshark para decodificar ciertos paquetes como un protocolo particular.

  - Decode: Decodifica paquetes.

  - Do not decode: No decodifica los paquetes.

  - Link/Network/Transport: Especifica la capa de red en la que "Decodificar Como" debe llevarse a cabo.

  - Show Current: Abre una ventana que muestra la lista actual.

  - OK: Aplica la decodificación seleccionado y cierra la ventana.

  - Apply: Aplica la decodificación seleccionada y mantiene la ventana abierta.

  - Cancel: Cancela los cambios y cierra la ventana.

  - UserSpecifiedDecodes: permite al usuario forzar Wireshark para decodificar ciertos paquetes como un protocolo particular

- Follow TCP Stream: muestra todos los segmentos TCP capturados en la misma conexión TCP como un paquete seleccionado en otra ventana.

- Follow UDP Stream: Igual que la anterior pero para los flujos UDP.

- Follow SSL Stream: Igual que las anteriores pero para los flujos SSL. XXX y para proporcionar las claves SSL.

- ExpertInfo: Muestra información de expertos acerca de los paquetes capturados.

- ConversationFilter: muestra el filtro de conversación para varios protocolos.

MenúStadistics

- Summary: muestra el resumen de información sobre los datos capturados.

- ProtocolHierarchy: muestra un árbol jerárquico de las estadísticas de protocolo.

- Conversations: muestra una lista de conversaciones

- Endpoints: muestra una lista de puntos finales (el tráfico hacia / desde una dirección) tomando en cuenta:

  - Ethernet: dirección MAC de Ethernet.

  - FibreChannel

  - FDDI: dirección MAC de FDDI.

  - IPv4: Un punto final IP es su dirección IP.

  - IPX

  - JXTA

  - NCP

  - RSVP

  - SCTP: Un punto final SCTP es una combinación de las direcciones IP de host y el puerto SCTP utilizados

  - TCP: Es la dirección IP y el puerto TCP utilizado.

- IO Graphs: permite ver gráficas específicas.

- ConversationList: Muestra una lista de conversaciones.

- Service Response Time: Muestra el tiempo transcurrido entre la solicitud y la respuesta asociada.

- WLAN TrafficStatistics: Estadísticas de tráfico WLAN capturado

MenúThelephony

Contiene estadísticas de la red relacionados con la telefonía.

Menú Tools

- Firewall ACL Rules: Sirve para crear reglas de ACL de línea de comandos.

- Lua: Esta opción nos permite trabajar con el intérprete Lua.

Menú Internals

–   Dissectortables: muestra las tablas con relaciones subdissector en una nueva ventana.

–   Supported Protocols (slow!): muestra los protocolos soportados y los campos de protocolo en una nueva ventana.

Menú Help

Muestra la ayuda del programa (F1), la web de descargas, preguntas frecuentes y versión del programa.

Entre sus muchas posibilidades podemos filtrar los datos capturados, por protocolos, po IP de origen o de destino, analizando un rango de direcciones IP, ver los puertos, el tráfico de red, etc Desde el menú Analyze.

El problema al iniciar las capturas con Wireshark es que analiza todos los protocolos, y tal vez no nos interese capturar todo, por lo que debemos de filtrar para seleccionar los protocolos que más nos interese capturar.

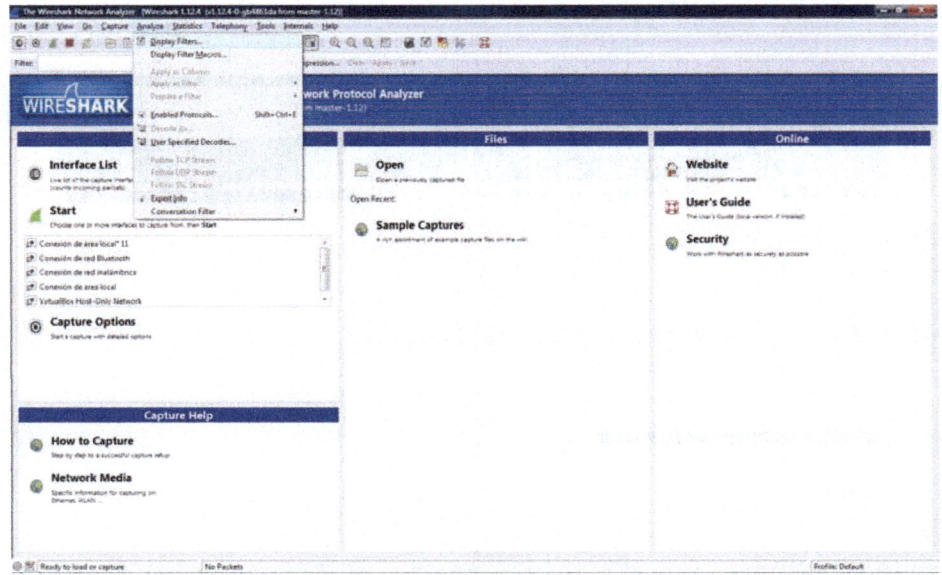

Menú Analyze- Filters

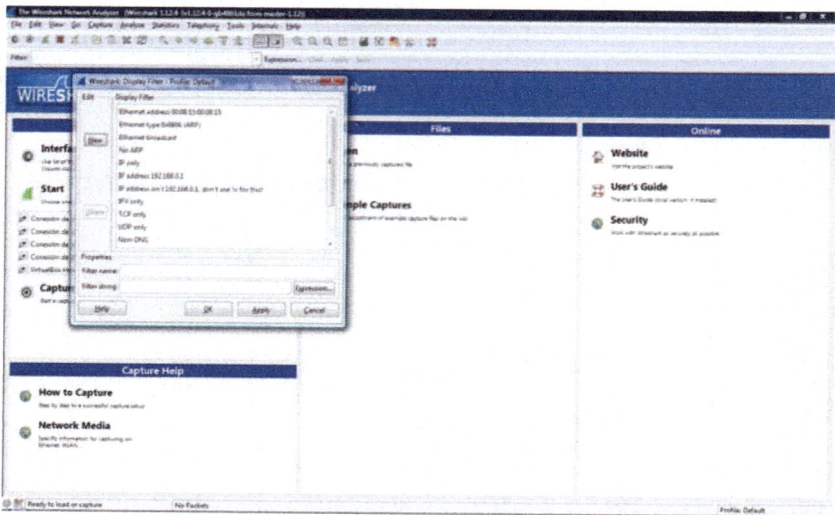

Menú selección de filtros

Podemos también seleccionar aquella interfaces de red donde queramos realizar el análisis como puedes ver en la siguiente imagen hay unos botones en la parte superior, el primero de ellos, es la lista de interfaces disponibles, justo debajo del menú File.

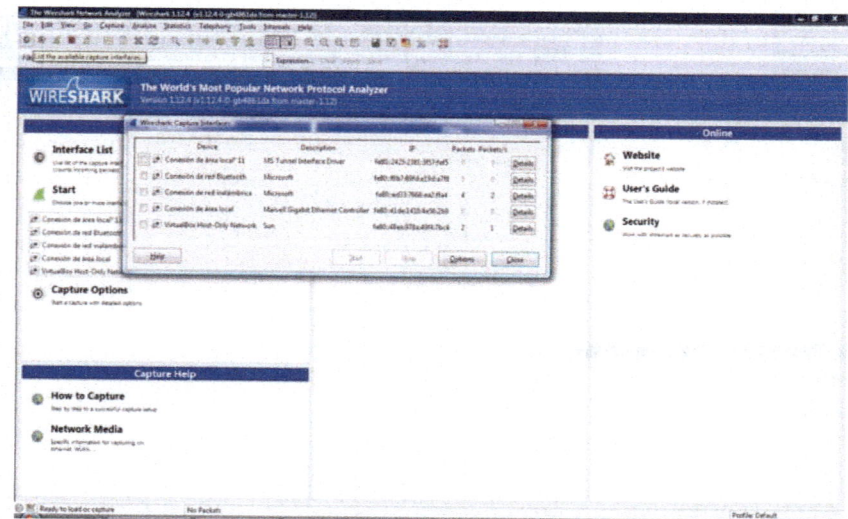

Seleccionar interfaces

Al pinchar justo en el botón de al lado desplegamos las opciones de captura de la interfaz. Como puedes observar, está marcada la opción de "modo promiscuo" para capturar todos los paquetes de la red, los nuestros y los de otros, aunque para poder usar este modo la tarjeta de red debe permitir el modo promiscuo.

Desde esta ventana también podemos configurar los filtros que queremos usar.

Una vez seleccionadas las opciones deseadas, pulsaremos en el botón Start abajo a la derecha para iniciar la captura de los paquetes que circulan por la red.

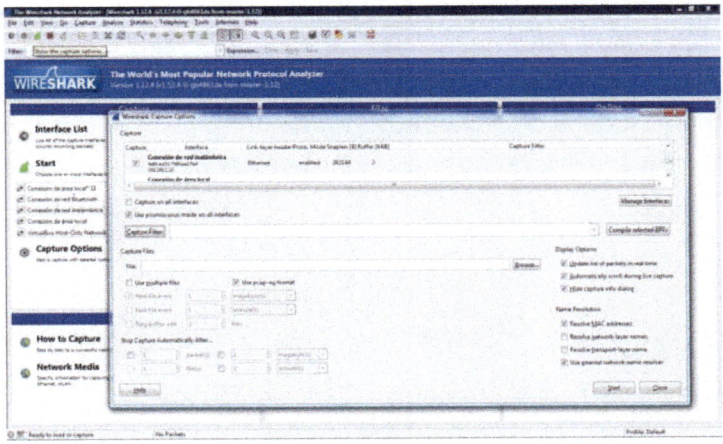

Opciones de captura

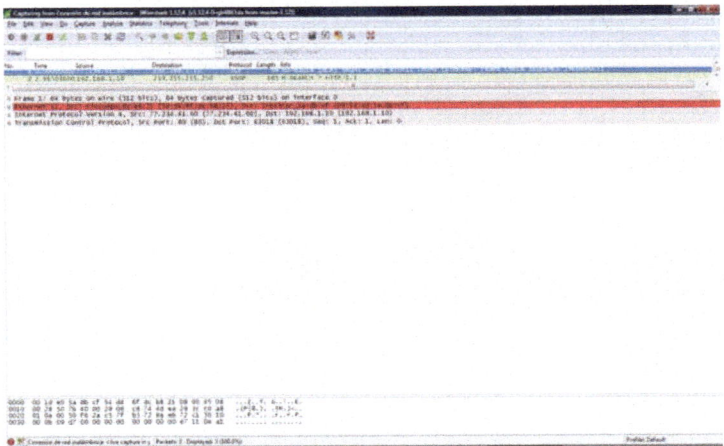

Captura con WireShark

La ventana de WireShark tiene varias partes la primera muestra los paquetes capturados, informando del n° de frame, tiempos de la captura medidos en segundos, destino, protocolo e información extra decodificada por Wireshark.

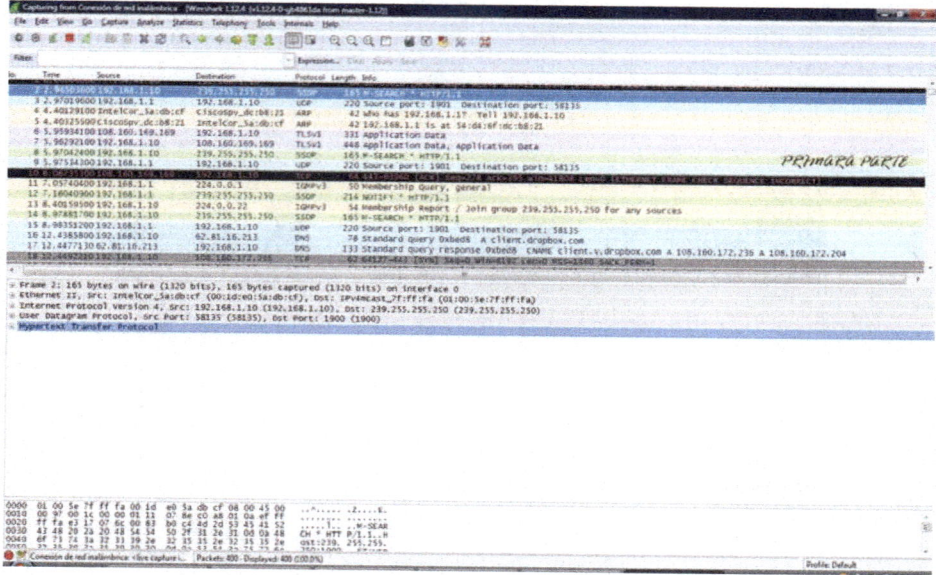

Captura con WireShark primera parte

En la segunda se desglosa la información y ofrece una visión más detallada de la captura, los datos del frame numerados secuencialmente, con información completa de la trama, tamaños, etc. Además nos ofrece información sobre la cabecera Ethernet, el protocolo IP con las cabeceras del datagrama, protocolo TCP detallado, segmentos de datos TCP.

Captura con WireSharkSegunda parte

La tercera muestra el contenido de los paquetes.

Captura con WireSharktercera parte

Una vez que hemos iniciado la captura podemos ir filtrando paquetes según queramos, por ejemplo aquí vamos a filtrar los paquetes DNS. Para ello en la caja de texto que pone Filter escogemos dns y le damos al botón de Apply, para aplicar los cambios y que sólo analice el protocolo DNS.

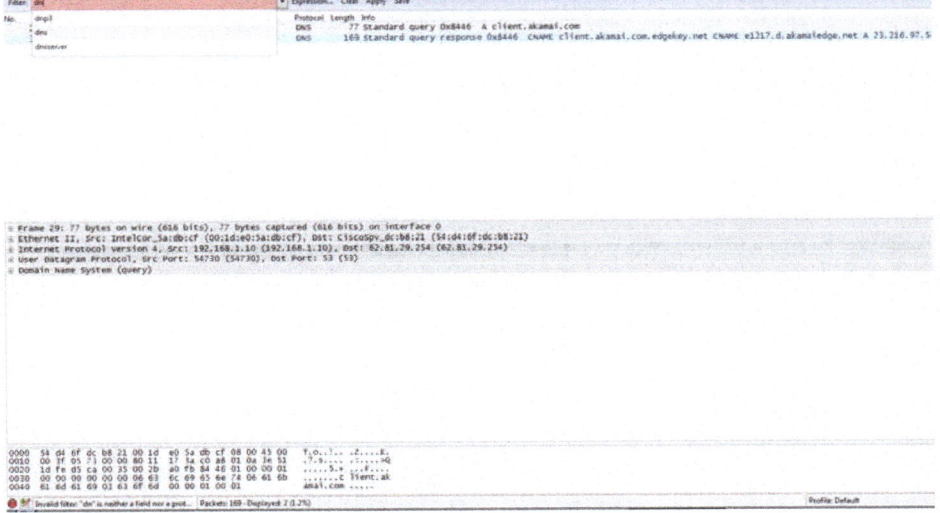

Captura con WireSharkDNS

Desde Capture-Filter o desde el campo Filter podemos poner lo que queremos capturar de una forma más específica por ejemplo podemos poner:

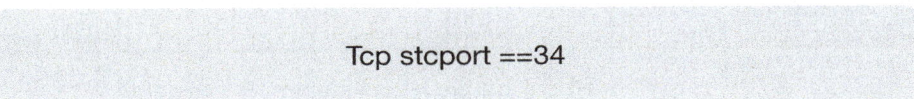

Tcp stcport ==34

En este caso, estaremos capturando los paquetes TCP con destino al puerto 34.

Icmp [0:1}==8

En este caso capturamos el tráfico icmp del tipo echo request.

Frame contains "@mitienda.es"

Con este filtro capturamos el correo de origen y destino del dominio "mitienda.es", esto incluye, usuarios, contraseñas, contenidos, etc.

Como puedes observar ahora sólo está capturando los paquetes DNS.

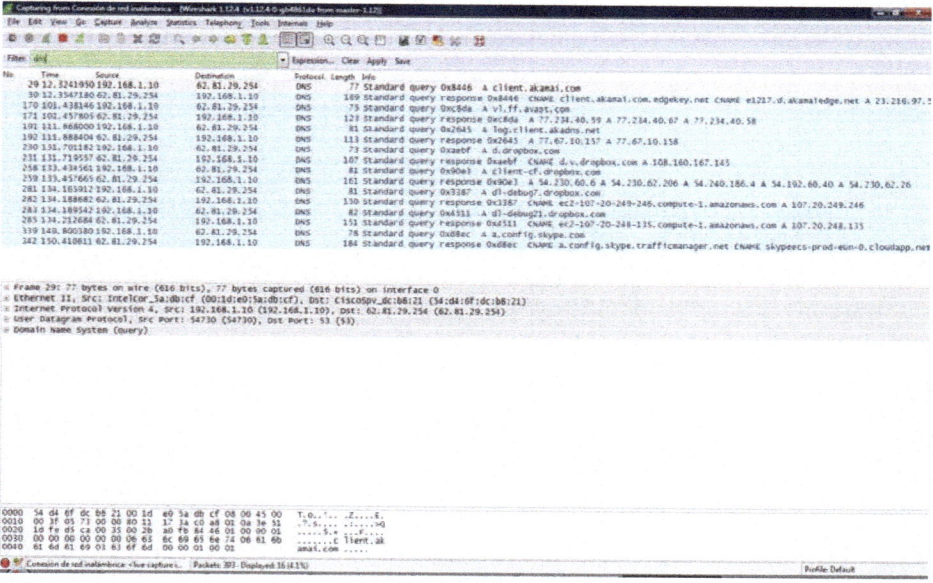

Captura con WireShark DNS

Podemos ir probando todos los filtros que queramos, en la siguiente imagen vemos la captura del protocolo TCP.

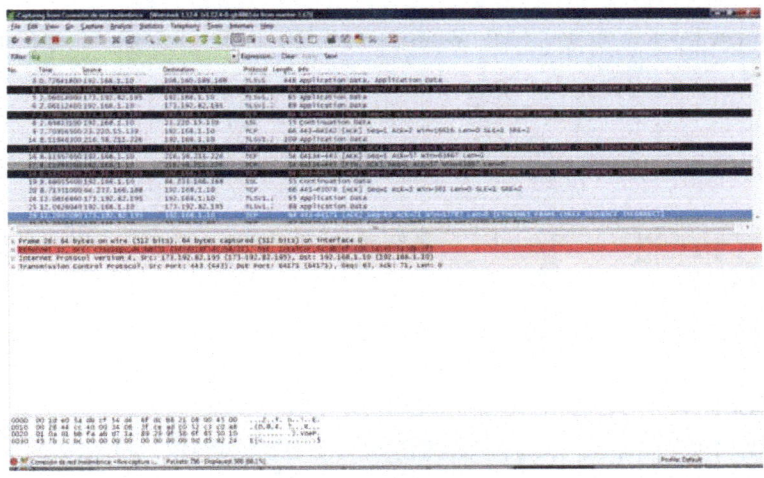

Captura con WireSharkTCP

Otros filtros de interés son por ejemplo las peticiones http, que podemos ver con el filtro http-request, así veremos los GET y POST que se realizan en el transcurso de la captura.

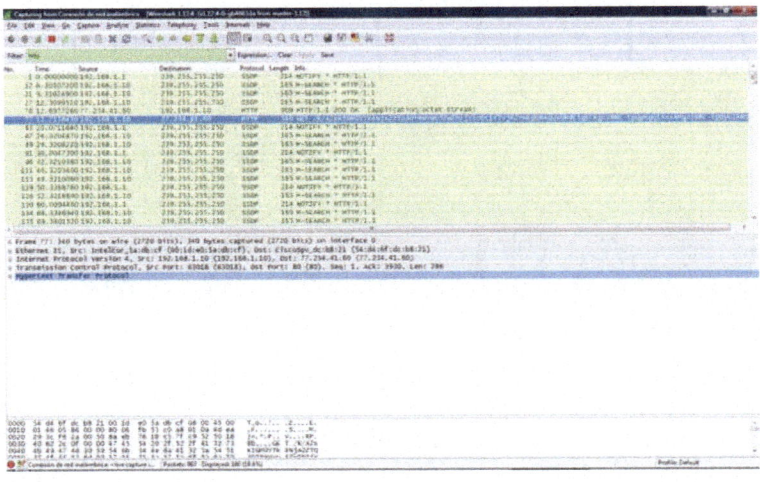

Captura con WireSharkhttp-request

A cerca del protocolo IP tenemos múltiples análisis en los filtros, como puedes observar a continuación:

Captura con WireSharkfiltros IP

> *Para más información, consulta los supuestos prácticos en el anexo al final del libro*

7.8.2. El análisis de los resultados obtenidos por la monitorización con el fin de proponer modificaciones

Los programas de monitorización de redes nos ofrecen multitud de datos a cerca de la red.

Podemos localizar los archivos logs y analizarlos, tras el análisis podemos evaluar las deficiencias de nuestra red y ofrecer soluciones al respecto, tanto en el momento actual como en el futuro, pudiendo prever la evolución y el crecimiento de la red.

Podemos monitorizar el tráfico de red para controlar problemas como que ningún virus o mal funcionamiento de la tarjeta de red provoque una inundación de tráfico que haga que baje el rendimiento de nuestra red, entre algunos de los programas que podemos usar para este fin:

–   Wireshark

    ·   Permite analizar y solucionar problemas de comunicaciones

    ·   Ofrece una interfaz gráfica para interpretar mejor los datos que nos proporciona.

    ·   Permite el análisis de todo el tráfico de red Ethernet así como de otro tipo de redes

–   WinDump

    ·   Versión de TCPDump para Windows

    ·   Permite capturar los paquetes de datos que circulen por la red

    ·   Se pueden establecer filtros de análisis

–   Fing

    ·   Analiza la red y nos muestra los datos muy ordenados para una fácil interpretación.

    ·   Realiza auditorías WIFI

Para el uso de estos programas es necesario tener grandes conocimientos de TCP/IP.

Con Wireshark podemos ver distintas gráficas que nos ofrecen mucha información que puede ser relevante de cara a proponer modificaciones en nuestra red. Estas gráficas son totalmente personalizables y nos muestran el tráfico de entrada/salida de las capturas.

Para acceder a ellas vamos al menú Stadistics y escogemos la opción IO Graphs.

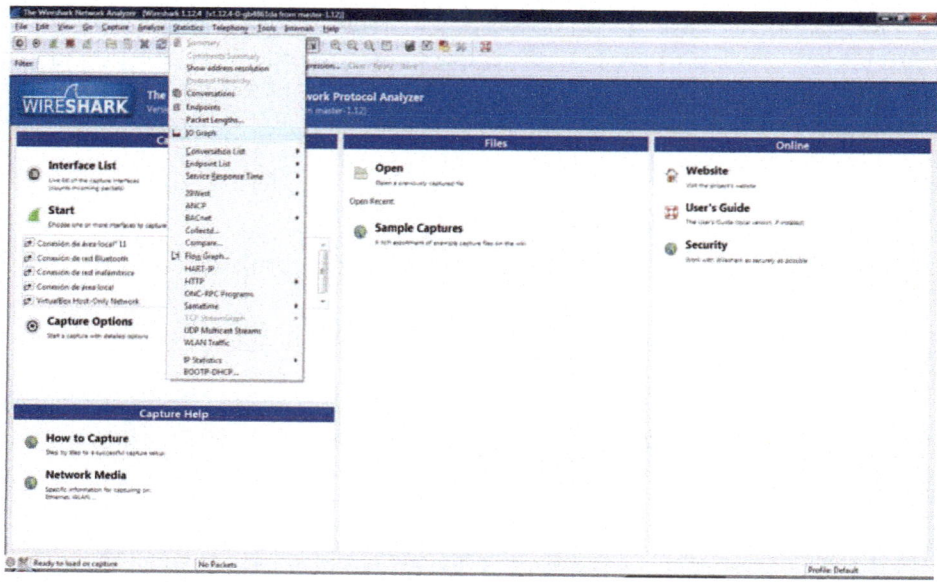

Menú IO graphs

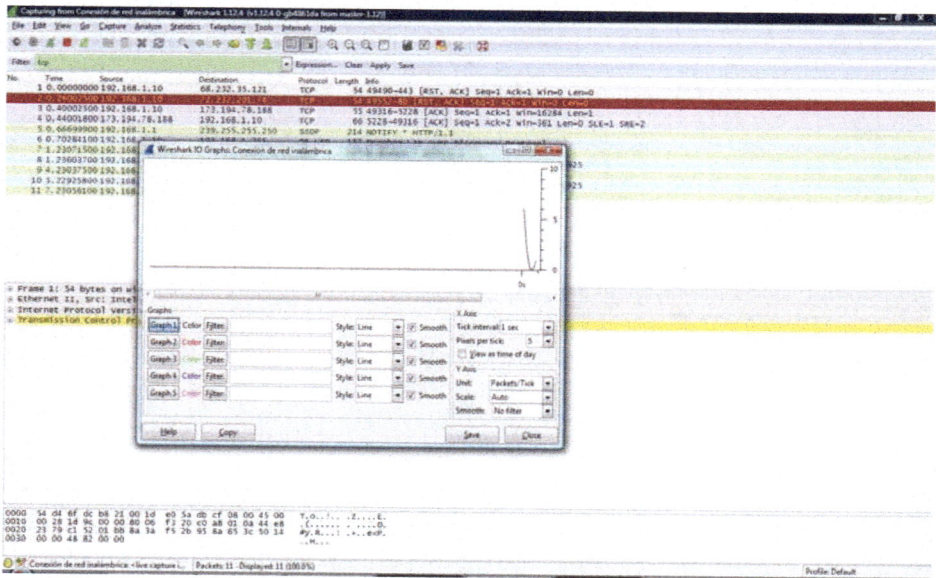

Menú IO graphs. Ventana

En la parte de edición de la ventana de los gráficos tenemos dos ejes X e Y. El eje X es el de tiempo y el Y el de paquetes capturados.

En el apartado de datos se pueden ver hasta 5 gráficos de colores distintos y podemos especificar el tipo o Style, además de asociar un filtro a cada color.

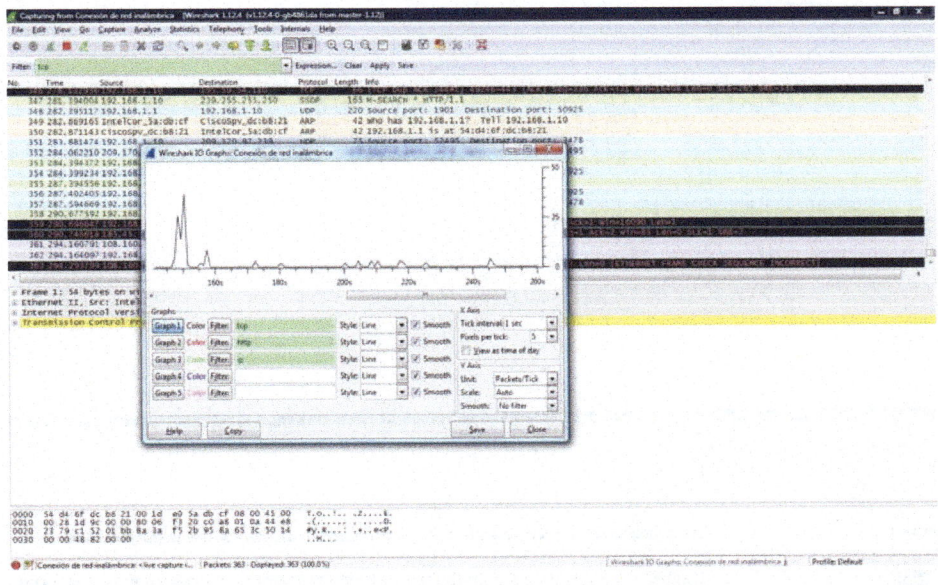

Menú IO graphs. Filtros

Otra opción es Flow Graphs, también desde el menú Stadistics. Con esta opción veremos la gráfica de los datos de las distintas conexiones hechas entre hosts. Seleccionaremos en la ventana que nos aparecen unas opciones que reflejan qué paquetes queremos usar, el tipo de flujo con todos los protocolos o sólo con TCP.

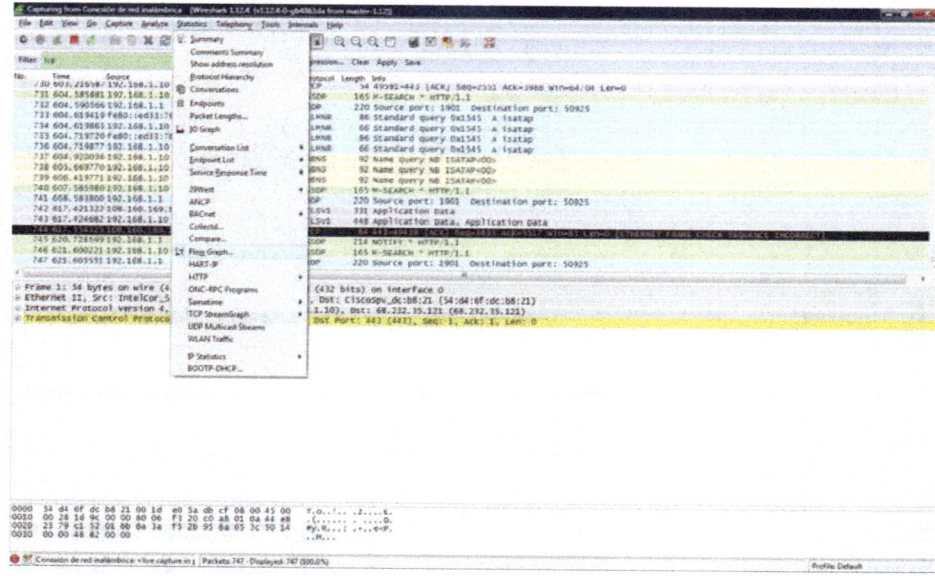

Menú Flow Graphs

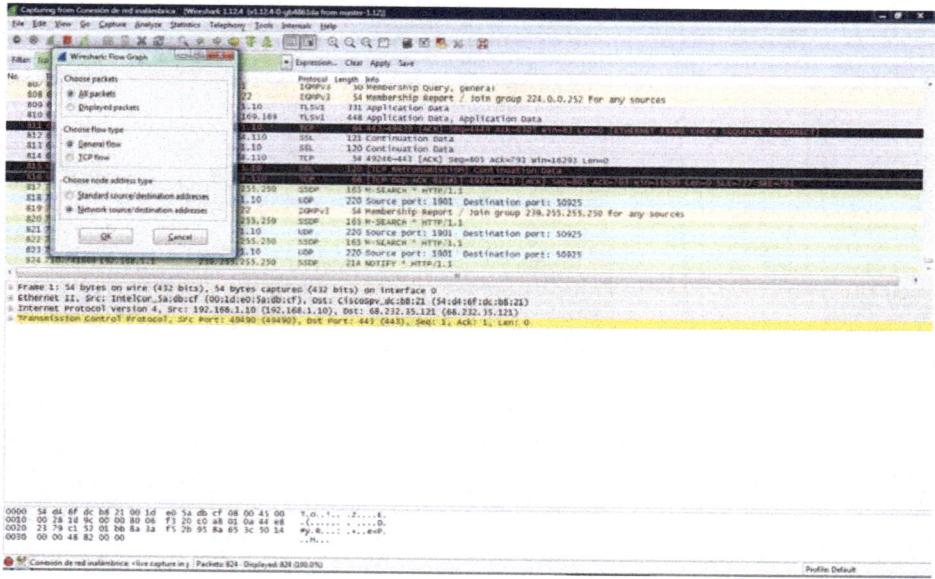

Menú Flow Graphs. Opciones

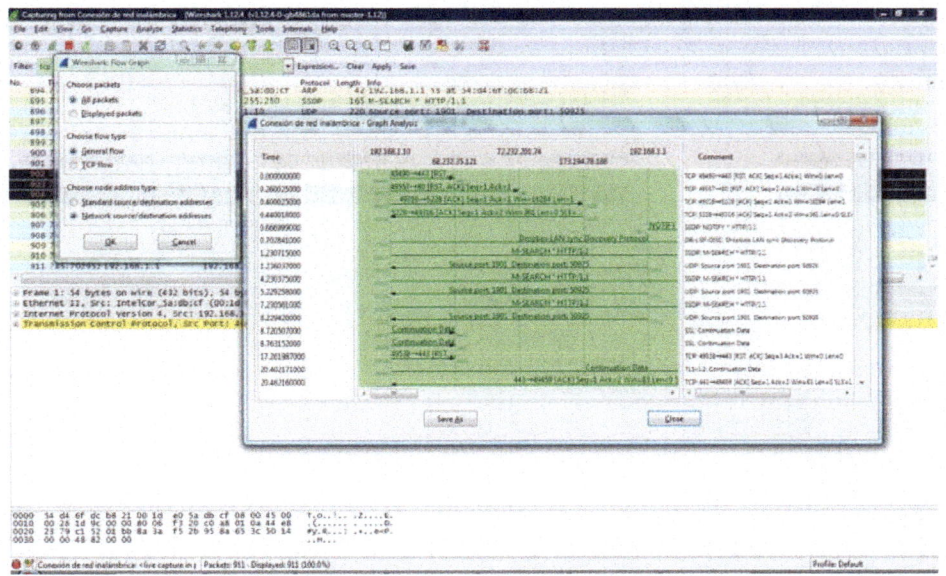

Menú Flow Graphs. Gráfica

En la gráfica que nos aparece veremos datos de tiempo, máquinas que actúan en el flujo de conexión, sentido del flujo de datos, que se ve representado por una flechas de dirección, números de secuencias, acuses de recibo (ACK), etc.

Otras gráficas que nos ofrecen información son tcptrace, también la encontramos en el menú stadistics, dentro de la opción Time-Sequence Graph.

Al abrirlo nos muestra dos ventanas una es la gráfica y la otra son opciones que nos permiten mejorar la gráfica, donde podemos aplicar zoom (pestaña Zoom). Indicar el nº de divisiones de los intervalos (Step), mostrar los gráficos en función del origen de los datos (Origin), modificar el puntero del ratón, modificar el tipo de gráfico con la opción Graph type, etc.

También disponemos de controles para teclado y ratón, podemos usar atajos de teclado para ciertas funciones.

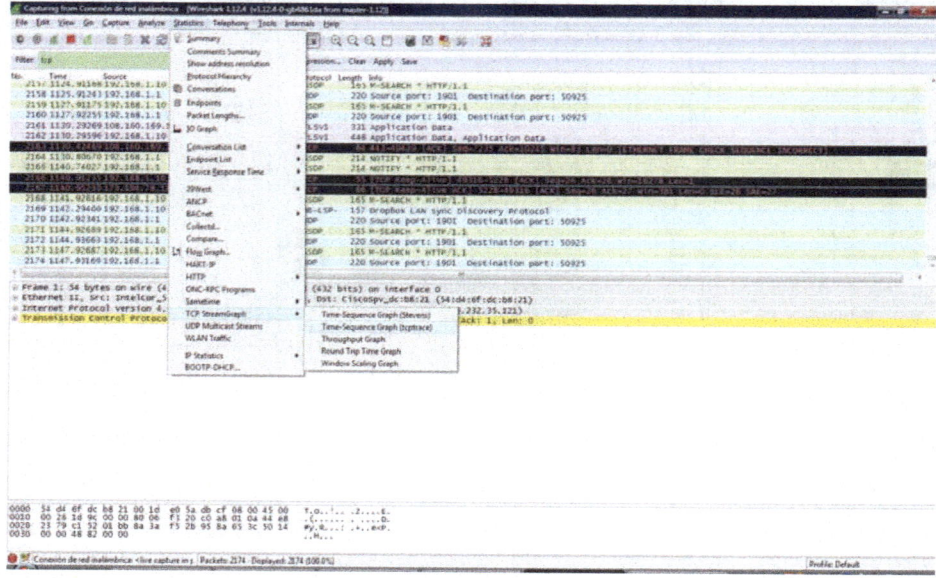

Tcptrace

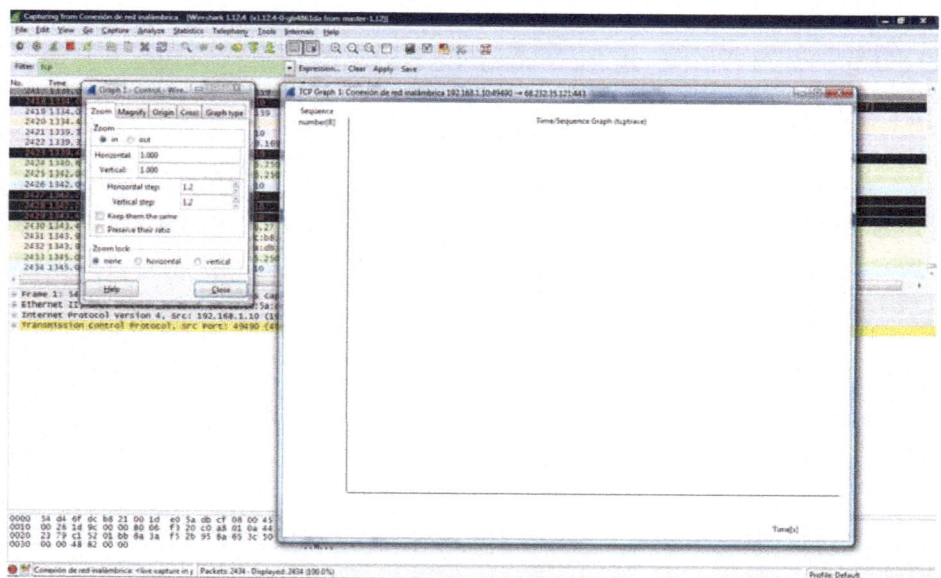

Tcptrace. Gráfica

Con tcp trace podemos detectar problemas de conectividad, ACKs duplicados, lo que denota problemas en la red, como pérdida de datos.

Como ves Wireshark dispone de múltiples posibilidades para analizar el tráfico de red y poder interpretar sus datos, para ello lo primero que tenemos que hacer es conocer muy bien los protocolos y su funcionamiento, solo así podremos interpretar los datos correctamente, y saber qué está pasando en nuestra red y qué máquinas o qué tipo de tráfico están involucrados en los posibles problemas que podamos estar sufriendo.

Para más información, consulta los supuestos prácticos en el anexo al final del libro

UD7
Lo más importante

- El análisis del rendimiento de la red nos permite conocer la información sobre el estado, saber lo que debemos esperar de la red y poder tomar acciones proactivas y obrar en consecuencia a determinados eventos o alarmas.

- Antes de implementar un esquema de monitoreo, se deben tomar en cuenta los elementos que se van a monitorear, y las herramientas que se van a utilizar para esta tarea.

- Así mismo se deben planificar métricas que nos permiten conocer los patrones de comportamiento de la red de los dispositivos que estamos monitoreando.

- Es importante monitorear la red para detectar fallos en el hardware, por ejemplo si un servidor se ha caído, o un router no funciona.

- Con el uso de aplicaciones de monitoreo y NIDS (sistemas de detección de intrusos) podemos averiguar si hay algún uso anómalo de la red.

- Mediante aplicaciones como Nessus, podemos detectar vulnerabilidades en puertos y aplicaciones, y así poder solucionar rápidamente cosas como instalar parches de seguridad del sistema operativo y de las aplicaciones.

- Un NOC (centro de control de redes), es un equipo que se encarga de interpretar los datos obtenidos de la red, supervisarlos y también cumple otras funciones como el mantenimiento y reparación.

- A la hora de monitorear hay que tener en cuenta ciertos indicadores y métricas, esto es, debemos establecer patrones de comportamiento de los dispositivos que vamos a monitorear.

- Las métricas son medidas cuantitativas que nos ayudan a conocer una característica determinada, usadas para la planificación de procesos o para la realización de comparativas.

- Las alarmas son eventos que nos informan de un comportamiento inusual. Lo normal es que nos informen acerca de cambios en los dispositivos o servicios de red.

- Los indicadores de rendimiento de un a red nos indican la forma en que los usuarios, aplicaciones y dispositivos de red cumplen con los requerimientos de rendimiento que se establecieron cuando se planificó la red.

- El retardo extremo a extremo es el tiempo que se tarda en transmitir un paquete de datos desde el origen al destino.

- El Jitter es la fluctuación o variablidad temporal que ocurre durante el envío de señales. Lo que es lo mismo, un cambio no deseado de una propiedad de la señal.

- La pérdida de paquetes ocurre debido a que los buffers no son infinitos

- Disponibilidad es el tiempo que un sistema es capaz de realizar las funciones para las que se diseñó, medido en %. Es decir el tiempo que un servicio permanece activo y funcionando correctamente.

- Las métricas usadas pare comprobar el rendimiento de los servicios deben superar los criterios SMART.

UD7
Autoevaluación

1. **El análisis del rendimiento nos permite:**
   a. Conocer el estado de la red
   b. Saber lo que esperar de la red
   c. Tomar acciones proactivas
   d. Todas son ciertas

2. **Aspectos que no deben ser monitoreados:**
   a. Consumo de memoria
   b. Estado físico de las conexiones
   c. Tipo de tráfico
   d. Ninguna es cierta

3. **Algunas métricas son:**
   a. Métricas de tráfico de entrada y salida
   b. Métricas de uso de procesador
   c. Métricas de uso de memoria RAM
   d. Todas son ciertas

4. El propósito de analizar la red es:

   a. Detectar fallas

   b. Ninguno

   c. Detectar intrusos

   d. C son ciertas

5. Los destinatarios del monitoreo son:

   a. Administradores

   b. NOC

   c. Helpdesk

   d. Todas son ciertas

6. Las actividades que forman parte del alcance son:

   a. Análisis inicial de la red

   b. Monitoreo del estado de la red

   c. Gestión remota

   d. Todas son ciertas

7. La pérdida de paquetes:

   a. Nunca ocurre

   b. Es imposible

   c. Ocurre porque los buffers no son infinitos

   d. Sólo la C es correcta

8. Los niveles de disponibilidad se miden en:

   a. Nueves

   b. Nunca se miden

   c. Es el tiempo de actividad

   d. A y C son correctas

9. **El tiempo de respuesta:**

   a. El tiempo de respuesta es el que transcurre desde que se envía un mensaje hasta que se recibe respuesta desde el receptor.

   b. Nunca se miden

   c. Es el tiempo de actividad

   d. Ninguna es cierta

10. **Señala la más correcta de todas:**

   a. Se hace necesario analizar los problemas en todas las capas del modelo OSI, pero especialmente en las 4 inferiores ya que son las que afectan al tráfico de red

   b. Es necesario analizar las capas 1, 2 y 3 del modelo OSI

   c. Es necesario monitorear las capas de aplicación.

   d. Es necesario monitorear las capas que afectan al tráfico de red

Área: informática y comunicaciones

UD8

Mantenimiento preventivo

8.1.   Definición y objetivos de mantenimiento preventivo

8.2.   Gestión de paradas de mantenimiento

    8.2.1.   Periodicidad

    8.2.2.   Análisis de la necesidad

    8.2.3.   Planificación y acuerdo de ventanas de mantenimiento

    8.2.4.   Informes de realización

8.3.   Explicación de la relación entre el mantenimiento preventivo y los planes de calidad

8.4.   Ejemplificación de operaciones de mantenimiento indicadas en las especificaciones del fabricante de distintos tipos de dispositivos de comunicaciones

8.5.   El Firmware de los dispositivos de comunicaciones

    8.5.1.   Definición del concepto de Firmware

    8.5.2.   Explicación de la necesidad de actualización

    8.5.3.   Identificación y descripción de las fases del proceso de actualización del firmware

    8.5.4.   Recomendaciones básicas de buenas prácticas

8.6.   Desarrollo de supuestos prácticos de resolución de incidencias donde se ponga de manifiesto

    8.6.1.   La aplicación de los criterios de selección de equipos que pueden actualizar su Firmware

    8.6.2.   La localización de las versiones actualizadas del firmware

    8.6.3.   La actualización del Firmware

    8.6.4.   La comprobación del correcto funcionamiento del equipo actualizado

8.1.   Definición y objetivos de mantenimiento preventivo

Con el paso del tiempo los equipos se estropean, y si no estamos atentos a este hecho, podemos provocar fallos e interrupciones en el sistema, incluso puede ser un problema de seguridad, cuando esto ocurre, hablamos de mantenimiento correctivo, es decir corregimos algo que ya se ha producido y arreamos con las consecuencias.

El objetivo del mantenimiento preventivo es propiciar que los equipos estén siempre en buenas condiciones y actuar antes de que ocurran las cosas, es decir, antes de que una máquina se estropee y deje de dar servicio a la red.

El mantenimiento preventivo, trata de verificar el correcto funcionamiento de todos los equipos de red:

—   Servidores

—   Routers

—   Módems

—   Switches

—   Hubs

—   Etcétera

Así mismo, trata de optimizar el funcionamiento de los equipos Hardware y de las aplicaciones.

El mantenimiento preventivo es el que realiza unas acciones sobre el Software y Hardware de forma periódica, como por ejemplo la limpieza de los archivos temporales, las copias de seguridad, el chequeo del hardware para su correcto funcionamiento, etc. Estas acciones son tanto físicas como lógicas.

Para realizar este mantenimiento previamente habremos realizado un plan preventivo, que nos indicará las pautas a seguir. En este plan se definen las medidas preventivas a tomar, así como las paradas técnicas y los equipos y puntos a revisar.

Beneficios de realizar un mantenimiento preventivo:

— Mayor vida útil de los equipos

— Mayor confiabilidad de producción

— Costos más bajos (que en el mantenimiento correctivo)

Importante

Mantenimiento es el conjunto de acciones o de correcciones que se llevan a cabo en un equipo para que estén en las condiciones óptimas de trabajo, y así asegurar su productividad, rendimiento y seguridad.

El objetivo principal es poder anticiparnos a posibles fallas, averías, pérdida de datos, etc.

Otros objetivos son:

— Evitar paradas

   Anticipación a la aparición de averías, lo que hace que se reduzca el nº de paradas.

— Mantener la disponibilidad

   Ofrecer tiempos de disponibilidad cercanos al 99% o mayores.

— Evitar fallos en Hardware y Software

   Minimizar la gravedad de las averías o problemas que puedan surgir. Se consigue mediante planes de mantenimiento y paradas técnicas planificadas.

- Alargar la vida de los equipos

  Estableciendo calendarios de revisiones periódicas y concretas para cada equipo, donde se revisen adecuadamente los puntos críticos necesarios

- Minimizar posibles averías

- Menor coste de las reparaciones

- Equipos más confiables

- Disminución de tiempo de parada

- Mayor estabilidad de los sistemas

- Minimizar el costo y maximizar el lucro

  Reducir los costes directos e indirectos, así como las horas de parada e producción, además de los costes de las reparaciones a posteriori, y de las pérdidas que una parada puede ocasionar a la empresa, como por ejemplo, perder ventas en una tienda online porque se cae el servidor.

- Prestar el mejor servicio posible

- Mejora continua

Un plan de mantenimiento preventivo busca elevar la confiabilidad operacional, es decir, reducir los costes por pérdida de producción, daños en equipos, imagen negativa de la empresa, etc.

Menor coste

El éxito del mantenimiento depende de muchos factores, son importantes los recursos de los que dispone la empresa, que nos permitirán alcanzar mejor nuestros objetivos, la responsabilidad de la empresa, es importante que esta esté concienciada de la importancia del mantenimiento, y por supuesto, la formación, todo personal técnico debe recibir la formación adecuada. También son importantes la implantación y gestión, además de la coordinación entre los diferentes departamentos.

En definitiva el éxito de un buen mantenimiento depende de todos, y es el éxito de todos.

Recuerda

Los tipos de mantenimiento que hay son:

— Preventivo: Acciones que se realizan de forma periódica para prevenir fallos.

— Predictivo: Realizando revisiones periódicas podemos detectar posibles fallos antes de que nos den problemas.

— Correctivo: Reparación o mantenimiento que se realiza cuando ha ocurrido el fallo

8.2. Gestión de paradas de mantenimiento

Habitualmente se planean paradas de mantenimiento en la infraestructura de red, que previamente han sido planificadas.

El secreto de planear un buen plan de mantenimiento es saber cuál será el alcance y saber si ese plan se va a realizar por personal propio, o se va a externalizar, en ocasiones el mantenimiento puede ser mixto, es decir, parte realizada por personal interno y parte externalizada. Esto depende de los recursos de los que disponga la empresa.

A veces estas paradas son planificadas, y otras no queda más remedio que hacerlas para reparar un fallo dado. Aunque en general se pretende que sean programadas y planificadas.

Estas paradas se suelen hacer en momentos en que no se perjudique la productividad del negocio, por ejemplo cuando se van los trabajadores, o de madrugada, o en los momentos en que haya menor tráfico de red.

¿Cada cuánto tiempo?

Pues depende de la disponibilidad de los servicios que ofrezcamos.

¿Se documentan las acciones?

Debemos documentar las paradas por mantenimiento especificando:

– Fecha

– Quién para el servicio

– Hora

– Tiempo de parada

– Qué se realiza en esa parada

– Proveedores implicados

– A quién afecta

– Reparaciones que se hicieron durante la intervención, etc.

Ficha de mantenimiento preventivo							
Descripción			Código equipo	Periodicidad Horas		Hoja____ de____ trabajadores	
Código	Parte del equipo	Ubicación	Operación	Acciones a realizar	Fecha	Horas	
Observaciones				Realizado (fecha y firma)			

8.2.1. Periodicidad

Cuando se observan fallos o problemas en el equipo o la máquina, se avisa al Responsable de

Mantenimiento para que proceda a gestionar su reparación.

Las averías o labores de mantenimiento, en caso de ser resueltas con medios propios se anotan en la ficha de mantenimiento de la máquina, indicando las horas de paro, los materiales utilizados y su coste.

En el caso de que se contrate la reparación, se anota en la ficha del equipo la descripción de la tarea, la referencia del parte de trabajo, albarán o factura de la reparación y las horas de paro de la máquina.

Al menos una vez al año, el Responsable de Mantenimiento estudia el mantenimiento realizado durante el ejercicio anterior y propone acciones de mejora para el periodo siguiente (búsqueda de proveedores de repuestos o consumibles, variación en la frecuencia del mantenimiento de cierto equipo, cambiar el modo de mantenimiento de un equipo de correctivo a preventivo o viceversa, propuestas de formación, mejoras en la maquinaria, etc.).

El Responsable de Mantenimiento es responsable de analizar y presentar en la revisión del sistema, los datos más representativos del plan de mantenimiento realizado así como los recursos que estime necesarios adquirir. En estas revisiones se estudiará la conveniencia o no de las propuestas

La periodicidad está ligada a la dimensión y a la complejidad del sistema y al uso del mismo.

En los equipos de tipo medio, la periodicidad del servicio preventivo es trimestral.

En grandes sistemas la periodicidad será quincenal o mensual, aunque algunas tareas específicas, solo se aplican cada dos o tres meses.

Aun así todo esto es variable y depende de los planes de mantenimiento de cada empresa.

Reparación

Plan de mantenimiento general

Sección /unidad _____ Año _____

Responsable _____

Sistemas analíticos	Operaciones	Frecuencia	Tipo	N° Identificación
Equipo A	Limpiar	Semanal	Interno	A1
	Verificaciones	Quincenal	Interno	A2
	Cambio de piezas	Trimestral	Interno	A3
	Cambio de cables	Semestral	Interno	A4
Equipo B	Limpiar	Semanal	Interno	B1
	Verificaciones	Quincenal	Interno	B2
	Cambio de piezas	Trimestral	Interno	B3
	Cambio de cables	Semestral	Interno	B4
Equipo C	Limpiar	Semanal	Interno	C1
	Verificaciones	Quincenal	Interno	C2
	Cambio de piezas	Trimestral	Interno	C3
	Cambio de cables	Semestral	Interno	C4

8.2.2. Análisis de la necesidad

La necesidad de mantenimiento es vital para evitar fallos o falta de disponibilidad de los servicios.

Debemos planteamos qué sistemas requieren mayor atención y cuales menos, para ello haremos un análisis de las necesidades de la red y de los puntos críticos que será el que nos permita planear decisiones con respecto a cuándo, cómo y en qué circunstancias se van a programar las tareas de mantenimiento de la red.

En este plan de mantenimiento tendremos en cuenta todas las áreas

En algunos casos el mantenimiento se puede realizar de forma remota, y en otros presencial, dependiendo de las necesidades de la empresa y las características del servicio a realizar.

Tendremos en cuenta aspectos como:

– Mantenimiento informático de su sistema

– Seguridad Informática.

– Mantenimiento de Servidores

    · Servidores de datos

    · Servidores de aplicaciones

    · Servidores de comunicaciones…

– Servicios Cloud Computing

– Instalación de routers para líneas ADSL - Cable

– Instalación y configuración de Backups locales y remotos

– Limpieza de virus, spyware e instalación de antivirus

– Instalación y mantenimiento de redes

– Instalación y mantenimiento de ordenadores

– Instalación de programas y sistemas operativos

– Gestión de Seguridad en el correo electrónico

– Etcétera.

Servicios en la nube

El mantenimiento es importante de cara a la disponibilidad de los servicios, evitar perder información valiosa, evitar que la información llegue a manos de terceros, es decir proteger la confidencialidad de los datos, y también para evitar retrasos en la entrega de proyectos

Importante

Los servicios de mantenimiento incluyen un abanico muy grande de tareas a realizar en diversos ámbitos de la informática como redes, sistemas, microinformática, electrónica, etc., entre otras cosas incluye: Venta de componentes, equipos, etc., reparación de los equipos, recuperación de datos, copias de seguridad de la información y aplicaciones, mantenimiento remoto, redes y comunicaciones, seguridad informática y virus, alojamiento web y dominios así como su gestión y configuración, etc.

8.2.3. Planificación y acuerdo de ventanas de mantenimiento

Para implantar un programa de mantenimiento preventivo es muy importante conocer cuáles son los equipos y la infraestructura que compone nuestra red, cuál es la influencia que cada elemento genera en la producción, qué recomiendan los fabricantes en cuestión de mantenimiento, en definitiva tener un criterio bien definido.

Las etapas para la implantación de un programa de mantenimiento preventivo son:

- Catastro y determinación de prioridades

  · Nivel A: equipos críticos

  · Nivel B: Equipos auxiliares que ocasionalmente pueden afectar al sistema

  · Nivel C: Equipos cuya paralización no afectan al sistema

- Preparar archivo técnico con toda la información de los equipos (inventario)

- Elaborar el plan de mantenimiento

- Implantar el plan de mantenimiento

- Seguimiento y ajustes (feedback)

Una ventana de mantenimiento es el tiempo que se designa, en el que se realizan las tareas de mantenimiento, intentando causar el mínimo impacto en el servicio, y teniendo en cuenta que en algunos casos se interrumpirá el servicio.

Normalmente cuando se planifica una operación de mantenimiento que vaya a interrumpir temporalmente el servicio, se debe avisar a los usuarios implicados

Estas actividades se programan en horas de baja actividad del sistema para que no causen grandes problemas o pérdidas económicas, por ejemplo si se va a hacer el mantenimiento de un servidor web, se hará de madrugada, ya que se entiende (previo análisis), que a estas horas no hay apenas tráfico de red (visitas web).

Con el software disponible, se pueden programar tareas de mantenimiento que se realizan de forma automática cuando se detecta baja actividad en el tráfico de red.

Normalmente estas tareas automáticas don la instalación de actualizaciones de Software, despliegues de Software, copias de seguridad, etc.

En programas como System Center Configuration Manager de Microsoft, po-demos gestionar estas ventanas de mantenimiento, los administradores de red pueden definir los tiempos en que se llevan a cabo las tareas de man-tenimiento, garantizando siempre que los cambios se realizan en horarios y durante periodos que no afectan a la productividad.

Las ventanas se configuran con una fecha de inicio y fin, así como con un patrón de periodicidad.

Cuando un equipo cliente es miembro de un conjunto de dispositivos que tiene una ventana de mantenimiento configurada, se ejecuta un programa de implementación sólo si el número máximo permitido de tiempo de ejecución no exceda la duración configurada para la ventana de mantenimiento.

Si el programa no se ejecuta, se genera una alerta y se vuelve a ejecutar la implementación durante la siguiente ventana de mantenimiento programado que tenga tiempo disponible.

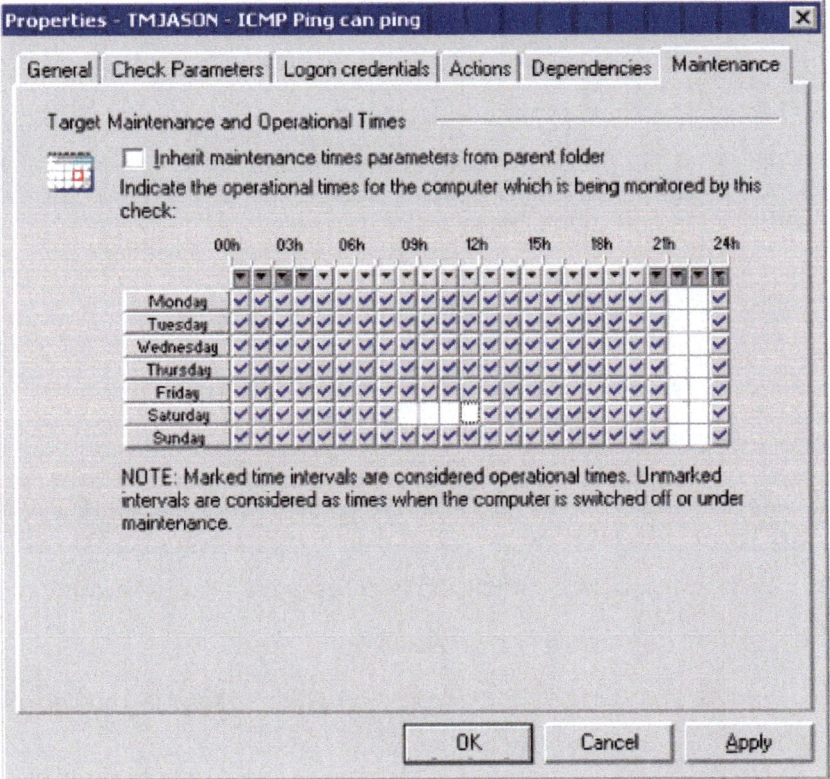

Paradas mantenimiento

Cuando hay ventanas de mantenimiento debemos notificarlo a los usuarios de la red afectada, y enviaremos una notificación:

"Le informamos de que el próximo día--------fecha----, se va a realizar un trabajo de mantenimiento por parte de nuestro proveedor de ancho de banda.

El motivo de dicho trabajo es el de una tarea de mantenimiento y actualización de la infraestructura de ancho de banda.

Esto supondrá que se perderá la conectividad a los servicios durante un tiempo máximo de 30 minutos.

A continuación les damos más detalles de dicha tarea de mantenimiento:

- Trabajo a realizar: Actualización de ancho de banda

- Día: x/x/xxxx

- Ventana de mantenimiento: 00:01 horas (20 FEB) – 06:00 horas (20 FEB)

- Tiempo efectivo de caída: 30 minutos"

En la planificación del mantenimiento habremos creado todas las políticas de mantenimiento de la red que plasmaremos en un contrato con nuestro cliente con todos los aspectos incluidos.

Los planes de mantenimiento preventivo incluirán elementos como:

- Inventarios de equipos

    · Correcta identificación de los equipos asignando un n° o código de inventario único.

    · Dicho código de identificación debe estar adherido en el componente

    · Se trata de disponer de un sistema

    · Facilita la identificación, localización y las tareas de mantenimiento preventivo.

- Listas de partes del equipo que incluyan los datos de los proveedores

    Check List

- Frecuencia de mantenimiento

- Programas de calibración de equipos

- Programa de sustitución de los equipos

- Lugar de reparación

- Responsable de la reparación

- Contrato de los servicios prestados

- Registros periódicos de las actividades de prueba

- Registros periódicos de las actividades de inspección

- Registros periódicos de las actividades de mantenimiento

- Verificaciones de los puntos a revisar

- Registros a cerca de movimientos o cambios en la ubicación de los equipos

8.2.4. Informes de realización

En el informe plasmamos todos los procesos que se han realizado durante las tareas de mantenimiento.

Un informe (Reporte Técnico de Servicio) debe de recoger e interpretar los datos de forma sistemática, recabando toda la información posible.

Solicitud de mantenimiento

Documento que otros emiten donde solicitan la ejecución de los servicios que presta el mantenimiento, debe contener:

- Descripción de los trabajos que se solicitan

- Sistema /equipo

- Prioridad trabajo

- Persona contacto

- Fecha

- Nº Secuencia

- Nombre y firma del solicitante.

CUADRO 5.3

FORMATO MODELO DE SOLICITUD DE MANTENIMIENTO

SOLICITUD DE MANTENIMIENTO/DESCRIPCION DEL DEFECTO	Nº _____

SISTEMA _____

EQUIPO _____

CODIGO: _____

TRABAJO POR REALIZAR/DEFECTO: _____

OBSERVACIONES: _____

FECHA	HORARIO	PERSONA QUE SOLICITA EL TRABAJO	VISTO BUENO

Documento

Informe de ejecución del trabajo

Registra toda la información relativa a la ejecución del trabajo, debe contener:

– Persona que ejecuta el trabajo

– Horas de trabajo

– Descripción del trabajo

– Fecha

– Material usado

– Observaciones…

	Cuadro 5.4 : LIBERACION DE EQUIPO O DE SISTEMA	

IDENTIFICACION DEL EQUIPO O DEL SISTEMA — BIEN PATRIMONIAL No.

TRABAJO A EJECUTAR

TIPO DE MANTENIMIENTO

☐ PREVENTIVO   ☐ CORRECTIVO   ☐ OTROS

☐ SOLICITUD DE SERVICIO
☐ DESCRIPCION DEL DEFECTO

No. ____

AREA DE EJECUCION

☐ ELECTRICA   ☐ INSTRUMENTOS   ☐ MECANICA   ☐ CIVIL

EMPLEADOS RESPONSABLES POR EL MANTENIMIENTO

LIBERACION PARA EL MANTENIMIENTO

DIA	HORA	LIBERADO POR	RESTRICCIONES
			☐ SI ☐ NO

ESPECIFICACIONES DE LAS RESTRICCIONES Y OTRAS ACLARACIONES :

LIBERACION PARCIAL PARA LA OPERACION

DIA	HORA	LIBERADO POR	RESTRICCIONES
			☐ SI ☐ NO

ESPECIFICACIONES DE LAS RESTRICCIONES Y OTRAS ACLARACIONES :

LIBERACION FINAL PARA LA OPERACION

DIA	HORA	LIBERADO POR	RESTRICCIONES
			☐ SI ☐ NO

ESPECIFICACIONES DE LAS RESTRICCIONES Y OTRAS ACLARACIONES :

Documento 2

Ficha de mantenimiento preventivo

Descripción			Código equipo	Periodicidad Horas	Hoja____ de____ trabajadores

Código	Parte del equipo	Ubicación	Operación	Acciones a realizar	Fecha	Horas

Observaciones	Realizado (fecha y firma)

Ficha técnica

Datos técnicos

Ref. equipo	Ubicación
Modelo	N° serie
Fabricante	Teléfono
Observaciones	

Características técnicas

Denominación

Tensión

Intensidad

Potencia   **Foto equipo**

REV

Documentación y planos asociados

Código	Denominación	Carpeta

Ficha técnica		
Historial del equipo		
Fecha fabricación		
Fecha compra		
Fecha instalación		
Garantía		
Puntos de revisión del equipo		**Periodicidad**
Recambios		
Código	Denominación	Carpeta

Los informes presentan unas características:

– Son una vía de comunicación

– Son objetivos

– Redacción clara y concisa

– Se deben de comprender por todas las partes implicadas

– Existe un método

– Existe una técnica y un plan

– Evitar juicios de valor

– Apoyarse en hechos empíricos

Para más información, consulta el "Procedimiento de Mantenimiento Preventivo" en el anexo al final del libro

8.3. Explicación de la relación entre el mantenimiento preventivo y los planes de calidad

El mantenimiento preventivo tiene un claro efecto en la calidad de los servicios prestados.

Así mismo un buen sistema de control de calidad del mantenimiento es imprescindible para asegurar que las reparaciones cumplan los estándares predefinidos, la máxima disponibilidad, la extensión del ciclo de vida de los elementos de red y su correcto funcionamiento.

La calidad de los productos del mantenimiento tiene un enlace directo con la calidad del producto y la capacidad de la compañía, para cumplir con los programas de entrega. En general el equipo que no ha recibido un mantenimiento regular, o cuyo mantenimiento ha sido inadecuado fallara periódicamente o experimentará pérdidas de velocidad, o una menor precisión, y en consecuencia, tenderá a generar productos defectuosos, lo que representa menor rentabilidad y un mayor descontento por parte del cliente.

Lograr la calidad en el mantenimiento y los objetivos de confiabilidad son responsabilidad del personal de mantenimiento. El personal de control de calidad, los supervisores de mantenimiento y los técnicos son esenciales para garantizar un mantenimiento de alta calidad y una confiabilidad en el equipo.

Las responsabilidades de control de calidad incluyen las siguientes:

–   Realizar inspecciones de las acciones, procedimientos, el equipo y las instalaciones de mantenimiento.

–   Conservar y mejorar los documentos, los procedimientos, el equipo y las normas de mantenimiento.

–   Asegurar que todas las unidades estén conscientes y sean expertas en los procedimientos y normas de mantenimiento.

–   Mantener un alto nivel de conocimiento experto, manteniéndose al día con la literatura referente a los procedimientos y registros de mantenimiento.

–   Hacer aportaciones a la capacitación del personal de mantenimiento.

–   Realizar análisis de deficiencias y estudios de mejora de procesos, empleando diversas herramientas para el control estadístico de procesos.

– Asegurar que los trabajadores se apeguen a todos los procedimientos técnicos y administrativos cuando realicen el trabajo real de mantenimiento.

– Revisar los estándares de tiempo de los trabajos para evaluar si son adecuados.

– Revisar la calidad y disponibilidad de los materiales y refacciones para asegurar su disponibilidad y calidad.

– Realizar auditorías para evaluar la situación actual del mantenimiento y prescribir remedios para las áreas con deficiencias.

– Establecer la certificación y autorización del personal que realiza tareas críticas altamente especializadas.

– Desarrollar procedimientos para las inspecciones de nuevos equipos y probar el equipo antes de aceptarlo de los proveedores.

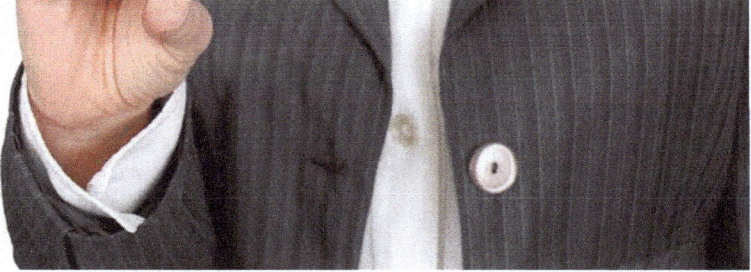

Calidad

Se hace necesario realizar un tratamiento de datos de los resultados de las revisiones efectuadas en cada programa de mantenimiento, lo que nos permite saber el tiempo invertido en cada intervención y el estado de los elementos revisados, esto permitirá establecer planes de mejora que repercuten en la calidad del servicio directamente.

Se deben revisar periódicamente los planes de mantenimiento, ver si son adecuados, el objetivo es percibir las mejoras que se pueden realizar y así ponerlos en marcha, minimizar los costes y aumentar la calidad.

Por tanto, desarrollar sistemas de control de calidad en las tareas de mantenimiento es muy importante para:

- Asegurar la calidad de los servicios prestados

- Poder estandarizar tareas de mantenimiento

- Maximizar la disponibilidad

- Extender la vida útil del equipo con una garantías aceptables

- Asegurar una alta eficiencia

- Mejorar la tasa de producción del equipo

La responsabilidad del departamento de control de calidad incluye:

- Pruebas

- Inspecciones de las acciones y procedimientos

- Ejecución del mantenimiento

- Generar documentación de utilidad

- Crear procedimientos y estándares

- Análisis de las deficiencias

- Necesidades de formación

8.4.   Ejemplificación de operaciones de mantenimiento indicadas en las especificaciones del fabricante de distintos tipos de dispositivos de comunicaciones

En los manuales de operaciones de los fabricantes de equipos se suelen recomendar ciertas tareas de mantenimiento, así como quién debe de realizarlas.

Algunas tareas las hacen los propios equipos de forma automática. Como ejemplo:

— Comprobación versión Software

— Comprobación actualizaciones seguridad

— Firmware instalado

— Autochequeos rutinarios

Otras recomendaciones que nos hacen los fabricantes, son las medidas de seguridad que tenemos que adoptar a la hora de reparar los equipos:

— Riesgo eléctrico

— Riesgo ESD

— Cómo manipular los componentes

— Embalajes específicos para los componentes

— Manuales acerca de cómo abrir los equipos

— Diagramas de los equipos

— Condiciones ambientales

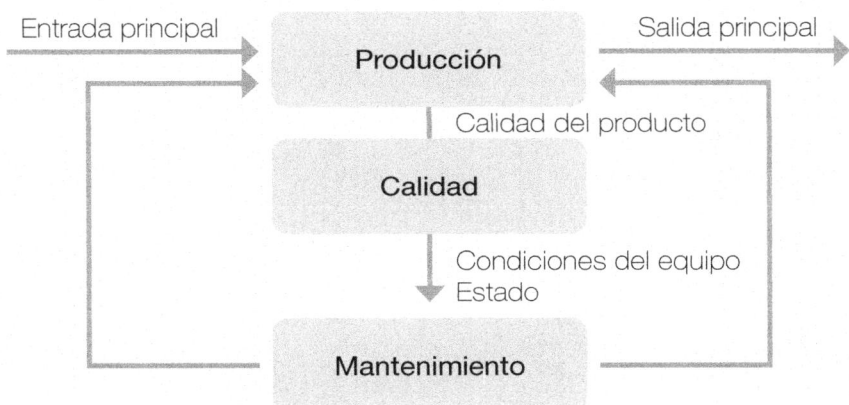

8.5.   El Firmware de los dispositivos de comunicaciones

¿Qué es el Firmware?

El Firmware es la capa de comunicación entre los elementos exteriores del sistema y la electrónica del dispositivo. Es un programa que se graba en una memoria ROM y que establece la lógica de bajo nivel que controla los circuitos electrónicos.

Es por tanto una parte del Hardware, ya que se integra en sus circuitos, pero también es Software, ya que su lógica está programada con un tipo de lenguaje de programación.

El Firmware se encarga de recibir órdenes externas y responde haciendo funcionar el dispositivo.

Para que nos entendamos.... La BIOS de un ordenador, es Firmware, en este caso se encarga de activar el PC, chequear los componentes, contiene configuraciones Hardware, y prepara el entorno para la carga del sistema operativo en la memoria RAM.

Muchos dispositivos de red contienen Firmware:

— Routers

— Adaptadores WIFI

— Discos duros

    · HDD

    · SSD

    · ÓPTICOS

— Unidades ópticas

    · CD

    · DVD

    · BLURAY

— Impresoras

— Tablets

— Switches

— Tarjetas de red

— Smartphones...

Impresora

8.5.1. Definición del concepto de Firmware

Los que usamos dispositivos electrónicos hemos oído hablar acerca del Firmware, y de su importancia para el correcto funcionamiento de los equipos, y también hemos oído hablar que se puede actualizar, y que en muchas ocasiones esto es necesario para añadir seguridad a nuestros dispositivos o dotarlos de nuevas funcionalidades.

El Firmware permite que sea posible enviar diferentes instrucciones a los distintos componentes electrónicos de un equipo. Se caracteriza por ser un bloque de instrucciones que cumple una serie de propósitos.

En realidad, el Firmware, que reside en memorias de tipo no volátil tales como la ROM, EEPROM o Flash, es el intermediario entre el dispositivo y la electrónica del mismo, que se encarga de controlar y enviar las instrucciones externas del equipo y asegurar que éstas se efectúen correctamente.

Encontramos multitud de dispositivos que contienen Firmware, como impresoras, microprocesadores, placa base, tarjetas de red, etc, incluso la propia BIOS de nuestros ordenadores es considerada Firmware.

El Firmware tiene cuatro funciones:

–   Establecer rutinas de funcionamiento

–   Establecer rutinas de respuesta

–   Ejercer de Interfaz

–   Controlar y gestionar el arranque del dispositivo

8.5.2. Explicación de la necesidad de actualización

La actualización del Firmware permite añadir al dispositivo nuevas funciones.

El Firmware puede venir incluido en los drivers de los dispositivos, y además podemos descargarlo de la página de soporte de los fabricantes de equipos, donde encontraremos diversas versiones de Firmware que suelen mejorar el dispositivo, por lo que es adecuado instalar la más reciente, y esto se hará de forma manual, es decir, requiere la acción del usuario.

Diferentes dispositivos tienen diferentes métodos de cómo descargar e instalar el nuevo firmware.

En general estas actualizaciones ofrecen un rendimiento superior al dispositivo, representando un cambio beneficioso por ampliar sus funcionalidades.

Cuando los fabricantes lanzan un nuevo Firmware actualizado para alguno de sus equipos, la actualización debe realizarse sin lugar a dudas, ya que en la mayoría de los casos se trata de Firmware modificados que incluyen la corrección de errores que pudiera presentar el dispositivo en su funcionamiento habitual.

Una actualización puede cubrir un simple cambio en la interfaz gráfica de configuración del dispositivo o incluir mejoras como:

–   Mejor uso de la batería

    ·   Menor gasto energético

    ·   Mayor rapidez de carga

–   Mayor velocidad de procesamiento

    ·   Aumentar la velocidad permitida para la CPU en una placa base

    ·   Permitir memoria RAM más rápida

– Compatibilidad con nuevos formatos

Permitir nuevas extensiones de archivo en un programa

– Compatibilidad con protocolos

- · Permitir varios protocolos

- · Incluir protocolos nuevos

– Compatibilidad con memorias

La actualización permite el uso de memorias de diferentes fabricantes y características.

– Compatibilidad con CPU

Un ejemplo es que tras una actualización del firmware podamos usar nuevas CPUs en una placa base aprovechando que tengan el mismo socket

– Compatibilidad con tarjetas gráficas

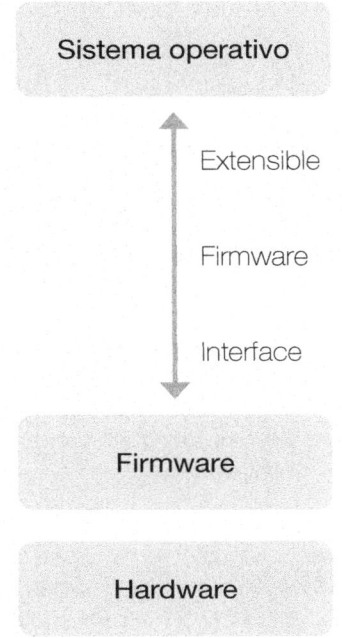

8.5.3. Identificación y descripción de las fases del proceso de actualización del firmware

Los fabricantes de los dispositivos nos proporcionan actualizaciones periódicamente del Firmware.

Debemos revisar periódicamente la web del fabricante y ver si hay nuevas actualizaciones disponibles.

Los pasos a seguir vienen especificados en las guías que proporcionan los fabricantes, de forma muy detallada nos explican todo el proceso de instalación así como las precauciones a tomar.

El procedimiento de actualización puede ser diferente según cada fabricante, por eso es muy importante leer primeramente toda la documentación técnica.

En líneas generales podemos decir que los pasos son:

- Determinar marca y modelo del dispositivo

- Determinar la versión del dispositivo

  - Ubica y anota el modelo y el número de la versión.

  - Estos normalmente se encuentran en una pegatina en la parte inferior o parte posterior del router.

- En la web del fabricante buscar el área de descargas para el dispositivo concreto

- Descargar la nueva versión del Firmware

- Ejecutar la actualización del Firmware descargado

  - Según especificaciones y condiciones del fabricante

  - Los routers, switches, y otros dispositivo de red se actualizan desde un ordenador u otro dispositivo externo

Es muy importante seguir los pasos adecuadamente según indica el fabricante del equipo, ya que de no hacerlo así podríamos dañar y hacer inservible el dispositivo, por lo que no debes pensar que leer el manual es una pérdida de tiempo, a veces pensamos que somos más listos de la cuenta y por ello cometemos fallos muy graves.

Sólo realizaremos las actualizaciones del firmware si son absolutamente necesarias, por ejemplo si subsanan un problema de seguridad del equipo, o si las ventajas que nos proporcionan son útiles y necesarias. Si no es así mejor dejar las cosas como están mientras funcionan correctamente antes de poder fastidiarlas.

8.5.4. Recomendaciones básicas de buenas prácticas

Actualizar el Firmware presenta grandes ventajas, aunque hay quien tiene miedo al realizar esta operación ya que puede causar daños irreversibles en el dispositivo, por ejemplo en el caso de que nos equivoquemos de versión, o que la instalación del nuevo Firmware se vea interrumpida o su archivo esté corrupto.

No obstante si seguimos bien las indicaciones del fabricante del dispositivo, no tendremos mayor problema y sí mejores prestaciones de nuestro equipo.

Como recomendaciones:

– Sólo es de confianza el Firmware descargado de la web oficial del fabricante del dispositivo

– Descargar última versión.

- · Es la que contiene todas las mejoras

- · A veces podemos encontrarnos varias versiones, pero todas tienen un nº de versión y una fecha.

– Fijarnos que la versión y el dispositivo son los correctos

- · Si nos equivocamos podemos dañar el equipo

- · En la parte trasera o por debajo del equipo veremos la marca y modelo concretos de nuestro dispositivo. Importante para no equivocarnos, ya que puede haber modelos parecidos en los que cambia algún matiz.

– No fiarnos de terceros.

- · No hacer la descarga del Firmware de otros sitios que no sea el del fabricante.

- · Existen muchas páginas que ofrecen descargas del firmware, pero que a cambio nos traen algún regalito durante la instalación , generalmente indeseado, como por ejemplo algún programa que promete analizar las vulnerabilidades de nuestro equipo o que dice ser un antivirus.

– Si no funciona bien internet, descargar primero el archivo en lugar de ejecutarlo desde internet.

Es más seguro guardar y ejecutar que ejecutar directamente desde internet.

- Conexión mejor por cable que inalámbrica

  Reduce la posibilidad de desconexión, lo cual podría generar una mala instalación del firmware que puede inutilizar nuestro equipo.

- Crear copias de respaldo

  Siempre.

- Uso de un SAI

  Evita cortes de suministro eléctrico durante la instalación del Firmware.

- No instales nada sino es absolutamente necesario o la mejora no es significativa para ti

  Mejor saber que algo funciona correctamente a experimentar.

- Regla principal: si no sabes no toques

8.6. Desarrollo de supuestos prácticos de resolución de incidencias donde se ponga de manifiesto

En los siguientes puntos veremos:

- La aplicación de los criterios de selección de equipos que pueden actualizar su Firmware.

  Equipos susceptibles a la actualización del Firmware:

  · Router

  · Tarjeta de red

  · Switch

  · Placa base

  · Tarjeta gráfica

  · BIOS

  · Punto de acceso

  · Bridge

  · Otros

- La localización de las versiones actualizadas del firmware

  Dónde encontrar las actualizaciones:

  · Web del fabricante

    Esta será la actualización más fiable y actualizada.

  · Webs fiables

    Webs de otros partners en relación con el producto a actualizar.

- La actualización del Firmware

  · Proceso de actualización del Firmware

    Básicamente consiste en descargar el firmware e instarlo.

  · Precauciones a tomar

    › NO apagar equipo

    › No usar otros programas mientras se actualiza el hardware

  · Sólo si es necesario o supone una mejora

    Si no lo necesitas no lo instales, por ejemplo si hay una actualización para mi placa base para poder usar otro modelo de procesador y yo no tengo pensamiento de cambiar el que tengo, no será necesaria la actualización.

- La comprobación del correcto funcionamiento del equipo actualizado.

  · Comprobar la correcta instalación del Firmware.

    Siguiendo los pasos recomendados del fabricante.

  · Comprobación funcionamiento del dispositivo

    › Comprobar el correcto funcionamiento del equipo

    › Comprobar las mejoras actualizadas

8.6.1. La aplicación de los criterios de selección de equipos que pueden actualizar su Firmware

Casi todos los elementos Hardware son susceptibles de actualizar su Firmware.

Así pues, podemos actualizar el firmware de todos los nodos de la red, estaciones de trabajo, servidores, switches, routers, etc.

Cuanto más complejo sea el equipo más susceptible de actualización será.

Decidir o no si realizamos la actualización dependerá de las necesidades, y de las mejoras o cambios que esta actualización aporte. Por tanto, realizaremos una actualización si las mejoras que va a producir en nuestro equipo son necesarias, si influyen en su rendimiento, si arreglan problemas de seguridad, etc. Para ello debemos evaluar la versión que tenemos actualmente y compararla con la nueva, ver qué mejoras se han hecho de una a otra y si merece la pena.

Es importante saber que los fabricantes de los dispositivos no se responsabilizan de los daños y pérdidas que pueda ocasionar en el equipo esta acción, provocados por fallos del software, o por la pérdida de documentos o datos, ni por ningún otro daño que surja una vez actualizado el sistema.

Por ello, siempre, realizaremos una copia de seguridad del sistema y de los datos previamente a realizar la actualización, para que en caso de una mala instalación podamos volver al punto de partida donde las cosas funcionaban adecuadamente

Es conveniente estar al corriente de todas las actualizaciones del firmware de los fabricantes de los dispositivos, ya que en algunas ocasiones estas actualizaciones solucionan problemas de seguridad derivados de vulnerabilidades encontradas.

Antes de proceder a realizar la actualización debemos considerar:

– Si es necesaria

– Si es fiable

– Si otros usuarios han tenido problemas al realizarla

– Si las mejoras merecen la pena

– Si subsana algún problema que tengamos

– Si mejora el rendimiento del equipo

– Si no tiene problemas de compatibilidad con alguna aplicación o sistema operativo.

– Si la fuente de descarga del Firmware es la oficial del fabricante

– Si disponemos de las condiciones adecuadas para realizarla

  · Conexión a internet confiable

  · Suministro eléctrico

  · Etcétera…

Descarga

Para más información, consulta los supuestos prácticos en el anexo al final del libro

8.6.2. La localización de las versiones actualizadas del firmware

¿Dónde encuentro el Firmware?

Para buscar la versión de Firmware adecuada realizaremos una búsqueda en internet para localizar la web oficial del fabricante del Hardware.

Una vez localizada acceder a la sección de descargas y descargar la versión de Firmware adecuada para el modelo y marca de mi dispositivo a actualizar.

Ya hemos comentado lo importante que puede llegar a ser hacer la descarga del firmware desde el sitio adecuado, es decir, desde una web fiable como la del fabricante o algún partner. Si no sabes si la web es de confianza mejor no hagas la descarga e instalación del firmware a fin de no llevarte sorpresas desagradables.

Veamos un ejemplo:

Primero localizamos la marca y modelo del equipo que queremos actualizar, normalmente está situado en una pegatina bien a un costado del equipo, por la parte de detrás o por debajo.

Buscamos marca y modelo en internet, y localizamos la web oficial del fabricante que será la fuente de descarga más confiable. Asegúrate bien que coinciden con la marca y modelo de tu equipo en concreto, a veces dentro de un mismo modelo hay variaciones en los números, piensa en este ejemplo, dentro de los coches marca Opel modelo Astra hay diferentes versiones de motor, cilindrada, etc. Así no será el mismo equipo un Lynksis WRT54 que un Lynksis WRT54g.

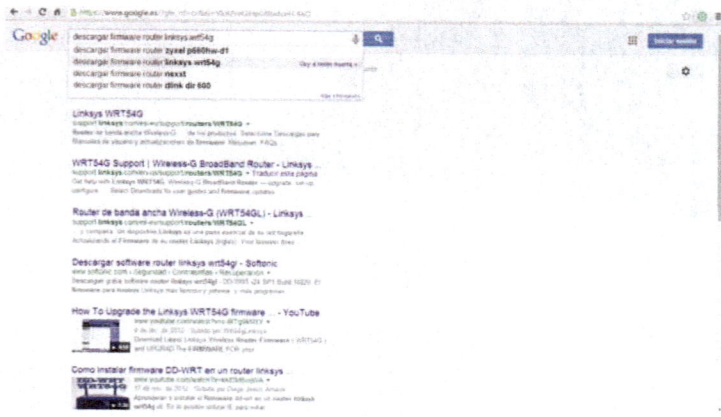

Búsqueda Firmware

Accedemos al menú de soporte técnico y escogemos el tipo de producto, en nuestro caso router de Linksys. Asegúrate bien que es el dispositivo correcto.

Accedemos a la sección de Asistencia:

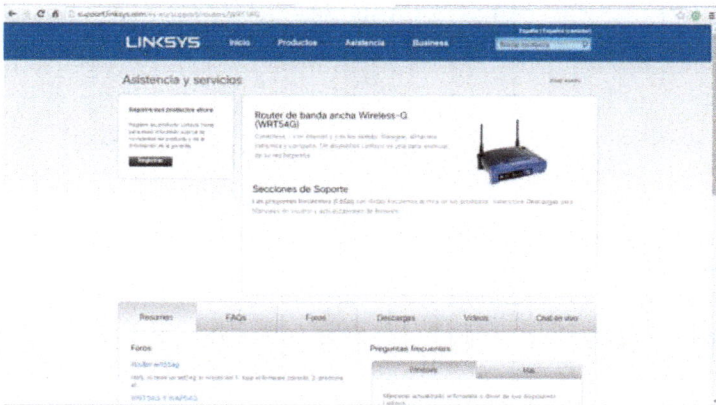

Búsqueda de router Linksys

Buscamos el modelo y la versión en la sección descargas, donde además tenemos un link informativo sobre dónde buscar el modelo concreto de mi router, normalmente en una pegatina en la parte de abajo del mismo

Búsqueda modelo de routerLinksys

Importante

No dejes de comprobar en ningún momento que verificas correctamente la marca y el modelo adecuados.

Búsqueda modelo del router.

En la página web del fabricante nos indica dónde buscar el modelo.

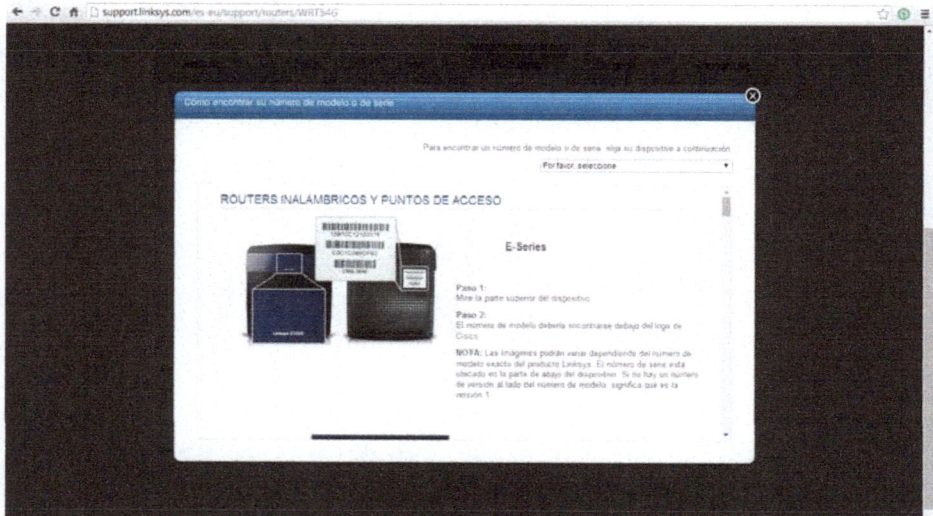

Búsqueda modelo de routerLinksys 1

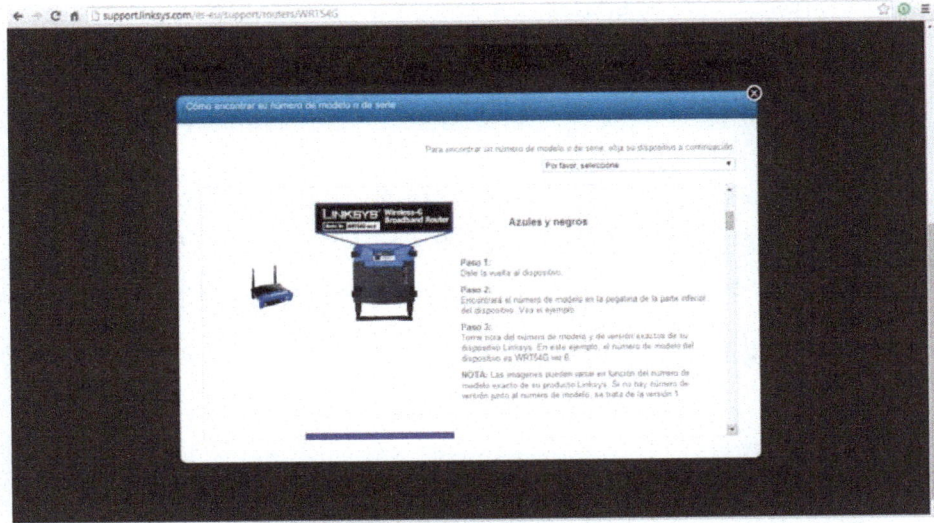

Búsqueda modelo de routerLinksys 2

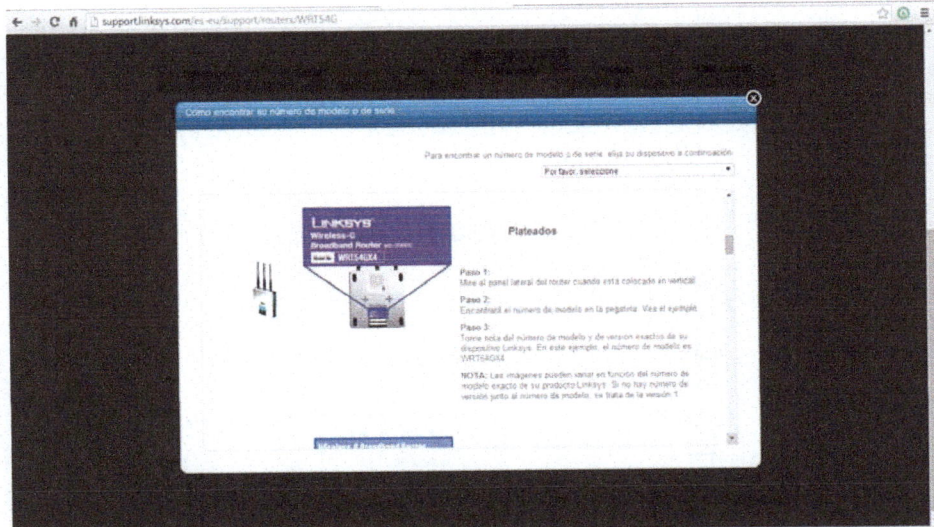

Búsqueda modelo de routerLinksys 3

Ya tenemos el link para descargar el Firmware, pero antes sería interesante leer los manuales de instalación que nos ofrecen en formato pdf.

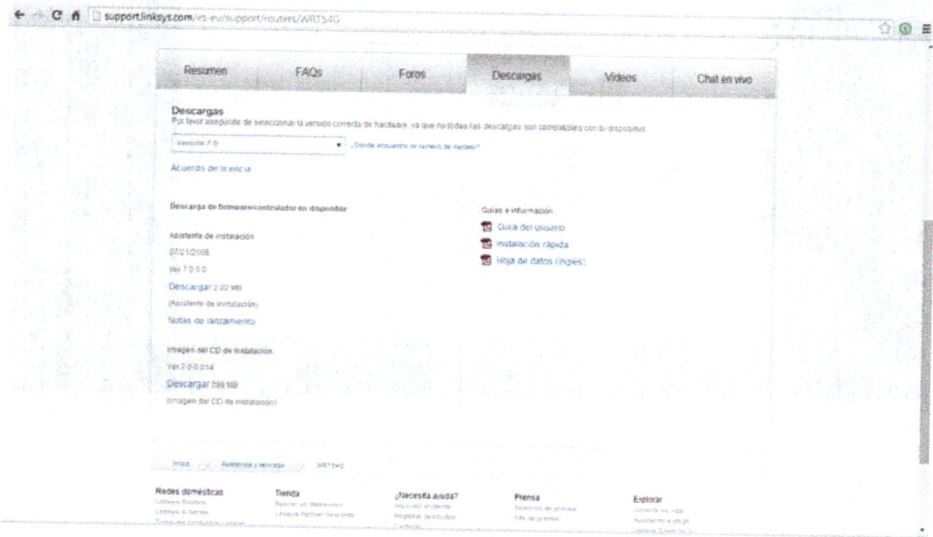

Web descarga modelo de routerLinksys

Detalle documentos PDF

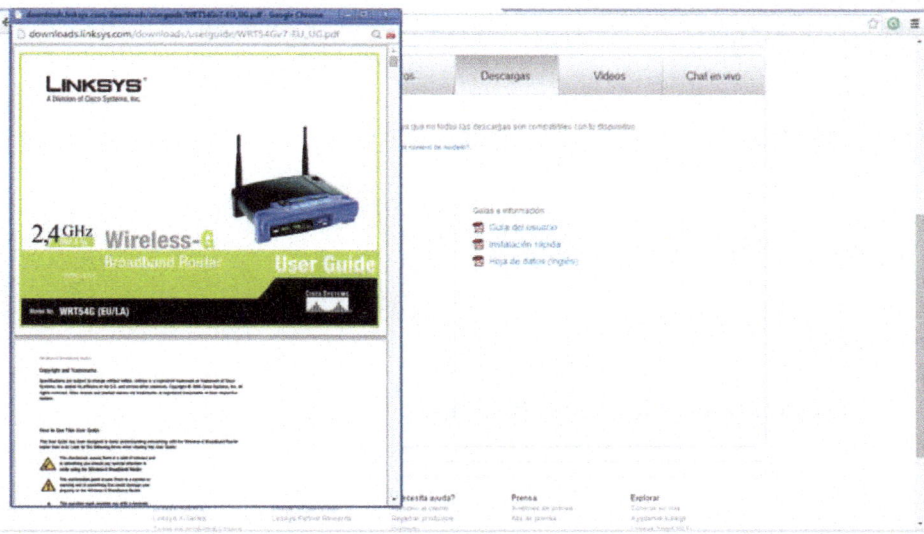

Detalle documentos PDF del router

La instalación debe hacerse de acuerdo a las recomendaciones del fabricante, que nos indicará los pasos a seguir, como por ejemplo si debemos
desconectar algún cable, o cuales deben conectarse, la forma de hacerlo,
los pasos adecuados, cómo instalar el firmware, qué debo realizar o qué
no puedo hacer durante la instalación, si es necesaria la instalación o no
de algún software adicional, etc.

Algunos de estos datos sólo vienen en los manuales de instalación, aunque ya como precaución en los propios asistentes de instalación ya nos
advierten de todos estos aspectos. Aún así lee siempre el manual antes
de comenzar la instalación.

*Para más información, consulta los supuestos
prácticos en el anexo al final del libro*

8.6.3. La actualización del Firmware

Caso práctico

Una vez localizado el Firmware y leídos los manuales, podemos proceder a la descarga y posterior instalación del Firmware.

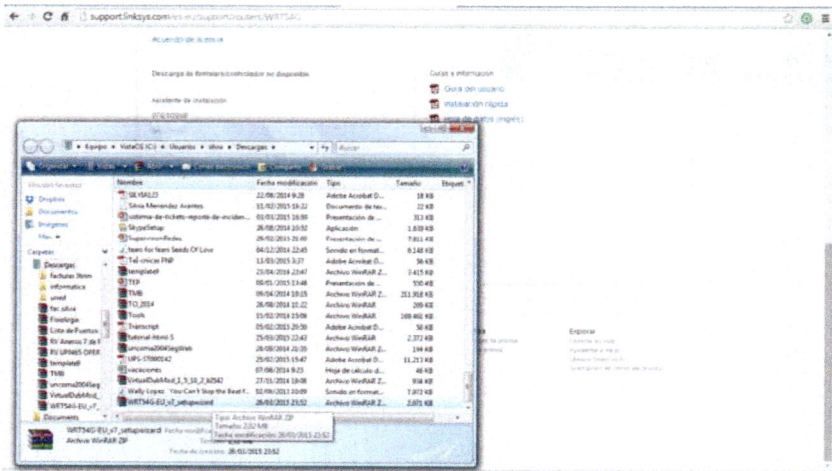

Archivo zip descargado

En general es un asistente sencillo que nos guía paso a paso.

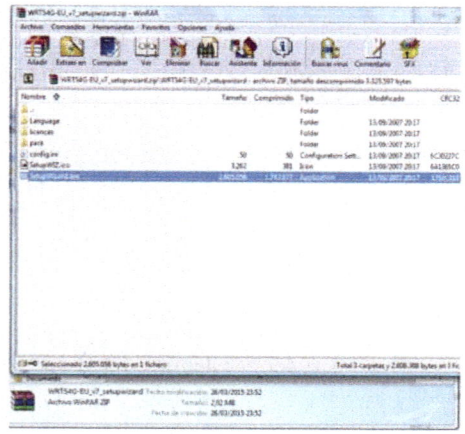

Archivo zip ejecutable

Ejecutamos la instalación pinchando en SetupWizard.exe.

Escogemos el idioma de la instalación y pulsamos siguiente.

Instalación Firmware Linksys 1

Instalación Firmware Linksys 2

Pinchamos en Haga click para empezar y en la siguiente pantalla aceptamos los términos de la licencia.

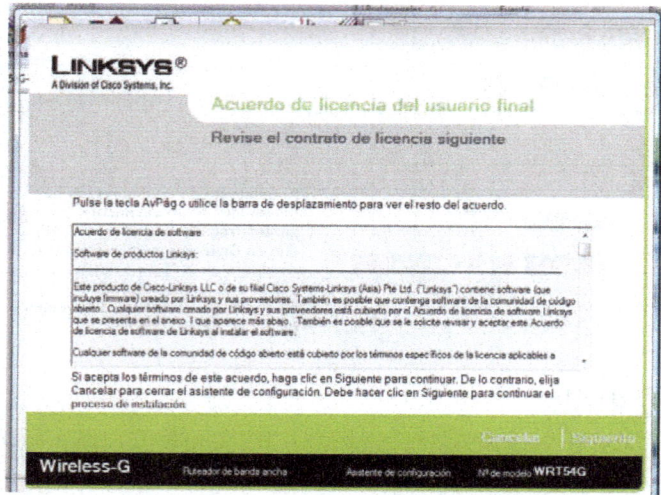

Instalación Firmware Linksys 3

Nos indica ahora los pasos de conexión y desconexión de cables necesarios.

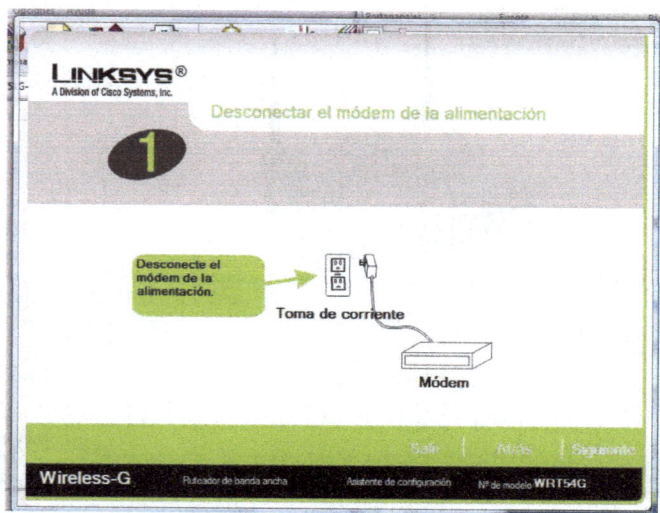

Instalación Firmware Linksys 4

Instalación Firmware Linksys 5

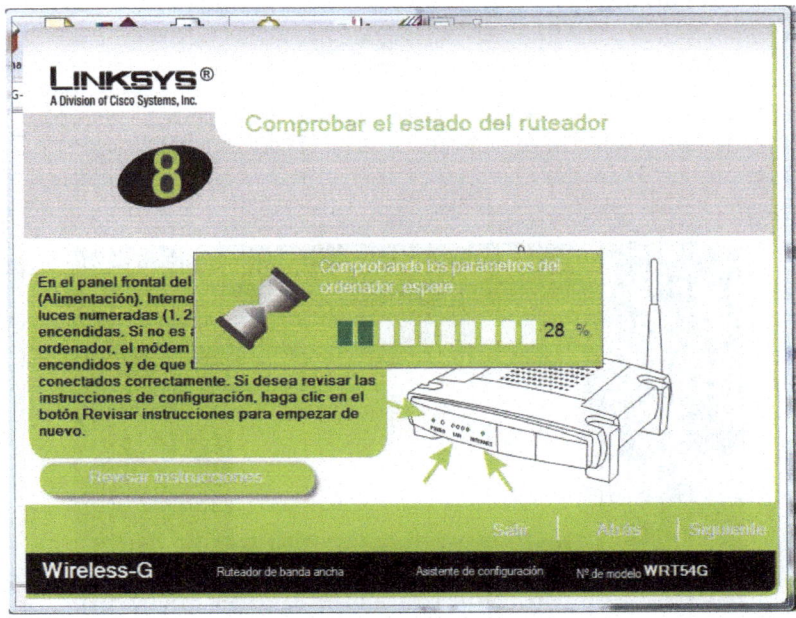

Instalación Firmware Linksys 6

Otra forma sería la siguiente:

Requisitos para instalar el Firmware:

— Router

— Cable de red

— Ordenador

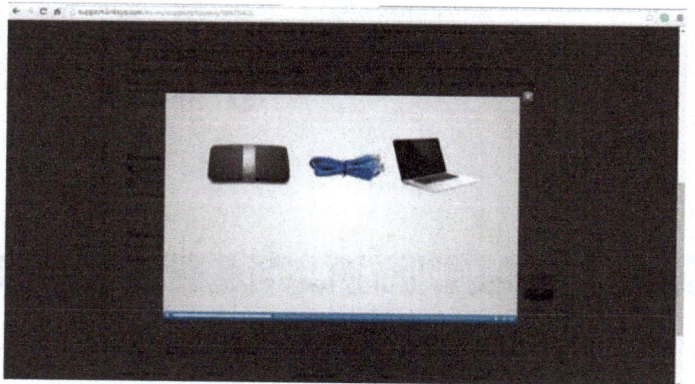

Hardware necesario

Descargamos el Firmware de internet de la misma forma vista antes.

Tras la descarga del archivo, iremos a nuestro navegador y accedemos al router (escribir la puerta de enlace en la barra de direcciones).

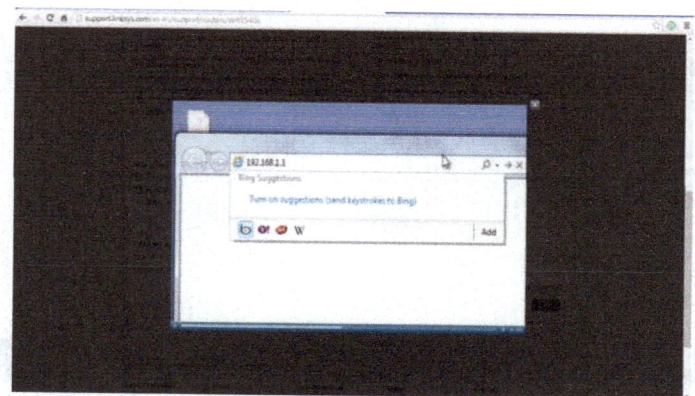

Poner IP en el navegador

Nos pedirá nuestras credenciales, para este router, generalmente si no las hemos modificado son:

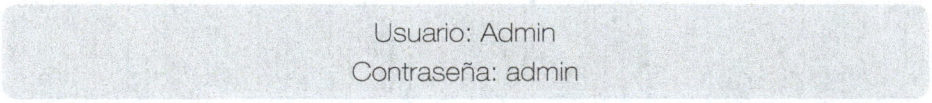

Usuario: Admin
Contraseña: admin

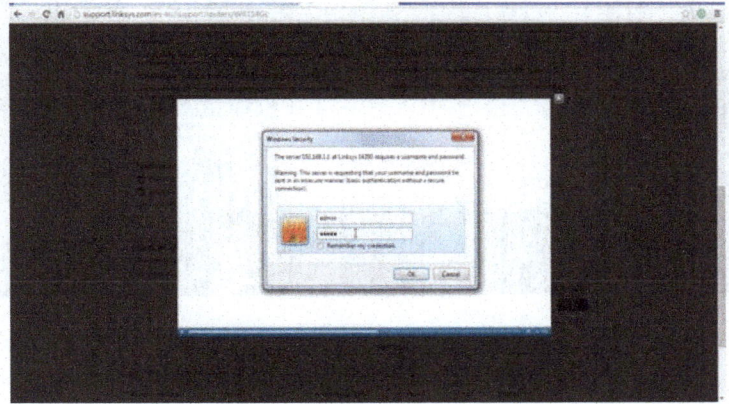

Insertar usuario y password

Una vez en la interfaz del router buscaremos la opción administrator y allí Firmware Upgrade.

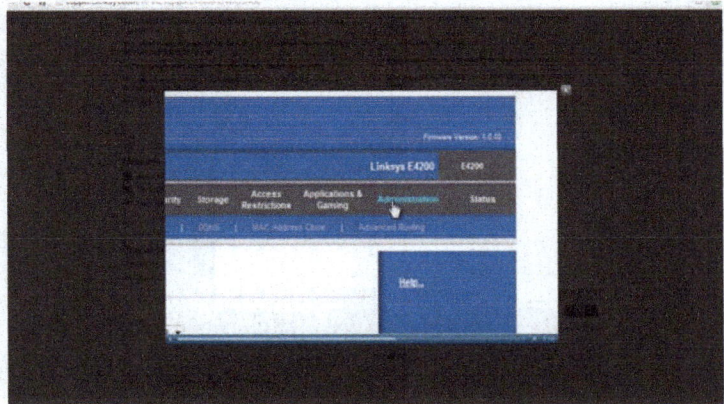

Menú administrator

Pinchamos en el botón Browse para buscar el archivo que descargamos.

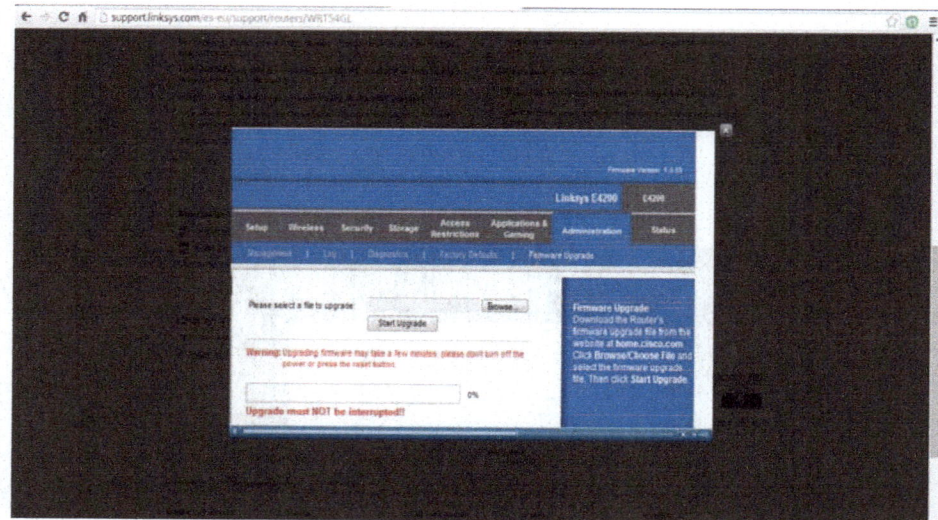

Buscar el archivo Firmware descargado

Seleccionamos el archivo y pulsamos OPEN.

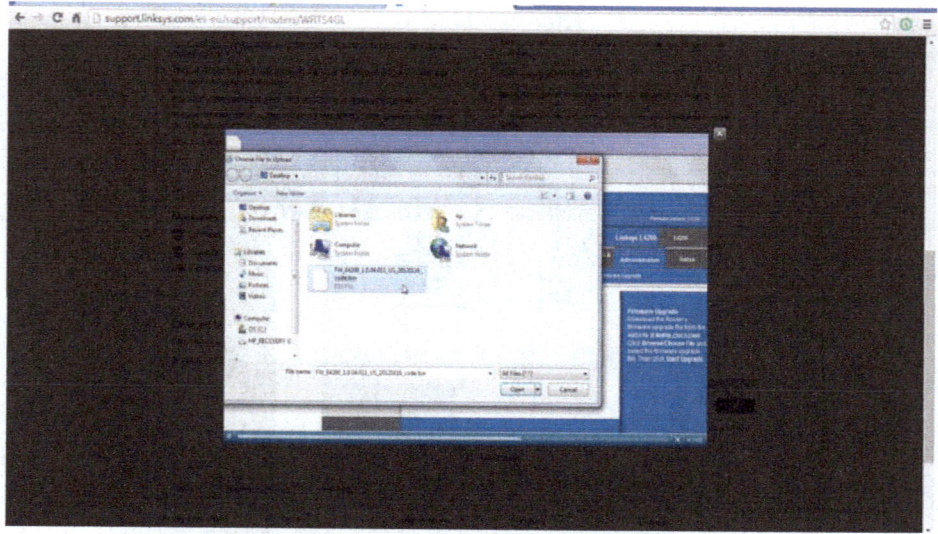

Buscar el archivo Firmware descargado 2

Pulsamos ahora el Botón Upgrade y comenzará la instalación del Firmware, que no nos llevará más de cinco minutos

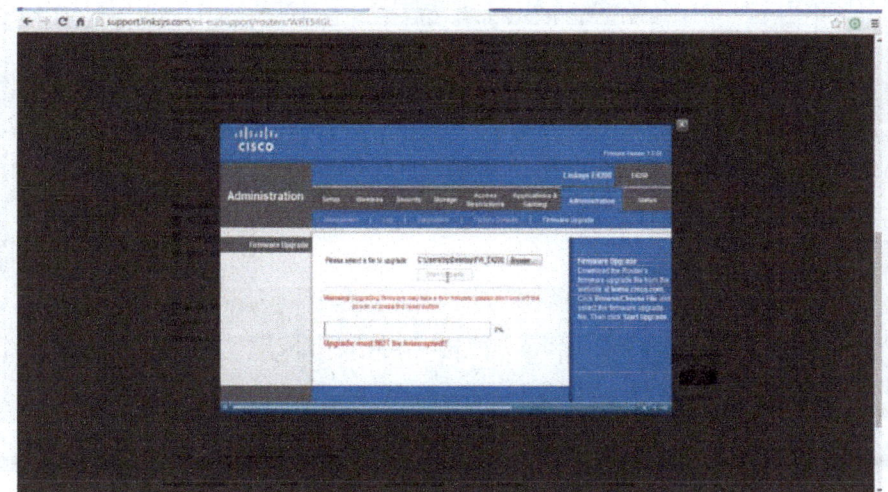

Buscar el archivo Firmware descargado 3

El proceso de actualización es muy sensible y no debe ser interrumpido, ni debemos hacer nada más con el ordenador.

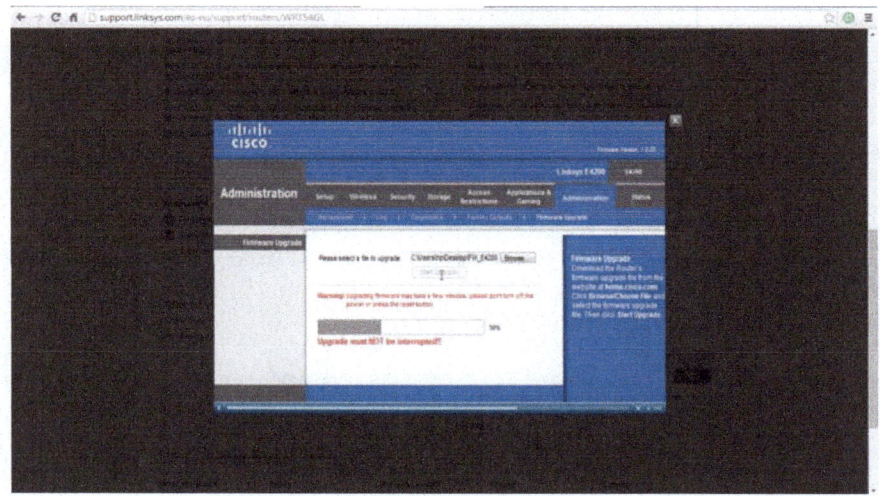

Buscar el archivo Firmware descargado 4

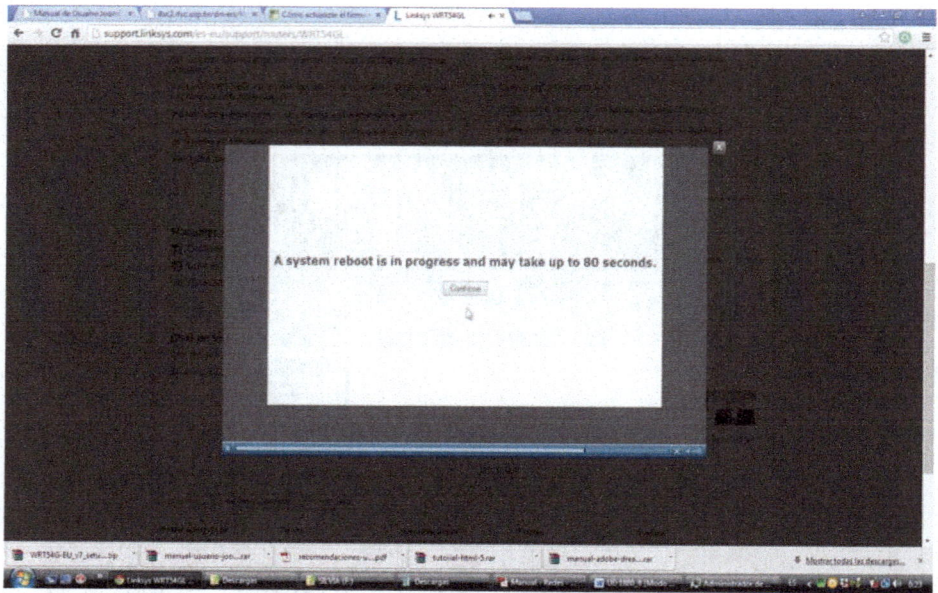

Buscar el archivo Firmware descargado 5

Finalizado el proceso pulsamos en Continuar para reiniciar el router.

> *Para más información, consulta los supuestos*
> *prácticos en el anexo al final del libro*

8.6.4. La comprobación del correcto funcionamiento del equipo actualizado

Si la actualización del Firmware fue completada con éxito, el asistente de instalación nos lo indicará mediante un mensaje, y es muy probable que nos pida el reinicio del equipo para completar el proceso.

Tras la instalación del Firmware debemos comprobar que el Hardware funciona correctamente.

En el caso de haber actualizado el router, comprobaremos que tenemos acceso al mismo, que nos podemos conectar a internet o a otros equipos a través del mismo.

Si tras la instalación y reinicio del router, no funcionara, podemos resetearlo manualmente, o desenchufarlo unos 10 segundos y después volverlo a enchufar y comprobamos otra vez si funciona.

Otras actualizaciones:

Si nuestra actualización de Firmware fue por ejemplo de un disco duro, comprobaremos que podemos leer y escribir en el disco normalmente.

Pasos a seguir

–   Reinicia los equipos

    ·   Ordenador

    ·   Router

–   Comprueba las luces de conexión del router

    ·   Luz de encendido

    ·   Luz de conexión ADSL

    ·   Luz de conexión WIFI

    ·   Luz de conexión LAN

–   Comprueba la conectividad hacia el router

    ·   Ejecuta el comando ping indicando la puerta de enlace del router

    ·   Si no sabes cuál es suele venir en el manual, también podemos hacer un ipconfig para ver nuestra configuración TCP/IP, si tenemos conexión al router aparecerá la puerta de enlace predeterminada.

Ping 192.168.0.1

– Comprueba la conectividad a internet

Realiza un ping a una web

Ping www.google.com

– Comprueba la conectividad con otras máquinas de tu red

Realiza un ping al nombre del host o a su IP correspondiente

Ping PC01

Ping 192.168.0. 3

– Comprueba que tienes conectividad mediante el navegador a internet

Accede a cualquier página de internet poniendo la dirección en la barra de direcciones del navegador.

– Comprueba todo esto mediante la conexión con cable

– Comprueba todo esto vía WIFI

Para más información, consulta los supuestos prácticos en el anexo al final del libro

UD8
Lo más importante

- El objetivo del mantenimiento preventivo es propiciar que los equipos estén siempre en buenas condiciones y actuar antes de que ocurran las cosas, es decir, antes de que una máquina se estropee y deje de dar servicio a la red.

- El mantenimiento preventivo es el que realiza unas acciones sobre el Software y Hardware de forma periódica, como por ejemplo la limpieza de los archivos temporales, las copias de seguridad, el chequeo del hardware para su correcto funcionamiento, etc. Estas acciones son tanto físicas como lógicas.

- Habitualmente se planean paradas de mantenimiento en la infraestructura de red, que previamente han sido planificadas.

- La periodicidad está ligada a la dimensión y a la complejidad del sistema y al uso del mismo.

- Para implantar un programa de mantenimiento preventivo es muy importante conocer cuáles son los equipos y la infraestructura que compone nuestra red, cuál es la influencia que cada elemento genera en la producción, qué recomiendan los fabricantes en cuestión de mantenimiento, en definitiva tener un criterio bien definido.

- Las ventanas se configuran con una fecha de inicio y fin, así como con un patrón de periodicidad.

- En el informe plasmamos todos los procesos que se han realizado durante las tareas de mantenimiento. Un informe (Reporte Técnico de Servicio) debe de recoger e interpretar los datos de forma sistemática, recabando toda la información posible.

- En los manuales de operaciones de los fabricantes de equipos se suelen recomendar ciertas tareas de mantenimiento, así como quién debe de realizarlas.

- El Firmware es la capa de comunicación entre los elementos exteriores del sistema y la electrónica del dispositivo. Es un programa que se graba en una memoria ROM y que establece la lógica de bajo nivel que controla los circuitos electrónicos.

- El Firmware permite que sea posible enviar diferentes instrucciones a los distintos componentes electrónicos de un equipo. Se caracteriza por ser un bloque de instrucciones que cumple una serie de propósitos.

- La actualización del Firmware permite añadir al dispositivo nuevas funciones.

- Los fabricantes de los dispositivos nos proporcionan actualizaciones periódicamente del Firmware.

- Casi todos los elementos Hardware son susceptibles de actualizar su Firmware.

- Para buscar la versión de Firmware adecuada realizaremos una búsqueda en internet para localizar la web oficial del fabricante del Hardware.

UD8
Autoevaluación

1. **El mantenimiento preventivo:**

   a. Trata de verificar el correcto funcionamiento de los equipos de red

   b. Lo anterior es cierto

   c. A y B son falsas

   d. Todas son verdaderas

2. **El mantenimiento preventivo. Sus beneficios son:**

   a. Mayor vida útil de los equipos

   b. Mayor confiabilidad de producción

   c. Costos más bajos (que en el mantenimiento correctivo)

   d. Todas son verdaderas

3. **Las paradas de mantenimiento se hacen:**

   a. Periódicamente

   b. Son planificadas en general

   c. Son documentadas

   d. Todas son ciertas

4. **En el informe de mantenimiento no se plasman:**

   a. Descripción de los trabajos que se solicitan

   b. Sistema/equipo

   c. Prioridad trabajo

   d. Se plasman todas las anteriores

5. **Las responsabilidades de control de calidad son:**

   a. Realizar inspecciones de las acciones, procedimientos, el equipo y las instalaciones de mantenimiento

   b. Conservar y mejorar los documentos, los procedimientos, el equipo y las normas de mantenimiento

   c. Asegurar que todas las unidades estén conscientes y sean expertas en los procedimientos y normas de mantenimiento

   d. Todas son ciertas

6. **En los manuales de operaciones de los fabricantes de equipos se suelen recomendar ciertas tareas de mantenimiento:**

   a. Comprobación versión Software

   b. Comprobación actualizaciones seguridad

   c. Firmware instalado

   d. Todas son ciertas

7. **El Firmware:**

   a. No es la capa de comunicación entre los elementos exteriores del sistema y la electrónica del dispositivo

   b. No Es un programa que se graba en una memoria ROM

   c. Establece la lógica de bajo nivel que controla los circuitos electrónicos

   d. Sólo C es cierta

8. **El Firmware:**

   a. No Es importante para el correcto funcionamiento de los equipos

   b. No se encuentra en los dispositivos electrónicos

   c. El Firmware permite que sea posible enviar diferentes instrucciones a los distintos componentes electrónicos de un equipo

   d. Todas son verdaderas

9. **El Firmware:**

   a. La actualización del Firmware permite añadir al dispositivo nuevas funciones

   b. Lo anterior no hace nada

   c. Es falso

   d. Todas son verdaderas

10. **Respecto al Firmware responde la falsa:**

   a. Los fabricantes de los dispositivos nos proporcionan actualizaciones periódicamente del Firmware

   b. El procedimiento de actualización puede ser diferente según cada fabricante

   c. No es importante revisar el manual de instalación

   d. Debemos revisar periódicamente la web del fabricante y ver si hay nuevas actualizaciones disponibles

Área: informática y comunicaciones

Glosario

- **Término:** Definición.

- **PPDIOO:** Prepare, plan, design, implement, operate, optimiza.

- **Partner:** Asociado. Ser partner significa tener acceso preferente a una red de metodologías y herramientas tecnológicas orientadas a facilitar servicios de alto valor e impacto en organizaciones empresariales y públicas.

- **NOC:** Network Operations center, centro de operaciones de red.

- **CCR:** Centro de control de red.

- **ISO:** Organización internacional para la estandarización.

- **Bugs:** Errores en el software.

- **Workflow:** Flujo de trabajo.

- **IT:** Information technology.

- **Open Source:** Código abierto.

- **Pentesting:** Test de penetración.

- **HIDS:** Detector de intrusiones basado en host.

- **NIDS:** Network IDS.

- **OSI:** Modelo de interconexión de sistemas abiertos.

- **ITIL:** IT Service Management- Information Technology Infraestructure Library.

- **HDD:** Disco duro.

- **NIC:** Tarjeta de red.

- **SNMP:** Protocolo simple de administración de red.

- **Firewall:** Cortafuegos.

- **Switch:** Conmutador. Dispositivo de red.

- **HUB:** Concentrador. Dispositivo de red.

Soluciones

UF1880: Gestión de redes telemáticas

UD1	UD2	UD3	UD4	UD5	UD6	UD7	UD8
1. d	1. d	1. d	1. a	1. b	1. d	1. d	1. a
2. d	2. d	2. c	2. d	2. c	2. d	2. d	2. d
3. c	3. d	3. d	3. d	3. d	3. d	3. d	3. d
4. d	4. d	4. d	4. c	4. c	4. c	4. d	4. d
5. a	5. b	5. d	5. c	5. d	5. d	5. d	5. d
6. d	6. d	6. d	6. d	6. a	6. d	6. d	6. d
7. c	7. d	7. d	7. b	7. d	7. d	7. d	7. d
8. c	8. d	8. c	8. a	8. c	8. d	8. d	8. c
9. d	9. a	9. b	9. d	9. d	9. d	9. a	9. a
10. a	10. c	10. d	10. d	10. d	10. b	10. a	10. c

Anexo

UF1880: Gestión de redes telemáticas

Área: informática y comunicaciones

SUPUESTO PRÁCTICO

A.   Título: El empleo de los perfiles de tráfico y utilización de la red para determinar cómo va a evolucionar su uso.

B.   Introducción.

Determinar cómo va a evolucionar la red en función de los parámetros que nos ofrecen los programas de monitoreo, para saber si es necesario realizar modificaciones, para ello usaremos el programa MRTG, donde podremos ver una serie de gráficos estadísticos que nos permiten evaluar el ancho de banda a Internet.
Es de importancia saber interpretar estos gráficos, ya que así podremos entender si el acceso a internet es deficiente debido a una mala distribución del ancho de banda entre los diferentes tipos de tráfico que compiten por la red, como por ejemplo VoIP, P2P, http, etc.

Los routers usan SNMP para exportar valores de los contadores de tráfico entrante y saliente en cada una de sus interfaces de red. Con MRTG o PRTG conseguimos que se ejecuten consultas periódicas a los routers y en intervalos regulares, de forma que iremos guardando los contadores de tráfico. Hecho esto, podremos posteriormente analizar el gráfico mediante el navegador, ya que tiene interfaz web, de la progresión del tráfico que entra y sale de las interfaces del router.

Para nosotros es muy importante ver cómo transcurre el tráfico de cara a poder estimar cómo será la evolución de la red, por ejemplo, si nuestra red es lenta debemos quizás contratar más ancho de banda, si el ancho de banda contratado está bien pero resulta que nuestras aplicaciones web van lentas, tendremos que comprobar el resto de servicios, como FTP,P2P, VoIP, y ver si estos están consumiendo más ancho de banda.
Con este programa de monitoreo podemos ir más allá de la información que nos proporciona SNMP, así podemos analizar:

- Sistema de carga
- Nº de conexiones activas (TCP/UDP) desde y hacia internet
- Tráfico entrante/saliente y su interfaz de red correspondiente, Ethernet, VLAN 802.1Q, VPN, conexión PPPoE (ADSL) una conexión móvil (·G, UMTS/HSDPA)
- Tráfico clasificado según la modulación del mismo en una clase determinada QoS
- Balance del tráfico de internet en diferentes enlaces WAN

Otras cosas que nos interesa también comprobar es la carga del procesador, Ram y disco duro, de esta forma sabremos el uso que hacen de estos dispositivos los equipos, si el uso es adecuado o no, si hay un uso excesivo de memoria Ram o de CPU por un equipo cuando no tiene ningún sentido por el tipo de aplicaciones que usa o que tiene abiertas, así mismo nos hace ver la necesidad de tener que ampliar los equipos, porque puede ser que se necesite más memoria o capacidad en un equipo para poder ejecutar con soltura sus aplicaciones.

Entre otras cosas, también podemos detectar si se hace un uso indebido de los recursos mencionados anteriormente, lo cual nos daría también una idea de si existe alguna brecha de seguridad que debamos resolver.
Para comprobar el uso de las aplicaciones por los programas podemos usar el programa Proccess Explorer que nos informa a cerca de los procesos y subprocesos que están en ejecución, y la carga de memoria de la que hacen uso en cada momento.

Con toda esta información sacaremos buenas conclusiones acerca de qué aspectos tendremos que modificar en la red en un futuro próximo.

C. **Presentación del problema/situación**

Nuestro cliente estima que la red que ahora funciona correctamente quizás necesite ser ampliada en breve por lo que nos pide un perfil de tráfico y estadísticas de uso de componentes de los equipos como son cpu, memoria RAM y disco duro, a fin de calcular las necesidades futuras cuando se implanten nuevas aplicaciones de red.

D. **Análisis**

Dada la petición del cliente lo primero que tendremos que hacer será comprobar el router y las interfaces de red que tenemos que analizar.
Ver qué equipos usan determinados servicios, como por ejemplo servicio web (http), VoIP, FTP, etc
En el caso de los componentes haremos un inventario de los equipos y sus características, donde figure el tipo de procesador, la cantidad de memoria RAM de que disponen y su capacidad de almacenamiento en el disco duro.

Tras el inventario vemos qué tenemos lo siguiente:
Un router con dos interfaces Ethernet y una WAN.
Dos equipos con las siguientes características:
- Procesador intel core i7
- 4 Gb de memoria RAM
- 500 Gb de disco duro
- Tarjeta de red Ethernet

Estos equipos realizan las siguientes funciones:
- comparten datos entre ellos
- usan FTP para conectarse a una web y transferir datos a la misma
- Se conectan a internet (tráfico http)

Los equipos ejecutan las siguientes aplicaciones de forma habitual:
- Sistema operativo Windows 7
- Antivirus Bitdefender
- Aplicaciones Ofimáticas
- Aplicación FTP
- Navegador web
- Correo electrónico Outlook

E. **Exposición/argumentación de soluciones**

Observamos los siguientes parámetros:
- **Promedio del sistema de carga**: analizando este parámetro no cubrimos todo el tráfico de red pero su información estadística nos permite entender si los recursos hardware del router, especialmente el procesador, son un cuello de botella en nuestra red de área local (LAN) y por ello hace que se relenticen las conexiones independientes de la banda disponible de acceso a enlaces a internet.
Para ver esto en el programa haremos click en el enlace "gráfico" en la parte superior derecha de la ventana, donde aparecerá una ventana el gráfico mostrando la siguiente información:

- o Dayly graph (5 minute average)
- o Load AVG x100
- o Load x CPU
    - ▪ Máx
    - ▪ Average
    - ▪ Current

La media de la carga se calcula cada 5 minutos que se multiplican x 100

El % de uso del sistema (entre paréntesis) tiene en cuenta la CPU del router, por ejemplo si tiene una CPU o varias. Si asumimos que nuestro router tiene una CPU de dos núcleos con una carga de 100, su porcentaje de uso será del 50%, así que el umbral que resultará crítico para determinar que el router está generando un cuello de botella será de 200, que es el 100% de uso.

Los factores que contribuyen a un mayor uso de la CPU son:
- o Reglas del cortafuegos
    - ▪ Algunas inspeccionan el contenido de los paquetes en el momento de establecer la conexión.
- o Clasificación QoS
- o Equilibrio de carga manual
- o Escritura del resultado del seguimiento de conexiones en los registros (Connection Tracking)
    - ▪ Este sistema noe s que consuma en sí mucha CPU, se hacen seguimiento de las conexiones TCPy UDP, pero si que consume CPU cuando el sistema se configura para registrar las conexiones (ip origen/destino, puerto origen/destino)
- o Captive Portal: existen muchos clientes activos en una LAN pero que no están autenticados, esto puede deberse a la presencia de virus, en concreto de gusanos que usan el protocolo TCP en los puertos 80 y 443 para realizar solicitudes HTTP/HTTPS que empeoran el tráfico de red.
- o Uso de proxy http o filtros de contenidos que examinan todo el contenido de una web generando sobrecarga en la cpu, en este caso hay que garantizar una memoria ram suficiente para evitar usar la memoria virtual.

- **Conexiones TCP/UDP activas:** Un elevado nº de conexiones activas es un buen índice, para saber si se están intercambiando archivos con técnicas P2P.
- **Tráfico entrante/saliente de la interfaz de red:** En el mismo gráfico que teníamos abierto, nos muestra el tráfico entrante en color verde, y el saliente en azul. Los porcentajes hacen referencia a la banda máxima que soporta la interfaz de red. Nos permite observar datos de descarga y subida de las siguientes interfaces:
    - o **Ethernet**
    - o **VPN**
    - o **PPPoE**
    - o **3G**
- **Distribución del tráfico en las puertas de enlaces de internet en equilibrio de carga**
- **Gráficos de tráfico divididos por clases QoS:** Si el tráfico está activo en una interfaz de red, podemos ver el tráfico de salida en función del tipo de tráfico.

  En el gráfico el tráfico total de salida de una interfaz no lo muestra en azul, y el que está clasificado en una Qos en verde.

  En amarillo muestra el % de uso QoS comparándolo con el tráfico total de la interfaz.

  El máximo es el 100%

En caso de que los parámetros de tráfico estén por debajo del 50% de uso, no vamos a preocuparnos en principio de la evolución de la red, ya que de momento la carga no es excesiva, habría que simular la red con las nuevas aplicaciones que se quieren instalar a ver qué es lo que ocurriría y si sería necesario aumentar el ancho de banda.

SUPUESTO PRÁCTICO

A. **Título: El análisis de los resultados obtenidos por la monitorización con el fin de proponer modificaciones.**

B. **Introducción.**

Utilizando la herramienta PGRT, podemos realizar un monitoreo de la red comprensivo, con más de 200 sensores que cubren diferentes aspectos de la red. Realizar un monitoreo exhaustivo nos permitirá conocer qué aspectos de la red debemos de modificar.

Algunas de las cosas que podemos monitorear son:

- Supervisar los tiempos de funcionamiento y periodos inactivos de la red, esto nos orientará a cerca del uso que se hace de la red, cuáles son los momentos de actividad más críticos, es decir, cuando hay mayor sobrecarga de la red, o bien, nos puede ser útil para saber cuál es el tiempo de mayor inactividad, para así poder planear por ejemplo, cuándo es mejor realizar copias de seguridad.
- Monitorizar el ancho de banda con diferentes protocolos como:
  - SNMP
  - WMI
  - NetFlow
  - sFlow
  - jFlow
  - packet snnifing
- Monitorear las aplicaciones, y el uso que se hacen de ellas a nivel de recursos como la ram o cpu.
- Monitoreo web
- Monitoreo de los acuerdos de nivel de servicio (SLA´s)
- Monitoreo de redes
  - WAN
  - LAN
  - VPN
  - Sitios distribuidos
- Otros aspectos de la red

Con toda esta información más los registros de eventos (Extensive event logging), podemos hacernos una idea muy clara del funcionamiento de la red, de los puntos críticos de la misma.
Todo esto nos llevará algún tiempo.

Generaremos alarmas para que nos avisen del uso de los recursos, especialmente cuando se superen ciertos umbrales, como por ejemplo superación de la cuota de ddisco, uso excesivo de la cpu, uso de la ram por encima de ciertos valores especificados, etc. Estas alarmas se guardan en logs que despueés podremos analizar con detalle.

- Alarmas de estado
  - Up
  - Down
  - Aviso
- Alertas de límites
  - Por encima de un valor
  - Por debajo de un valor
- Umbrales
  - Por encima de x durante x minutos
  - Por debajo de x durante x segundos
- Alertas con determinadas condiciones
- Alertas de escalación

- o Notificación cada x minutos cuando hay tiempos de inactividad
- o Dependencias de los recursos
- Alertas de disponibilidad de los servicios
- Otras alertas

Así mismo podemos publicar datos y mapas, llamados Dashboards

- Dashboard de información de rendimiento
- Dashboard del estado en tiempo real
- Mapas interactivos.

Por otra parte tendremos que observar los informes, estos informes pueden tener formato pdf o html, y se pueden crear de forma ad hoc o programarlos cada día semana o mes.

Algunos de estos informes incluyen:

- Gráficos y tablas para determinados sensores
- Tiempo de actividad e inactividad en % y segundos
- Good/failed request en % y total
- Top 100
  - o Consumo ancho de banda
  - o Uso CPU
  - o Tiempos de ping
  - o Espacio en disco
  - o Periodo de inactividad
  - o Disponibilidad
  - o Otros

Con todos estos datos a nuestra disposición haremos un estudio de la información aportada y podremos tomar decisiones adecuadas y proponer mejoras y modificaciones en el sistema.

Por otra parte podemos usar el monitor de recursos de Windows y el administrador de tareas, que también nos informan del uso de recursos como:

- Tráfico de red
- CPU
- Uso RAM
- Uso del disco

C. Presentación del problema/situación

LA empresa nos pide realizar un monitoreo de la red a fin de sacar conclusiones sobre las necesidades y carencias de la misma. Determinar si es necesario aumentar la RAM de los equipos, si hay periodos de inactividad muy bajos, o el caso contrario, si la red se sobresatura, y si esto ocurre en algún momento en concreto.

Comprobar el uso de la cpu, por si es necesario sustituirla por otra mejor.

Las características del equipo a analizar son:

- Procesador dual core
- 4 gb de RAM
- Sistema operativo Windows 7
- Disco duro de 500 gb

D. Análisis

En una primera etapa recopilaremos información acerca de la red, y los equipos que la forman, así como del uso que se hace de ella, para ello tendremos diversas reuniones con la empresa, auditaremos los equipos,etc, con el fin de obtener la máxima información posible que nos permita priorizar nuestro posterior análisis.

Por ejemplo:
- Equipos que se conectan a internet
- CPU de los equipos
- Memoria RAM instalada
- Capacidad d elos discos duros
- Cuotas de disco

Instalada la herramienta PGRT configuraremos las diferentes sondas y aspectos de la red que deseamos monitorizar, en nuestro caso queremos conocer los tiempos de actividad e inactividad, el uso de CPU, memoria RAM y discos.
Después generaremos los reportes correspondientes a las sondas analizadas para su posterior evalución.

En estos reportes observamos que para un cierto equipo se está haciendo el siguiente uso:
- Consumo de memoria RAM 100%
- Uso cpu 100%
- Uso del disco duro 90%
- Tráfico de red elevado

Podemos realizar sobre ese equipo una serie de comprobaciones con el monitor de recursos de Windows, y encontramos más o menos las mismas cifras de uso de los recursos.

Examinando a fondo ese equipo, vemos que tiene muy poca memoria RAM para las aplicaciones que habitualmente tiene que ejecutar.

E. Exposición/argumentación de soluciones

Toda la información que recogen los sensores de PGRT está siendo almacenado en su base de datos, por lo que aquí encontramos diversos reportes, en función del tiempo, de características, nodos, etc.
Una vez obtenido el reporte podemos verlo en vivo o exportarlo a HTML y examinar los valores generados en el reporte del uso de los recursos.

Analizando el equipo y su uso, nos damos cuenta que ejecuta muchas aplicaciones necesarias y que no dispone de memoria RAM suficiente para las mismas, por lo que de aquí surge una modificación que debemos relizar en el equipo, aumentar la memoria RAM.

Respecto al uso del disco puede estar relacionado con lo anterior, al tener que usar más la memoria virtual.

El uso de la cpu excesivo viene dado porque es un equipo con un procesador poco potente, quizás convendría cambiar el equipo completo por uno que tenga un procesador de 4 o más núcleos y al menos 8 gb de memoria RAM, haremos una estimación de la memoria necesaria en función de las aplicaciones que usa el equipo y los recursos que consumen, esto lo podemos ver en las características técnicas necesarias para cada aplicación, así por ejemplo, Windows 7 necesita al menos 1gb de memoria RAM, un antivirus 512 Mb, y así suma y sigue, aunque siempre sobreestimaremos un poco más estos valores, así por ejemplo si Microsoft dice que Windows 7 necesita 1 gb de RAM nosotros reservaremos 2, y así con el resto de las aplicaciones.

ÍNDICE

OBJETIVO

ALCANCE

IMPLICACIONES Y RESPONSABILIDADES

METODOLOGÍA

ANEXOS

Fecha: _____	Fecha: _____	Fecha: _____
Elaborado por: _____ _____	Revisado por: _____ _____	Aprobado por: _____ _____
Firma:	Firma:	Firma:

OBJETIVO

Conseguir que las instalaciones y equipos se conserven en condiciones óptimas de funcionamiento, previniendo las posibles averías y fallos, y consiguiendo así que el trabajo se realice con los mayores niveles de calidad y seguridad.

ALCANCE

Todas las instalaciones y equipos utilizados por la empresa.

IMPLICACIONES Y RESPONSABILIDADES

Responsable de mantenimiento: elaborará un programa de mantenimiento que asegure la conservación de los equipos e instalaciones en condiciones óptimas y velará por el cumplimiento del mismo.

Director de la unidad funcional: facilitará y aplicará el programa preventivo en las instalaciones y equipos pertenecientes a su área funcional.

Mandos intermedios: velarán para que los equipos se encuentren en correcto estado y las actuaciones de mantenimiento se desarrollen de acuerdo con lo establecido.

Trabajadores: deberán comunicar inmediatamente a su mando directo cualquier defecto o indicio de avería detectado en el equipo o instalación utilizada. Realizarán aquellas revisiones de sus equipos que tengan encomendadas.

DESARROLLO

El responsable de mantenimiento, en colaboración con el director de la unidad funcional y mandos intermedios, elaborará un programa de mantenimiento preventivo que conste de los siguientes puntos:

Cada equipo o conjunto de equipos idénticos dispondrán de un libro de registro del programa de revisiones a realizar en cada uno de ellos, en el que se recogerán los trabajos de mantenimiento y reparación realizados. Para ello estarán identificados los elementos y las partes críticas de los equipos objeto de revisión y los aspectos concretos a revisar.

Se dispondrá de hojas de revisión mediante cuestionarios de chequeo específicos para facilitar el control de los elementos y aspectos a revisar, en donde el personal indicará las actuaciones y desviaciones detectadas de acuerdo con los estándares establecidos. En dichas hojas constarán la frecuencia y la fecha de las revisiones así como los responsables de realizarlas. Las hojas de revisión cumplimentadas, así como los registros de los trabajos realizados, se guardarán en las propias unidades funcionales.

Se diferenciarán, en función de la frecuencia requerida, las diferentes actuaciones, bien sea de verificación de estándares o bien porque se trate de tareas específicas. Cada actividad de mantenimiento preventivo estará debidamente codificada. Se registrarán en la hoja destinada a tal efecto del anexo 2.

Resultados de las revisiones preventivas: cuando en el curso de una revisión se detecten anomalías, éstas deberán ser notificadas. Obviamente, siempre que sea posible se repararán inmediatamente o se programará su solución. La anomalías encontradas se reflejarán en el formulario destinado a este fin recogido en el citado anexo 2.

Independientemente de las actuaciones surgidas de las desviaciones detectadas en el programa de mantenimiento existe una vía de comunicación de cualquier anomalía que el personal detecte en su equipo a través del cumplimiento del formulario recogido en el anexo 1.

ANEXO 1

FORMULARIO DE REGISTRO DE INCIDENCIAS

Fecha: _____ Código: _____

Instalación/Máquina/Equipo: _____

Código elemento revisado: _____

Unidad funcional: _____

Director de la Unidad Funcional: _____

ANOMALÍAS ENCONTRADAS	ORIGEN	CONSECUENCIAS

MEDIDAS ADOPTADAS

Equipo de mantenimiento: _____ Código: _____

Firma Jefe Equipo::

Enterado responsable de mantenimiento	Enterado director unidad funcional:
Firma:	Firma:

FICHA INTEGRADA DE MANTENIMIENTO/REVISIÓN DE SEGURIDAD DE EQUIPOS

Tipo máquina/equipo: _____ Código: _____

Responsable de la revisión: _____ Mes: _____

ASPECTOS A REVISAR	FRECUENCIA DE REVISIÓN (*) MENSUAL		FRECUENCIA DE REVISIÓN SEMANAL								FRECUENCIA DE REVISIÓN QUINCENAL			
	Fecha		Fecha		Fecha		Fecha		Fecha		Fecha		Fecha	
	Cód.	Firma	Cód.	Firma	Cód.	Firma	Cód.	Firma	Cód.	Firma	Cód.	Firma	Cód.	Firma
MANTENIMIENTO 1 ___ 2 ___ 3 ___	☐ ☐ ☐													
LIMPIEZA 1 ___ 2 ___ 3 ___			☐ ☐ ☐		☐ ☐ ☐		☐ ☐ ☐		☐ ☐ ☐					
SEGURIDAD 1 ___ 2 ___ 3 ___											☐ ☐ ☐		☐ ☐ ☐	

(*) La frecuencia de revisión del mantenimiento vendrá determinada por las especificaciones del fabricante contenidas en el manual de instrucciones, los resultados obtenidos en revisiones anteriores y, en su caso, por el conocimiento y experiencia en el uso del equipo.

En el caso de detectar anomalías en algunos aspectos, se le asignará un código numérico y se cumplimentará el cuadro anterior indicando las anomalías detectadas y las acciones que se han llevado a cabo para subsanarlas.

COD.	ANOMALÍAS DETECTADAS	ACCIONES ADOPTADAS
☐ ☐ ☐	_____	_____

SUPUESTO PRÁCTICO

A. Título: La aplicación de los criterios de selección de equipos que pueden actualizar su firmware.

B. Introducción.

Queremos conocer cuáles son los equipos de nuestra red que son susceptibles de actualizar su firmware. Para ello vamos realizar un inventario de los equipos que contienen Firmware, comprobar su versión y compararla con las versiones nuevas que contienen una mejora significativa para nuestro equipo. En este supuesto práctico vamos a ver si es necesario actualizar el firmare de una placa base y en base a qué criterios. Como ya hemos visto, no siempre se hace necesaria la actualización del Firmware.

C. Presentación del problema/situación

Se compra un equipo que tiene una placa base ASUS MAximus VII Gene, cuya BIOS de serie es la siguiente:64Mb UEFI AMI BIOS, versión 0401. Esta Versión de BIOS soporta diferentes procesadores de Intel, en concreto según sus especificaciones, soporta los procesadores Intel i3, i5 e i7 de 5ª y 4ª generación, así como los Celeron.

Se desea poner un procesador sustituyendo al que trae el equipo montado con las siguientes características: Core i7-4790K (4.0Ghz, 4C, HT, L3:8M, HD Graphic, 88W, rev.Co)

Al montar el procesador y encender el equipo resulta no funcionar. Definir cuál puede ser una de las causas relacionadas con el Firmware que puede generar este fallo.

D. Análisis
Lo primero que debemos observar es si la instalación del componente se realizó satisfactoriamente, si podemos incluso probaremos en otro equipo si ese mismo componente funciona.

Si esto es así y descartados otros problemas relacionados con el funcionamiento de los componentes, cabe la posibilidad de que el problema radique en una incompatibilidad de la placa base con ese procesador, y que quizás este problema pueda ser subsanado mediante alguna actualización de la BIOS.

Podemos pensar que puede ser un problema relacionado con el Firmware, ya que no todos los procesadores i7 son compatibles con la placa base, por lo que pasamos a comprobar la versión de la BIOS y su compatibilidad con el procesador dado.

E. Exposición/argumentación de soluciones

Mirando el manual de la placa base, y en la web del fabricante descubrimos que precisamente para este modelo de procesador de Intel, se requiere una nueva versión de BIOS, la 0609, ya que con la actual no existe compatibilidad con ese procesador.

SUPUESTO PRÁCTICO

A. Título: La localización de las versiones actualizadas del firmware.

B. Introducción.

Teniendo en cuenta el caso práctico anterior y siguiendo el hilo del mismo, vamos a ver dónde podemos encontrar la información relacionada con las versiones de la BIOS de la placa base y su compatibilidad con el procesador especificado en el ejemplo. Para ello nos podemos valer de la información dada por el fabricante en el manual de especificaciones técnicas, y en su web oficial donde encontraremos información más detallada acerca de las compatibilidades con los distintos procesadores que soporta la placa base.

C. Presentación del problema/situación

Se compra un equipo que tiene una placa base ASUS MAximus VII Gene, cuya BIOS de serie es la siguiente: 64Mb UEFI AMI BIOS, versión 0401. Esta Versión de BIOS soporta diferentes procesadores de Intel, en concreto según sus especificaciones, soporta los procesadores Intel i3, i5 e i7 de 5ª y 4ª generación, así como los Celeron.

Se desea poner un procesador sustituyendo al que trae el equipo montado con las siguientes características: Core i7-4790K (4.0Ghz, 4C, HT, L3:8M, HD Graphic, 88W, rev.Co)

Al montar el procesador y encender el equipo resulta no funcionar.
Pensando que pueda ser un problema del Firmware (BIOS) comprobaremos la versión actual de nuestro equipo y la necesaria para soportar el procesador especificado, localizando la versión nueva de Firmware que necesitamos instalar.

D. Análisis

Se comprueba que el equipo que con su configuración inicial funcionaba, deja de hacerlo al cambiar el procesador, por lo que intuimos que o bien el problema está en el procesador, que no funciona, lo cual suele ser bastante raro, o que estamos ante un problema de incompatibilidad del componente, ya que esto suele ocurrir con alguno modelos específicos de procesadores, tarjetas gráficas y memorias RAM
Lo primero que haremos será comprobar la versión de la BIos actual de nuestro equipo, para ello dado que ya venía con otro procesador anteriormente montado con el que funcionaba, podemos volver a montarlo y comprobar en el POST de la BIOS, o entrando a la propia BIOS la versión que tiene actualmente la placa base.

Podríamos también consultar el manual de la placa base, pero esto no siempre es muy fiable porque no sabemos si el que montó el equipo ya hizo alguna actualización de la BIOS, o si se ha realizado posteriormente para subsanar algún problema del equipo o mejorar su rendimiento.

Sabemos que el lugar donde se encuentran las actualizaciones de la BIOS, es en la página web oficial del fabricante por lo que debemos recurrir a ella para descargar el nuevo Firmware. Pese a que en la web podamos encontrar otras páginas donde descargar el Firmware, es mucho más fiable hacerlo desde la web oficial y así nos evitaremos disgustos posteriores.
Recuerda que el proceso de actualización del Firmware es muy sensible y puede incluso hasta dañar el equipo si no lo realizamos correctamente, o si no descargamos el Firmware adecuado para nuestra marca y modelo de componente.

E. Exposición/argumentación de soluciones

Comprobamos la correcta instalación del componente.

Consultamos el manual de la placa base, que es la que contiene el firmware que define la compatibilidad de los procesadores.
En el manual tenemos un apartado de características técnicas de la placa base, donde podemos observar varias cosas, la primera de ellas, es que esta placa base es compatible para los procesadores de la gama de Intel i7 de 4ª y 5ª generación por lo que a priori nuestro procesador debería valernos. Al final de las especificaciones veremos el tipo de BIOS que lleva y sus características.

Para ver el manual de esta placa base consulta la web del fabricante, buscando el modelo de la placa base, la web nos llevará a una página donde tenemos la descripción del producto, sus especificaciones técnicas y en la opción de soporte podremos encontrar drivers, firmware, compatibilidades, FAQ's y manuales.
En el caso de la placa base seleccionada, ASUS maximus VII Gene, encontramos esa información en el siguiente enlace web: http://www.asus.com/es/Motherboards/MAXIMUS_VII_GENE/

En concreto las especificaciones pinchando en el menú especificaciones que nos lleva al siguiente enlace: http://www.asus.com/es/Motherboards/MAXIMUS_VII_GENE/specifications/

Para asegurarnos mejor la versión de BIOS de la que realmente dispone nuestro equipo, podemos encenderlo con el procesador que traía y acceder a la BIOS, generalmente pulsando la tecla SUPR tras encender el ordenador, y allí en la pantalla principal nos dará información sobre nuestra versión BIOS.
Otra opción es encender el equipo y usar alguna versión portable de Software que nos muestre información sobre el Hardware y Software de nuestro equipo, como en este caso puede ser EVEREST ULTIMATE Edition de Lavalys, donde en el apartado de información de la placa base podremos ver cuál es la versión de nuestra BIOS.

Una vez realizado esto comprobamos que nuestra BIOs es la 0401.
Queda por ver si esta versión de BIOS es compatible con nuestro nuevo procesador, Intel Core i7-4790K (4.0Ghz, 4C, HT, L3:8M, HD Graphic, 88W, rev.Co), para ello en la web de asus entramos en el apartado de soporte: http://www.asus.com/es/Motherboards/MAXIMUS_VII_GENE/HelpDesk/

Una vez hemos entrado en el apartado de soporte podemos ver en la parte inderior de la página, antes de las FAQ'd varios iconos de enlace, entre ellos encontramos: controladores y utilidades, Soporte para memorias y dispositivos, manuales y documentación, entre otras, y la que nos interesa que es Soporte de CPU, donde vamos a acceder para comprobar un listado que aparece con las CPU soportadas y la versión de BIOS que requieren.

Enlace al listado de CPU's soportadas:
http://www.asus.com/es/Motherboards/MAXIMUS_VII_GENE/HelpDesk_CPU/

Buscando en este listado encontramos que para nuestra nueva CPU necesitamos una actualización de la BIOS, la 0609, desde aquí mismo en el enlace donde pone "GO" podemos acceder a la actualización.
http://www.asus.com/es/Motherboards/MAXIMUS_VII_GENE/HelpDesk_CPU/

SUPUESTO PRÁCTICO

A. Título: La actualización del Firmware.

B. Introducción.
Siguiendo con el hilo del punto anterior, vamos a proceder a instalar el Firmware necesario para nuestra placa base a fin de obtener total compatibilidad con el nuevo procesador que deseamos instalar.

C. Presentación del problema/situación
Se compra un equipo que tiene una placa base ASUS MAximus VII Gene, cuya BIOS de serie es la siguiente: 64Mb UEFI AMI BIOS, versión 0401. Esta Versión de BIOS soporta diferentes procesadores de Intel, en concreto según sus especificaciones, soporta los procesadores Intel i3, i5 e i7 de 5ª y 4ª generación, así como los Celeron.

Se desea poner un procesador sustituyendo al que trae el equipo montado con las siguientes características: Core i7-4790K (4.0Ghz, 4C, HT, L3:8M, HD Graphic, 88W, rev.Co)

Al montar el procesador y encender el equipo resulta no funcionar.
Pensando que pueda ser un problema del Firmware (BIOS) comprobaremos la versión actual de nuestro equipo y la necesaria para soportar el procesador especificado, localizando la versión nueva de Firmware que necesitamos instalar.
Dado que ya tenemos constancia del problema, y sabemos que tenemos que realizar la actualización del Firmware a fin de soportar nuestro nuevo procesador, pasamos a realizar la instalación del mismo.

D. Análisis
Al acceder a la página de descarga del driver, encontramos la siguiente información:

CPU	Desde PCB	Desde BIOS	Nota
Core i7-4790K (4.0Ghz, 4C, HT, L3:8M, HD Graphic, 88W, rev.C0)	ALL	0609	

En la tabla se muestra el procesador y la BIOS desde la cual es compatible., es importante que comprobemos bien que es el mismo procesador para el cual vamos a realizar la actualización de la placa base, ya que si nos equivocamos podemos dañar el equipo y hacer inservible la placa base.

Si la BIOS de nuestra placa fuera superior a la indicada no es necesario actualizarla, ya que ya tiene soporte para el procesador en cuestión, y esto nos haría pensar en otro tipo de problema.

En la página de descarga vemos que la actualización disponible para descargar no es la 0609, sino la versión 2601, que es la más reciente, como es más nueva nos sirve igualmente.

En el siguiente cuadro vemos una descripción de la BIOS, y de las mejoras implementadas en ella, tamaño en Mb que ocupa, fecha de la BIOS, y la descarga de la misma

Versión 2601

Descripción	MAXIMUS VII GENE BIOS 2601
	1. Implement 5th-Generation Intel Core Processors code
	*Full support of the new CPU requires necessary driver updates.
	2. Support ASUS USB 3.1 PCIE add-on card
	3. Support NVMe
Tamaño	5.74 MBytes actualizado 2015/04/07
Descargar desde	Global

Una vez descargada la nueva versión de la BIOS, procederemos a instalarla siempre siguiendo las indicaciones del fabricante. Por ello, es muy importante consultar el manual para ver cuál es el procedimiento correcto.

Para hacerlo bien, vamos a descargar el manual de la BIOS, si no lo habíamos hecho antes, el manual de esta placa lo encontrarás en la web de ASUS:
http://dlcdnet.asus.com/pub/ASUS/mb/LGA1150/MAXIMUS-VII-GENE/e9752_maximus_vii_gene_ug_v2_for_web_only.pdf?_ga=1.242868610.1883867107.1431878784

En el apartado 2.2 de este manual encontramos el título BIOS update utility, donde describe los pasos a realizar de forma correcta.

E. Exposición/argumentación de soluciones.

Teniendo descargada la última versión de la BIOS procedemos a instalarla.

En el caso de esta placa base de ASUS la actualización es muy sencilla, para ello usaremos la utilidad que hemos descargado y el método USB BIOS Flashback que nos ayuda a instalar la actualización de forma muy sencilla simplemente insertando un pendrive en el puerto USB y presionando el botón ROG durante tres segundos, este botón se encuentra situado en el panel trasero de conectores de la placa base, tras ello, la BIOS se actualizará de forma automática.

Para usar USB BIOS Flashback seguiremos los siguientes pasos:
1. Descargar la última versión de la BIOS siempre de la web ofial, en este caso que estamos tratando de la página de ASUS: http://www.asus.com
2. Extraemos el archivo descargado y renombramos esta imagen de la BIOS con el nombre M7G.CAP
3. Copiamos el archivo M7G.CAP en el directorio de nuestro dispositivo USB, mejor que el USB previamente este vacío, para que sólo tengamos en el la imagen de la BIOS.
4. Apagamos el equipo y conectamos el dispositivo USB en el puerto ROG (Es como un puerto USB donde pone ROG Connect Port.
5. Presionamos el botón ROG durante tres segundos y observamos que el led FLBK_LED está parpadeando.

Recuerda que el proceso de actualizar la BIOS entraña ciertos riesgos, si el programa de la BIOS se daña durante el proceso puede ocurrir que a la hora de reiniciar el equipo nos dé un fallo en el arranque.No debemos cambiar la BIOS por defecto si no es por las siguientes razones:

1. Aparece un mensaje de error durante el arranque del equipo que nos solicita la actualización de la BIOS.
2. Cuando hayamos instalado un componente que requiera actualizarla.

En las placas base de ASUS encontramos una serie de utilidades que permiten adminsitrar y actualizar la BIOS, que también vienen referidas en el manual de la placa base, en nuestro caso en el punto 3.11. Entre estas utilidades encontramos:

1. EZ Update: Actualiza la BIOS desde un entorno Windows.
2. ASUS EZ Flash 2: Actualiza la BIOS usando el método visto aquí, usando una unidad de USB
3. ASUS CashFree BIOS 3:Restaura la BIOS usando el DVD que incorpora la placa base o un dispositivo USB cuando la instalación de la BIOS falla o es corrupta.
4. ASUS BIOS Updater: Actualiza la BIOS usando un entornoDOS bien con el DVD De la placa base o con un dispositivo USB.

SUPUESTO PRÁCTICO

A. Título: La comprobación del correcto funcionamiento del equipo.

B. Introducción.

En este punto tratamos de evaluar que el equipo actualizado lo hizo de forma correcta.

C. Presentación del problema/situación

Tras la instalación de la nueva BIOS, que soluciona el problema de incompatibilidad con el procesador que queríamos poner debemos comprobar que el equipo funciona correctamente.

Análisis

Comprobaremos dos supuestos, uno, que el equipo funcione correctamente tras la actualización y dos, que no se haya realizado correctamente la instalación, en cuyo caso tendremos que ejecutar la aplicación ASUS CrashFree BIOS 3 que viene en el DVD y que permite recuperar la BIOS cuando se ha realizado mal la instalación o ha surgido algún problema durante la misma o cuando los archivos están corruptos.

D. Exposición/argumentación de soluciones

Tras la instalación de la BIOS, reiniciaremos el equipo, y si todo ha salido bien arrancará sin problema. Ahora ya podemos volver a probar la CPU nueva, por lo que retiraremos el procesador antiguo, y lo sustituimos por el nuevo, ahora el ordenador arrancará sin problemas gracias a la actualización que realizamos d la BIOS.

En caso de que la instalación de la BIOS hubiera sido errónea, o se reinició el equipo en pleno proceso o cualquier otro problema, esto hará que el equipo no arranque correctamente, en el caso de esta placa base esto tiene solución, en otros casos no es así.

Para recuperar el funcionamiento de la BIOS, ejecutaremos la utilidad ASUS CrashFree BIOS 3 , para recuperar la BIOS seguiremos los siguientes pasos.
1. Encender el equipo
2. Insertar el DVD de soporte que se incluye con la placa base.
3. La utilidad chequea automáticamente los dispositivos buscando el archivo de la BIOS. Cuando lo encuentra la utilidad lee el archivo de la BIOS y ejecuta ASUS EZ Flash automáticamente.
4. Tras el ello el sistema requiere que entremos en la configuración de la BIOS.
   Se recomienda cargar los valores por defecto pulsando F5

No debemos apagar ni reiniciar el equipo mientras se esté actualizando la BIOS, si lo hacemos nos dará un error durante el arranque.